AF238093

MATEMÁTICAS

1.ª UNIDAD DIDÁCTICA
1.º ESO

Francisco Boix Torá

Matemáticas. 1.ª unidad didáctica. 1.º ESO

© Francisco Boix Torá

ISBN: 978-84-9948-422-8
Depósito legal: A-771-2011

Edita: Editorial Club Universitario. Telf.: 96 567 61 33
C/ Decano, 4 – 03690 San Vicente (Alicante)
www.ecu.fm
ecu@ecu.fm

Printed in Spain
Imprime: Imprenta Gamma. Telf.: 965 67 19 87
C/ Cottolengo, 25 – 03690 San Vicente (Alicante)
www.gamma.fm
gamma@gamma.fm

Reservados todos los derechos. Ni la totalidad ni parte de este libro puede reproducirse o
transmitirse por ningún procedimiento electrónico o mecánico, incluyendo fotocopia, grabación
magnética o cualquier almacenamiento de información o sistema de reproducción, sin permiso
previo y por escrito de los titulares del Copyright.

ÍNDICE

UNIDAD DIDÁCTICA 1: NÚMEROS NATURALES

1. INTRODUCCIÓN

Esta es la primera unidad didáctica de las siete que comprenden el bloque de Números del currículo de 1.º de ESO del área de Matemáticas.

Al tratarse de la primera unidad de la programación, se imparte en primer lugar, al principio del curso, precede a la unidad referida a la divisibilidad, formando ambas parte del bloque de Números.

En ella, a partir de los conocimientos ya adquiridos en primaria, se implica el conocimiento y la comprensión del sistema de numeración decimal que actualmente se emplea. Por medio de ejemplos sencillos y cotidianos se hará reflexionar al alumno sobre la utilidad de su empleo.

Con las operaciones básicas de suma, resta, multiplicación y división se aprenderá a manejar con soltura los números naturales. Se estudiará asimismo la potenciación, y se reflexionará sobre su utilidad para representar de forma abreviada cálculos matemáticos.

Se deberá hacer un especial hincapié en la utilización correcta de la jerarquía y propiedades de las operaciones y de las reglas del uso del paréntesis en operaciones escritas, que junto con la resolución de problemas matemáticos, serán los conceptos que resultan más complejos para el alumnado.

También se aprenderá el uso de la calculadora para la resolución de operaciones aritméticas, pero se debe inculcar en los alumnos una actitud crítica y de análisis frente a los resultados obtenidos.

2. CONOCIMIENTOS PREVIOS

Para poder desarrollar satisfactoriamente esta unidad, resulta conveniente que el alumno domine las siguientes cuestiones:

1) Conocer las características del sistema de numeración decimal.

2) Saber realizar la descomposición de un número cualquiera en sus distintos órdenes de unidades.

3) Conocer la forma de nombrar los números cardinales y los ordinales.

4) Saber operar con expresiones numéricas con paréntesis.

5) Cálculo mental y escrito con las cuatro operaciones.

6) Conocer el cálculo de potencias elementales.

7) Saber calcular raíces cuadradas muy elementales.

3. OBJETIVOS DIDÁCTICOS

En este punto se presentan los objetivos didácticos que deberán alcanzar los alumnos al finalizar la unidad, así como su relación con los objetivos generales de etapa y de área.

Objetivos didácticos	Objetivos de etapa	Objetivos de área
1) Realizar las operaciones con números naturales (suma, resta, multiplicación y división) y operaciones combinadas de las anteriores.	b, f	2, 3, 7
2) Diferenciar entre división exacta y entera, y establecer la relación entre los términos.	b, f	2, 3
3) Expresar las potencias de base y exponente naturales.	b, f	2, 3
4) Efectuar el producto y el cociente de potencias de la misma base y la potencia de una potencia.	b, f	2, 3
5) Calcular raíces cuadradas exactas y enteras, así como sus restos.	b, f, h	2, 3
6) Aplicar adecuadamente la jerarquía de las operaciones y los paréntesis en las operaciones combinadas.	b, f	2, 3, 7
7) Aproximar números naturales por redondeo y por truncamiento, y calcular el error cometido al efectuar la aproximación.	b, f	2, 3, 7, 9
8) Resolver situaciones y problemas de la vida cotidiana que requieran el uso de operaciones con números naturales.	b, f, g	2, 3 , 7, 9

4. CONTENIDOS

4.1. Conceptos

1) Ordenación de los números naturales.
2) Operaciones básicas con los números naturales.
3) Potencias de base y exponente natural.
4) Operaciones con potencias: producto y cociente de potencias de la misma base y potencia de una potencia.
5) Raíz cuadrada exacta y entera de un número natural.
6) Aproximaciones y error.

4.2. Procedimientos

1) Aplicaciones de las propiedades de las operaciones con números naturales en la resolución de problemas.
2) Cálculo del producto y el cociente de potencias de la misma base y la potencia de una potencia.
3) Determinación de la raíz cuadrada exacta o entera y el resto de un número natural.
4) Cálculo de operaciones combinadas con y sin calculadora.
5) Aproximación de números naturales por redondeo y truncamiento, y calcular el error cometido.
6) Resolución de problemas reales que impliquen el cálculo con números naturales.

4.3. Actitudes

1) Valoración de la precisión y utilidad del lenguaje numérico para representar, comunicar y resolver situaciones de la vida cotidiana.
2) Confianza en las propias capacidades para afrontar problemas y realizar cálculos y estimaciones numéricas.
3) Perseverancia y flexibilidad en la búsqueda de soluciones a los problemas numéricos.

5. CRITERIOS DE EVALUACIÓN

1) Aplicar las propiedades fundamentales de la multiplicación.

2) Diferenciar entre división exacta y entera y realizar ambas de forma correcta.
3) Utilizar la propiedad fundamental de la división exacta y entera.
4) Realizar operaciones con potencias de base y exponente naturales.
5) Calcular el producto y el cociente de potencias de la misma base y la potencia de una potencia.
6) Hallar la raíz cuadrada exacta de un número cuadrado perfecto.
7) Calcular la raíz cuadrada entera y el resto de un número.
8) Realizar operaciones combinadas de números naturales, respetando la jerarquía de las operaciones y los paréntesis.

6. SECUENCIACIÓN Y DISTRIBUCIÓN TEMPORAL

La secuenciación de los conceptos en esta unidad se ha hecho en relación con su grado de dificultad, de forma que el alumno conocerá en primer lugar los conceptos más elementales, para pasar posteriormente a otros que se basen en los anteriores, y así sucesivamente. Además, estos se van introduciendo siguiendo un orden lógico y natural.

Creo que es conveniente dedicarle a esta unidad didáctica un total de 8 sesiones, que se impartirán a lo largo del primer trimestre.

Estas sesiones se desarrollarán en función del nivel de conocimientos de que parten los alumnos y del trabajo que realicen por ellos mismos.

7. METODOLOGÍA Y SECUENCIA DE ACTIVIDADES

7.1. Consideraciones generales

Al inicio de la unidad se realizará una prueba para evaluar el nivel de conocimientos previos. Al final de la misma se dedicará una sesión para la realización de una prueba objetiva sobre la unidad con objeto de comprobar si se han alcanzado los objetivos.

El desarrollo de la unidad se llevará a cabo en el aula, dejando abierta la posibilidad, si las circunstancias lo permitieran, de impartir una sesión en el aula de informática, para que los alumnos conozcan y se introduzcan en el manejo del asistente matemático Derive.

Todas las sesiones, excepto la primera dedicada a evaluar los conocimientos previos de los alumnos, se iniciarán con la corrección de las actividades que se hayan realizado en casa o en clase la sesión anterior. Con esto, se aclaran las dudas y se sigue el avance o estancamiento del alumnado. En función de lo que se observe en la corrección se tomarán las medidas pertinentes. A continuación, en un segundo tercio de la sesión, se introducirán nuevos conceptos con la explicación correspondiente. Por último, en el tercer tercio de la clase se plantearán nuevas actividades con objeto de aclarar posibles dudas y cimentar lo explicado. De esta forma las clases tendrán una estructura fija que el alumno conocerá desde el principio.

7.2. Desarrollo de la unidad

Como ya he comentado, la sesión inicial de la unidad se dedicará a la realización de una prueba escrita que nos permita evaluar los conocimientos previos de los alumnos. En ella se plantearán actividades relativas a:

a) Escribir en cifras un conjunto de números, teniendo en cuenta que se incluyen hasta los millones.

b) Escribir en letras un conjunto de números, teniendo en cuenta que se incluyen hasta los millones.

c) Saber los valores posicionales de cada cifra en un conjunto de números.

d) Ordenación de un conjunto de números naturales.

e) Obtención de varios números entre dos números naturales dados.

f) Realización de operaciones básicas de suma, diferencia, producto y división.

g) Operaciones combinadas de sumas y diferencias.

h) Cálculo de cuadrados y cubos de los primeros números naturales.

El resultado de esta prueba nos dará el nivel inicial de conocimientos del alumnado.

Acto seguido, con afán motivador, se plantearán diversos problemas numéricos con monedas y billetes del sistema euro, tales como:

a) Determinar cuántas monedas de 5 céntimos hacen 1 €.

b) Determinar el mínimo número de monedas en los casos: 4 céntimos, 8 céntimos, 30 céntimos y 42 céntimos.

c) Calcular cuántas monedas de 2 céntimos se reciben por dos billetes de 10 €.

1. Los números naturales. (1.ª mitad de la 2.ª sesión)

Una vez corregida la prueba inicial propuesta, supongamos que nuestros alumnos poseen los conocimientos suficientes para poder seguir el desarrollo de la unidad con normalidad, entonces en la primera parte de la segunda sesión se introducirán los números naturales, cuya existencia el alumno ya debe de conocer el curso anterior.

Las actividades propuestas al final de la primera sesión ya han servido de motivación para la introducción de este concepto, aunque en esta ocasión el profesor justificará la existencia de los números naturales por su ordenación en una recta y en la necesidad a la hora de contar los días que hay entre dos fechas en una hoja de almanaque.

Se debe dejar claro el uso de los símbolos (< menor que, > mayor que, = igual que) a la hora de establecer un orden entre dos números.

Para finalizar con este concepto, el profesor indicará la colocación de los distintos símbolos en la ordenación de un conjunto de números, realizándose en la pizarra distintas actividades de ordenación de números naturales.

2. Operaciones con números naturales. (2.ª mitad de la 2.ª sesión)

En la segunda mitad de esta segunda sesión, se define por primera vez la suma y diferencia de números naturales, viendo a su vez algunas de las propiedades de la suma, como son la conmutativa y la asociativa. A continuación, se dará paso a la multiplicación y se definirá como suma de varios sumandos, siendo cada término de la misma los factores y el resultado obtenido, el producto. En estos momentos se remarcarán las propiedades del producto, que son: la conmutativa, asociativa, elemento neutro y distributiva, siendo conveniente remarcar, mediante la realización de diferentes ejercicios, todas estas propiedades.

Al final de la sesión se propondrán actividades de consolidación de los tipos siguientes:

a) Lectura de las siguientes expresiones.

Act.1 Lee las siguientes expresiones:

$\qquad$ a) $4 > 7$ $\qquad$ b) $9 > 3$ $\qquad$ c) $2 < 15$ $\qquad$ d) $11 < 6$

Act.2 Evalúa si estas expresiones son correctas:

$\qquad$ a) $18 < 11$ $\qquad$ b) $14 > 13$

b) Ordenación de un conjunto de números naturales.

Act.3 Ordena de menor a mayor: $104, 97, 87, 218, 198$

Act.4 Ordena, de mayor a menor, las longitudes de estos ríos:

$\qquad$ Ebro: 910 km. $\qquad$ Guadiana: 578 km.
$\qquad$ Guadalquivir: 650 km. $\qquad$ Tajo: 1.007 km.

c) Suma, diferencia y multiplicación de números naturales.

Act.5 Calcula:

$\qquad$ a) $250 + 75 + 130$ $\qquad$ b) $524 - 215 - 132$
$\qquad$ c) $420 + 175 - 368$ $\qquad$ d) $350 - 107 - 58$

Act.6 Expresa como un producto:

$\qquad$ a) $6 + 6 + 6 + 6 + 6 + 6$ $\qquad$ b) $11 + 11 + 11 + 11 + 11$

Act.7 Mario ha comprado 5 cajas de pinturas. Si en cada caja hay 18 pinturas, ¿cuántas pinturas tiene en total?

Act.8 Observa el ejemplo y aplica: $34 \cdot 9 = 34 \cdot (10 - 1) = 340 - 34 = 306$

a) $12 \cdot 999$ b) $31 \cdot 15$

3. División de números naturales. (1.ª mitad de la 3.ª sesión)

En la primera mitad de la tercera sesión de la unidad se repasan y refuerzan los conceptos relativos a la división de números naturales y su correspondiente prueba, que los alumnos ya estudiaron en primaria.

Se introducirá mediante las siguientes actividades de motivación:

Act.1 Un padre quiere repartir 630 € entre sus tres hijos en partes iguales. ¿Qué cantidad recibirá cada uno?

Act.2 Se quieren repartir 43 caramelos entre 14 niños. ¿Cuántos caramelos recibirá cada niño? ¿Sobra alguno?

Con ellas se pretende que los alumnos y alumnas vean la necesidad de realizar divisiones a la hora de realizar repartos.

d) Operaciones con divisiones de números naturales.

Act.9 Halla el cociente y el resto de la división 6.712 : 23. Haz la prueba.

Act.10 Calcula el dividendo de una división exacta si el cociente es 13 y el divisor 6.

Act.11 Si en una división multiplicamos por 10 el dividendo y el divisor:

a) ¿Qué le ocurre al cociente?   b) ¿Y al resto?
Pon varios ejemplos y da una regla general.

3. Potencia de números naturales. (2.ª mitad de la 3.ª sesión)

En la segunda mitad de esta tercera sesión se repasa y refuerza el concepto de potencia de número natural, viendo que la potencia es una forma abreviada de una multiplicación de factores iguales y sabiendo cómo se leen estas expresiones.

Las siguientes actividades de motivación servirán para ello:

Act.3 Escribe en forma de potencia las siguientes multiplicaciones.

a) $5 \cdot 5 \cdot 5 \cdot 5 \cdot 5 \cdot 5$ 　　　　b) $14 \cdot 14 \cdot 14$ 　　　c) $7 \cdot 7 \cdot 7 \cdot 7 \cdot 7$

Act.4 Hallar el valor numérico de estas potencias.

a) 2^3 　　　　　　　b) 9^2 　　　　　　　c) 3^4

Con estas actividades el alumno será capaz tanto de escribir en forma abreviada un producto de factores iguales como el desarrollo de una potencia para su cálculo numérico.

Se realizarán en la pizarra distintos ejercicios de desarrollo de este concepto, pidiendo a los alumnos y alumnas su participación

Al final de la sesión se propondrán las actividades siguientes, que servirán para consolidar los conceptos estudiados:

e) Lectura y cálculo de potencias de números naturales.

Act.12 Escribe y calcula. 　　　a) Siete al cubo. 　　b) Cuatro a la quinta.

Act.13 Indica la base y el exponente de estas potencias. Escribe cómo se leen.

a) 3^6 　　　　　b) 13^2 　　　c) 5^4 　　　　d) 4^5

Act.14 Escribe en forma de potencia y calcula su valor.

a) $11 \cdot 11 \cdot 11$ 　　b) $6 \cdot 6 \cdot 6 \cdot 6 \cdot 6$

Act.15 Escribe, si se puede, en forma de potencia.

a) $7 \cdot 7 \cdot 7 \cdot 7$ 　　b) $5 \cdot 5 \cdot 3 \cdot 3$ 　　　c) $5 \cdot 5 \cdot 4$

d) $1 \cdot 4 \cdot 4$

4. Operaciones con potencias. (4.ª sesión)

Corregidas las actividades de la sesión anterior y aclaradas las posibles dudas, los alumnos deben entender que la introducción de las potencias conlleva la aparición de unas importantes propiedades y que serán objeto de desarrollo durante el transcurso de la presente sesión.

Se definen por primera vez las operaciones de producto de potencias de igual base, el cociente de potencias de la misma base, potencias de exponente 0 y 1, potencia de una potencia y potencia de una multiplicación y una división.

Se realizarán en la pizarra actividades relativas a cada una de las propiedades, donde, con ayuda del profesor, pondrán de manifiesto sus conocimientos sobre todas estas cuestiones.

Al final de la sesión se propondrán las actividades siguientes que servirán para consolidar los conceptos estudiados:

f) Productos de potencias de la misma base.

Act.16 Escribe como una sola potencia.

 a) $7^4 \cdot 7^5$ b) $5^3 \cdot 5^3$ c) $9^3 \cdot 9^5 \cdot 9^4$ d) $4^2 \cdot 4^3 \cdot 4^4$

Act.17 Hallar el valor de estos productos de potencias.

 a) $3^4 \cdot 3^0 \cdot 3^2$ b) $10^3 \cdot 10 \cdot 10^2$

Act.18 Calcula el número de baldosas de una habitación cuadrada, si cada fila contiene 14 baldosas.

g) Cociente de potencias de la misma base.

Act.19 Hallar el resultado de estos cocientes de potencias.

 a) $7^8 : 7^5$ b) $20^6 : 20^6$ c) $9^7 : 9^5$ d) $12^7 : 12^6$

<u>Act.20</u> Calcula el valor de las potencias.

$\qquad$ a) 15^1 $\qquad\qquad$ b) 14^0

<u>Act.21</u> Calcula.

$\qquad$ a) $(3^4 : 3^2) \cdot 3^3$ $\qquad$ b) $(5^6 \cdot 5^2) : 5^7$

h) Potencia de una potencia y potencia de una multiplicación y una división.

<u>Act.22</u> Calcula.

$\qquad$ a) $(2^4)^3$ $\qquad$ b) $(6^3)^5$ $\qquad$ c) $(14 \cdot 16)^5$ $\qquad$ d) $(216 : 24)^3$

<u>Act.23</u> Expresa como una sola potencia.

$\qquad$ a) $(3^2)^5 \cdot (3^4)^2$ $\qquad$ b) $(5^3)^4 : (5^2)^3$

<u>Act.24</u> Expresa como producto o cociente de potencias.

$\qquad$ a) $(3 \cdot 2)^4 \cdot (3 \cdot 2)^5$ $\qquad$ b) $(14 \cdot 5)^7 : (14 \cdot 5)^4$

<u>5. Raíces cuadradas. (5.ª sesión)</u>

Corregidas las actividades de la sesión anterior y aclaradas las posibles dudas, se estudiará el cálculo de las raíces cuadradas.

Primeramente se definirá el concepto de raíz cuadrada exacta, viendo que es la operación inversa de elevar al cuadrado. Su introducción se realiza con la siguientes actividades de motivación:

Act.5 Halla las raíces de los siguientes cuadrados perfectos.

$\qquad$ a) $\sqrt{1}$ $\qquad$ b) $\sqrt{4}$ $\qquad$ c) $\sqrt{9}$ $\qquad$ d) $\sqrt{16}$ $\qquad$ e) $\sqrt{25}$

$\qquad$ f) $\sqrt{36}$ $\qquad$ g) $\sqrt{49}$ $\qquad$ h) $\sqrt{64}$ $\qquad$ i) $\sqrt{81}$ $\qquad$ j) $\sqrt{100}$

Act.6 El área de un cuadrado es de 49 cm². ¿Cuánto mide el lado?

Con estas actividades se pretende que el alumno deduzca que con el uso de la potencia con exponente dos se calculan todas las raíces exactas.

Seguidamente se definirá la raíz cuadrada entera. En un primer lugar se calcularán raíces cuadradas enteras con dos dígitos mediante el método de elevar al cuadrado un número, para pasar a continuación a exponer el cálculo mecánico de raíces cuadradas enteras de dos y tres cifras. Con la calculadora se podrá comprobar que el resultado obtenido es el correcto.

Al final de la sesión se propondrán las siguientes actividades para afianzar los conceptos y procedimientos desarrollados:

i) Raíces cuadradas exactas.

<u>Act.25</u> Comprueba si estas raíces cuadradas están bien resueltas.

a) $\sqrt{225} = 15$ b) $\sqrt{225} = 16$ c) $\sqrt{1000} = 100$ d) $\sqrt{1000} = 200$

<u>Act.26</u> Halla con tu calculadora.

a) $\sqrt{289}$ b) $\sqrt{10000}$ c) $\sqrt{15625}$ d) $\sqrt{135424}$

<u>Act.27</u> Calcula el lado de un cuadrado de 400 cm² de área.

j) Raíces cuadradas enteras.

<u>Act.28</u> Comprueba si estas raíces enteras están bien resueltas.

a) $\sqrt{37} \approx 7$ b) $\sqrt{18} \approx 4$ c) $\sqrt{92} \approx 8$ d) $\sqrt{20} \approx 5$ e) $\sqrt{30} \approx 5$

f) $\sqrt{40} \approx 7$ g) $\sqrt{50} \approx 7$ h) $\sqrt{60} \approx 8$ i) $\sqrt{23} \approx 8$ j) $\sqrt{80} \approx 8$

Act.29 Calcula la raíz cuadrada entera y el resto.

    a) 103   b) 119   c) 87   d) 77   e) 66

Act.30 Escribe todos los números que tengan como raíz entera 5. ¿Cuántos números hay? ¿Cuántos números tendrán como raíz entera 6? ¿Y 7?

6. Jerarquía de las operaciones. (6.ª sesión)

Corregidas las actividades de la sesión anterior y aclaradas las posibles dudas, se estudiará, a continuación, la jerarquía de las operaciones.

En esta sexta sesión de la unidad se introduce el concepto de jerarquía de las operaciones combinadas, haciendo especial énfasis en que el orden a la hora de realizar operaciones. Se inicia con las operaciones que hay entre paréntesis, a continuación, y en el mismo nivel de preferencia, las potencias y las raíces, para continuar con los productos y las divisiones, que van de izquierda a derecha, y para finalizar con las sumas y restas, que igualmente van de izquierda a derecha.

Su introducción se realizará con las siguientes actividades motivadoras:

Act.7 Calcula la siguiente expresión: $3 + 7 \cdot (4^2 - 3)$

Act.8 Halla el área de un cuadrado de 15 cm de lado. Si el área fuera cuatro veces mayor, ¿cuánto mediría el lado del cuadrado?

A continuación el profesor, tanto en esta sesión como en la séptima, expondrá en la pizarra una serie de ejercicios tipo, para ir avanzando en nivel de difilcultad, y al finalizar cada una de las sesiones se propondrán las siguientes actividades que servirán para afianzar los conceptos y procedimientos desarrollados:

k) Jerarquía de operaciones.

Act.31 Calcula.

    a) $6^3 - 5 \cdot \left(3^3 - 2\right)$ b) $3^2 + \left(2^3 - 2\right) \cdot 5$ c) $2^3 \cdot \left(\sqrt{25} - 3\right)$

d) $\left(\sqrt{81}-3\right):2$ e) $5^2+12^2:2^3$ f) $\left(12+\sqrt{9}\right):\sqrt{25}$

g) $\left(\sqrt{9}-\sqrt{4}\right)\cdot\left(\sqrt{9}+\sqrt{4}\right)$ h) $\left(5^2-1\right):\sqrt{144}$

i) $\sqrt{16\cdot\left(2^3-1\right)}$ j) $5^2+\sqrt{81}:3$ k) $4^2-\sqrt{25}:5$

l) $3^2\cdot4^2:6^2$ m) $\sqrt{81}:\left(\sqrt{16}+5\right)$ n) $\sqrt{196}:\left(2^2+3\right)$

Act.32 Determina los errores que se han cometido en la resolución de esta operación y corrígelos.

$$\sqrt{4}\cdot4+12:\left(6-2^2\right)=2\cdot4+12:\left(6-4\right)=2\cdot16:2=2\cdot8=16$$

7. Aproximaciones y errores. (7.ª sesión)

Corregidas las actividades propuestas en la sesión anterior y aclaradas todas las dudas, en la sesión previa a la realización de la prueba objetiva se introduce el concepto de aproximaciones y errores.

El alumno entenderá que este concepto es una ampliación de los números enteros, ya que, en la práctica, para recordar un número muy grande resulta difícil saber todas sus cifras, siendo el número redondeado el que resulta fácil de recordar.

Para asumir este concepto por el alumnado, se propondrá la siguiente actividad de motivación:

Act.10 Al referirnos a los siguientes precios:

a) Una casa cuesta 99.786 €. No se suele hacer de forma exacta, sino que utilizamos un precio por exceso, 100.000 €
b) Un coche cuyo coste es de 13.138 €. Se suele utilizar el precio por defecto, 13.000 €.

Con esta actividad se les hará ver que usando aproximaciones se cometerán errores, pudiendo en todo momento calcular ese valor.

Se realizarán en la pizarra diferentes actividades de desarrollo de esta última cuestión, viendo las dos posibilidades de aproximación que se realizarán en esta unidad, por truncamiento y por redondeo, e implicando en su resolución a los alumnos.

Finalmente se propondrán las siguientes actividades de consolidación:

l) Aproximaciones por truncamiento.

Act.33 Trunca a las decenas.

a) 12.349   b) 435.677

Act.34 Trunca a las unidades de millar.

a) 7.427   b) 39.457   c) 100.023   d) 1.037.804

Act. 35 Escribe dos números que, truncados a las centenas, den como resultado 9.300.

m) Aproximaciones por redondeo.

Act.36 Redondea estos números a las decenas de millar.

a) 24.760   b) 56.822

Act. 37 Redondeamos 5.675 a 5.680. ¿Es una aproximación por defecto o por exceso?

n) Error.

Act.38 Halla el error al aproximar 1.780 a las centenas.

Act.39 Halla el error cometido al redondear 112.377 a las unidades de millar.

8. RECURSOS DIDÁCTICOS Y MATERIALES

- Pizarra y útiles para pizarra.

- Libro de texto, cuaderno de clase y fichas de ejercicios prácticos.

- Libros de consulta de la biblioteca del instituto y propios. Especialmente recomendables son:

  - *Uso de la calculadora en el aula.* Álvarez, A. MEC-Narcea.
  - *El hombre que calculaba.* Tahan, M. Ed. Aedo.

- Vídeos y DVD:

  - El número áureo. Serie Más por Menos. Pérez Sanz, A. Producción y distribución: TVE.
  - Fibonacci. La magia de los números. Serie Más por Menos. Pérez Sanz, A. Producción y distribución: TVE.

- Herramientas de dibujo: regla y compás.

- Papel cuadriculado y papel milimetrado.

- Calculadora científica.

- Ordenadores del aula de informática.

- Asistente matemático Derive. Aula de informática.

9. ATENCIÓN A LA DIVERSIDAD

La atención a la diversidad se justifica a través de las actividades de refuerzo y ampliación. Se utilizarán según las necesidades de los alumnos. En ocasiones toda la clase necesitará algún apoyo para reforzar conceptos no asimilados en su totalidad. Por el contrario nos encontraremos con casos en que la mayoría de la clase profundice con las actividades de ampliación. Lo más habitual será detectar qué necesidades tiene cada alumno para incidir con las actividades más idóneas en sus carencias o inquietudes intelectuales.

En el caso de que en el grupo haya algún alumno con necesidades educativas especiales, se realizarán adaptaciones curriculares significativas según lo establecido en la programación.

9.1. Actividades de refuerzo

Están destinadas a aquellos alumnos que precisan corregir y consolidar los contenidos de la unidad.

Los alumnos resolverán actividades relacionadas con:

- Estructura del sistema de numeración decimal.
- Operaciones con números naturales.
- Comprender el concepto de potencia.

1) Observa el siguiente número y completa.   8.706.265
   a) Cuántas unidades representan los seises.
   b) Cómo se lee el número.

2) Expresa con cifras los números y colócalos en orden.
   a) Tres millones cuatrocientos cinco mil ciento veinte.
   b) Cincuenta mil ochocientos treinta y nueve
   c) Mil seis.
   d) Doscientos ocho mil quinientos setenta y siete.
   e) Diecisiete mil novecientos cincuenta y dos.
   f) Tres mil quinientos cincuenta y siete.
   g) Doce.
   h) Setecientos treinta y dos.

3) Por un aeropuerto han pasado en 8 días los siguientes números de pasajeros. 24.789, 33.990, 17.462, 26.731, 30.175, 28.430, 31.305, 19.853. Ordena los números de pasajeros en orden creciente, de menor a mayor.

4) Efectúa las siguientes operaciones.
   a) $23.612 + 915 + 1.036 =$ b) $114.308 + 24.561 + 37 =$
   c) $5.665 - 1.335 =$ d) $11.099 - 777 =$

5) Efectúa las multiplicaciones.

X	80	65	12	10
7				
5				
8				
15				
20				

6) Resuelve las siguientes divisiones. Indica cuáles son exactas e inexactas. Utiliza la propiedad fundamental de la división.

a) $609 : 3 =$ b) $1.046 : 23 =$

c) $305 : 15 =$ d) $16.605 : 81 =$

7) Efectúa las siguientes operaciones combinadas.

a) $450 - (75 \cdot 7 + 10) =$

b) $350 + (80 \cdot 6 - 150) =$

c) $600 : 50 + 125 \cdot 7 =$

8) Completa la siguiente tabla.

POTENCIA	BASE	EXPONENTE	SE LEE
3^5			
6^4			
	10	3	
			Cinco elevado a la sexta

9) Halla el valor de las siguientes potencias.

a) $3^2 =$ b) $4^3 =$ c) $2^4 =$ d) $10^3 =$

10) Expresa en forma de potencia de base 10 los siguientes productos.

a) $10 \cdot 10 \cdot 10 =$

b) $10 \cdot 10 \cdot 10 \cdot 10 \cdot 10 \cdot 10 \cdot 10 \cdot 10 \cdot 10 =$

c) $10 \cdot 10 \cdot 10 \cdot 10 \cdot 10 \cdot 10 \cdot 10 =$

d) $10 \cdot 10 \cdot 10 \cdot 10 \cdot 10 =$

9.2. Actividades de ampliación

Apropiadas para los alumnos que pueden avanzar con rapidez y que pueden profundizar en los contenidos de la unidad mediante un trabajo más autónomo.

Los alumnos resolverán actividades relacionadas con:

a) Números naturales.
b) Operaciones con números naturales.
c) Potencias.
d) Operaciones con potencias.
e) Raíces cuadradas.
f) Jerarquía de las operaciones.
g) Aproximaciones y errores
h) Problemas con números naturales.

1) Ordena, de menor a mayor.
a) 53.025, 45.422, 33.452, 25.242, 33.542
b) 897, 987, 879, 978, 789, 798
c) 4.532, 4.352, 4.235, 4.325, 5.234, 5.432, 5.324, 5.423, 4.253, 5.342, 4.523, 5.243

2) ¿Cuántos números hay entre 20.681 y 21.007?

3) Resuelve.
a) $42 \cdot 3 - 124 : 4 - (180 : 9) : 5$
b) $(241 - 100 + 44) : 5 + 20 \cdot 7$
c) $7 + 8 \cdot (17 - 5) - 28 : 2$
d) $(12 + 3 \cdot 5) : 9 + 8$

4) Expresa como una sola potencia.
a) $7^2 \cdot 7^3$ b) $11^4 \cdot 8^4$ c) $8^3 \cdot 5^3$ d) $4^5 \cdot 4$

5) Escribe cada potencia como producto de dos potencias de igual base.
a) 8^5 b) 4^6 c) 14^{13} d) 3^9

6) Escribe cada potencia como cociente de dos potencias de igual base.
a) 4^{10} b) 7^9 c) 5^3 d) 12^6

7) Resuelve con las propiedades de las potencias.
a) $(3^5)^2 \cdot (3^2)^4$ b) $(10^8)^3 : (10^4)^5$
c) $(8^7)^2 : (8^3)^4$ d) $(11^6)^2 \cdot (11^3)^4$

8) Calcula las raíces cuadradas de estos números.

    a) 83   b) 52   c) 12   d) 131

9) Efectúa estas operaciones.

    a) $2^2 - 2^3 + 2^2 - 2$ b) $\sqrt{100} : 5 + 3^3 : 3$

    c) $12 - 18 : 2 + 4 \cdot \sqrt{121}$ d) $5 \cdot 4^3 - (10^2 : 5^2) + \sqrt{100}$

10) Realiza las operaciones y aproxima su resultado a las unidades de millar, por truncamiento y redondeo.

    a) $6.070 - 1.234$ b) $365.079 + 89.301$

    c) $12.763 - 10.841$ d) $24.073 - 391$

11) Si ganase 56 € más al mes podría gastar: 420 € en el alquiler de la casa, 102 € en el colegio de los niños, 60 € en la manutención y 96 € en gastos generales. ¿Cuánto gano al mes?

12) Un coche va a 110 km/h y otro a 97 km/h. ¿Cuántos kilómetros le llevará de ventaja el primer coche al segundo al cabo de 9 horas?

13) Tenemos 320 kg de naranjas que se quieren empaquetar en bolsas de 12 kg, 5 kg y 3 kg. ¿Cuántas bolsas se necesitan como mínimo?

14) Una fotografía cuadrada de 16 cm² la queremos ampliar en cuatro veces su tamaño. ¿Cuál será la longitud de un lado de la foto?

15) Escribiendo un 3 al comienzo y un dos al final de cierto número, este aumenta en 37.328. ¿De qué número estamos hablando?

10. EVALUACIÓN

La evaluación de esta unidad se llevará a cabo siguiendo las directrices explicadas en la programación didáctica que la engloba.

Se realizará <u>al comienzo de la unidad</u>, <u>a lo largo del proceso</u> y <u>a su finalización</u> (donde se realizará una prueba escrita).

Los instrumentos que habitualmente se utilizarán para obtener información sobre el progreso de nuestros alumnos serán:

i. La observación diaria.
ii. La revisión y corrección de las tareas realizadas por el alumno en casa.
iii. Seguimiento del cuaderno del alumno valorando su contenido (apuntes, actividades...),estructura, orden, limpieza y claridad.
iv. Intervenciones en la pizarra.
v. Control de faltas y conducta.
vi. Realización de una prueba individual escrita al finalizar la unidad.

Para determinar las calificaciones de nuestros alumnos, se aplicarán los criterios de calificación reflejados en la programación, a saber:

a) Pruebas escritas. Supone el 60 % de la nota final.
b) Cuaderno de clase del alumno, trabajo diario e intervenciones en la pizarra. Su valoración es un 20 % de la nota final.
c) Puntualidad, comportamiento, interés y participación. A este apartado se le aplica el 20 % restante de la nota final.

Por último, indicar que también se evaluará nuestra práctica docente, valorando, después de la experiencia, el nivel de adecuación de la unidad a los objetivos propuestos inicialmente, para proponernos posibles modificaciones.

Esta evaluación considerará los siguientes aspectos:

a) Sesiones programadas y sesiones empleadas.
b) Metodología aplicada.
c) Adecuación de los recursos utilizados y de las actividades desarrolladas.
d) Objetivos propuestos y objetivos conseguidos.
e) Resultados académicos de nuestros alumnos.

11. TEMAS TRANSVERSALES Y EDUCACIÓN EN VALORES

Educación del consumidor: Los números naturales y sus aproximaciones se pueden usar en distintas situaciones de compra y venta, a la hora de resolver cualquiera de ellas, se puede señalar la necesidad de llevar a cabo un consumo responsable y crítico, comentando también la importancia de ejercer los derechos y deberes como consumidores.

Educación ambiental: Problemas relacionados con la contaminación atmosférica, el agotamiento de los recursos naturales, etc., se pueden estudiar utilizando los números naturales. A partir de su resolución se puede reflexionar sobre la toma de conciencia para preservar el planeta.

Se puede incidir también en la Educación para la solidaridad y la paz fomentando las actitudes respetuosas hacia las ideas de los compañeros cuando se establezcan discusiones en clase.

UNIDAD DIDÁCTICA 2: DIVISIBILIDAD

1. INTRODUCCIÓN

Esta es la segunda unidad didáctica de las siete que comprenden el bloque de Números del currículo de 1.º de ESO del área de Matemáticas.

Se imparte a continuación de la unidad referida al número natural, y precede a la que trata de fracciones, perteneciendo ambas al bloque de Números.

En ella se requiere dominar la multiplicación, división y potenciación de números naturales, que se han visto en el tema anterior. Se presta especial atención a la práctica de la descomposición de un número en factores primos, aplicando los criterios de divisibilidad que se han explicado y aprendido entre números primos y compuestos.

Se empleará la técnica de descomposición en factores primos de un número dado y se obtendrán los múltiplos y divisores de dicho número. El cálculo del máximo común divisor y el mínimo común múltiplo de varios números será el paso siguiente. Este proceso no ha de resultar complicado, pues se ha de aplicar, paso a paso, cada uno de los conceptos vistos durante la presente unidad.

Se ha de tener en cuenta que todos los conceptos que se han tratado son de gran utilidad, ya que nos han de servir para transmitir e interpretar informaciones relacionadas con el entorno: número de baldosas necesarias para enlosar una habitación, el reparto de una cantidad de litros en garrafas de diferente capacidad…

En la resolución de problemas de la vida real, los alumnos aplicarán de forma práctica los conceptos explicados en esta unidad, por lo que es fundamental que los entiendan y los practiquen.

2. CONOCIMIENTOS PREVIOS

Para poder desarrollar satisfactoriamente esta unidad, resulta conveniente que el alumno domine las siguientes cuestiones:

1) Dominar la multiplicación con números naturales y su propiedad conmutativa.
2) Dominar la división entre números naturales.
3) Diferenciar en N divisiones exactas de divisiones con resto.
4) Nombrar correctamente los términos de una división.
5) Conocer y saber aplicar la propiedad fundamental de la división: $D = d \times c + r$.

3. OBJETIVOS DIDÁCTICOS

En este punto se presentan los objetivos didácticos que deberán alcanzar los alumnos al finalizar la unidad, así como su relación con los objetivos generales de etapa y de área.

Objetivos didácticos	Objetivos de etapa	Objetivos de área
1) Reconocer si un número es múltiplo o divisor de otro número dado.	b, f	2, 3
2) Aplicar las propiedades de los múltiplos y divisores para resolver problemas.	b, f, h	2, 8, 9
3) Utilizar los criterios de divisibilidad por 2, 3, 5, 10 y 11 en la resolución de problemas.	b, f	2, 3
4) Distinguir si un número es primo o compuesto.	b, f	2, 3
5) Calcular todos los divisores de un número.	b, f	2, 3
6) Factorizar un número.	b, f	2, 3
7) Hallar el máximo común divisor y el mínimo común múltiplo de dos números, descomponiéndolos en factores primos.	b, f	2, 3
8) Resolver problemas de la vida real en los que aparezcan conceptos de divisibilidad.	b, f, g, h	2, 8, 9, 10

4. CONTENIDOS

4.1. Conceptos

1) Múltiplo y divisor.
2) Criterios de divisibilidad.

3) Números primos y compuestos.
4) Cálculo de los divisores de un número.
5) Descomposición de un número en factores primos.
6) Máximo común divisor y mínimo común múltiplo.

4.2. Procedimientos

1) Determinación de si un número es múltiplo o divisor de otro número dado.
2) Obtención de todos los divisores de un número.
3) Determinación de si un número es primo o compuesto.
4) Descomposición de un número en producto de factores primos.
5) Obtención del máximo común divisor y del mínimo común múltiplo de un conjunto de números, a partir de su descomposición en producto de factores primos.

4.3. Actitudes

1) Valoración del lenguaje numérico para comunicar la información y para resolver problemas.
2) Utilización correcta de la notación matemática.
3) Curiosidad e interés por enfrentarse a problemas numéricos.
4) Perseverancia en la búsqueda de regularidades en conjuntos numéricos.
5) Confianza en las propias capacidades para resolver problemas.
6) Sensibilidad y gusto por la presentación ordenada y clara del proceso seguido en la resolución de un problema, del resultado obtenido y de las correcciones efectuadas.
7) Interés y respeto por las estrategias y soluciones distintas a las propias.

5. CRITERIOS DE EVALUACIÓN

1) Reconocer si un número es múltiplo o divisor de otro número dado.
2) Obtener múltiplos de un número.
3) Formular y aplicar los criterios de divisibilidad.
4) Determinar si un número es primo o compuesto.
5) Hallar todos los divisores de un número.
6) Calcular la descomposición en factores primos de un número.

7) Obtener el máximo común divisor y el mínimo común múltiplo de dos números a partir de su descomposición en factores primos.

8) Resolver problemas de divisibilidad, utilizando el máximo común divisor y el mínimo común múltiplo.

6. SECUENCIACIÓN Y DISTRIBUCIÓN TEMPORAL

La secuenciación de los conceptos en esta unidad se ha hecho en relación con su grado de dificultad, de forma que el alumno conocerá en primer lugar los conceptos más elementales, para pasar posteriormente a otros que se basen en los anteriores, y así sucesivamente. Además, estos se van introduciendo siguiendo un orden lógico y natural.

Creo que es conveniente dedicarle a esta unidad didáctica un total de 8 sesiones, que se impartirán a lo largo del primer trimestre.

Estas sesiones se desarrollarán en función del nivel de conocimientos de que parten los alumnos y del trabajo que realicen por ellos mismos.

7. METODOLOGÍA Y SECUENCIA DE ACTIVIDADES

7.1. Consideraciones generales

Al inicio de la unidad se realizará una prueba para evaluar el nivel de conocimientos previos. Al final de la misma se dedicará una sesión para la realización de una prueba objetiva sobre la unidad con objeto de comprobar si se han alcanzado los objetivos.

El desarrollo de la unidad se llevará a cabo en el aula, dejando abierta la posibilidad, si las circunstancias lo permitieran, de impartir una sesión en el aula de informática para que los alumnos conozcan y realicen actividades relacionadas con la unidad usando el Proyecto Descartes.

Todas las sesiones, excepto la primera dedicada a evaluar los conocimientos previos de los alumnos, se iniciarán con la corrección de las actividades que se hayan realizado en casa o en clase la sesión anterior. Con esto, se aclaran las dudas y se sigue el avance o estancamiento del alumnado. En función de lo que se observe en la corrección se tomarán las medidas pertinentes. A continuación, en un segundo tercio de la sesión, se introducirán nuevos conceptos con la explicación correspondiente. Por último, en el tercer tercio de la clase se plantearán nuevas actividades con objeto de aclarar posibles dudas y cimentar lo explicado. De esta forma las clases tendrán una estructura fija que el alumno conocerá desde el principio.

7.2. Desarrollo de la unidad

Con objeto de evaluar el nivel de conocimientos previos, en la 1.ª mitad de la sesión inicial de la unidad, se propondrán actividades de motivación que plantearán nuevos problemas y al mismo tiempo pondrán de manifiesto la necesidad de adquirir nuevos conocimientos para resolverlos. Estas actividades iniciales serán de los tipos siguientes:

a) Cálculo de tablas de múltiplos de números naturales sencillos.
b) Cálculo de múltiplos de números sencillos menores que otro dado.
c) Cálculo de divisores de números sencillos, de dos cifras.
d) De un conjunto de números, estudiar cuáles son divisibles por 2, 3, 5 y 10.
e) De un conjunto de números, encontrar los números primos y compuestos.
f) Obtener divisores y múltiplos comunes de varios números.

Una vez corregidas, en la 2ª mitad de esta primera sesión, se desarrollará el primer apartado de la unidad: 1. Divisibilidad en los números naturales.

Por lo tanto, se reforzará y repasará la relación de divisibilidad, cuestión esta que conocen los alumnos de cursos anteriores.

En particular se les recordará la división exacta: dividendo es igual al divisor por el cociente más el resto, donde este es nulo.

Se propondrán las siguientes actividades de consolidación, solicitando la participación del alumnado, para constatar que se han asimilado los conceptos correspondientes:

Act.1 Comprueba si entre estas parejas de números existe relación de divisibilidad.

a) 500 y 20   b) 350 y 23   c) 252 y 18   d) 79 y 3

e) 770 y 14   f) 117 y 12

Act.2 Si un número es divisible por otro, ¿cuál es el resto de la división?

Act.3 ¿Es divisible 144 por alguno de los siguientes números?

a) 2   b) 3   c) 6   d) 8   e) 10   f) 144

Act.4 El dividendo de una división es 196, el divisor 16 y el cociente 12. ¿Es divisible 196 por 16? Contesta sin realizar la operación.

Para finalizar la primera sesión se propondrán el siguiente conjunto de actividades que reforzarán los conceptos aprendidos:

a) Relaciones de divisibilidad.

Act.5 Encuentra al menos cuatro parejas de números emparentados por la relación de divisibilidad:

500   48   93   100   6   3   31   37   8

Act.6 ¿Verdadero o falso?

a) 25 está contenido exactamente 6 veces en 150.
b) 12 está contenido exactamente 3 veces en 36.
c) 36 es divisible entre 12.
d) 36 es divisible entre 7.
e) 40 contiene a 6 un número exacto de veces.

2. Múltiplos de un número. (1.ª mitad de la 2.ª sesión)

En esta primera mitad de la 2.ª sesión se introducirán los múltiplos de un número a partir del cociente entre ellos, justificando que un número b es múltiplo de otro número a si la división de b entre a es exacta.

Como actividad de motivación servirá para ello:

Act.1 ¿Es 28 múltiplo de 4? ¿Y de 5?

Las siguientes actividades, realizadas en la pizarra, permitirán comprobar si los alumnos han asimilado las cuestiones estudiadas en esta primera parte de la segunda sesión de la unidad:

Act.5 Razona las respuestas:

a) ¿Es 35 múltiplo de 5?   b ¿Es 48 múltiplo de 6?

Act. 6 Si 18 es múltiplo de 9, ¿18 · 4 es múltiplo de 9? ¿Es 18 múltiplo de 9 · 4? Compruébalo.

Act.7 Halla un número entre 273 y 339 que sea múltiplo de 34.

Estas actividades se realizarán en la pizarra, donde los alumnos, con ayuda del profesor, pondrán de manifiesto sus conocimientos sobre todas estas cuestiones.

3. Divisores de un número. (2.ª parte de la 2.ª sesión)

En esta segunda mitad de la 2.ª sesión se introducirá el concepto de divisores de un número, donde se justificará que un número a es divisor de otro número b si la división de b entre a es exacta.

Como actividad de motivación servirá la siguiente actividad:

Act.2 Comprueba si 8 y 9 son divisores de 48.

Para consolidar el concepto que se ha introducido al alumno se propondrán las siguientes actividades:

Act. 8 ¿Cuáles de los siguientes números son divisores de 36?

2 7   12   36   15   20   1   4   40   9

Act.9 Calcula todos los divisores de:

a) 30   b) 27   c) 45   d) 55   e) 100

f) 89   g) 90   h) 79   i) 110

<u>Act.10</u> Di si es cierto o no.

a) 12 es divisor de 3.   b) 12 es múltiplo de 3.

Al final de la sesión se propondrán las siguientes actividades para que sirvan de consolidación de los conceptos estudiados:

b) Múltiplos de un número.

<u>Act.11</u> Observa este conjunto de números y responde:

    75   45   36   42   13   120   60   48

¿Cuáles son múltiplos de 12? ¿Y de 15? ¿Y de 6?

<u>Act.12</u> Añade cuatro términos a cada una de estas series:

a) 3, 6, 12, …   b) 15, 30, 45, 60, …
c) 15, 30, 45, 60, …   d) 51, 102, 153, 204, …

<u>Act.13</u> Escribe el primer múltiplo de 31 que sea mayor que 1.000.

<u>Act.14</u> Busca todos los múltiplos de 8 comprendidos entre 700 y 750.

c) Divisores de un número.

<u>Act.15</u> Observa estos números:

    15 25 18   10   13 2   30 5   14

a) Busca todos los que sean divisores de 60.
b) Busca todos los que sean múltiplos de 2.

<u>Act.16</u> Busca dos números que solamente tengan dos divisores.

<u>Act. 17</u> Busca dos números diferentes que tengan al menos los siguientes divisores comunes: 1   2   3   4

4. Números primos y compuestos. (3.ª sesión):

Corregidas las actividades de la sesión anterior, se pasará a definir el concepto de números primos y compuestos, que serán de gran importancia para su aplicación en los conceptos que le preceden.

Como actividad de motivación servirá para ello:

Act.3 Averigua si 17 y 27 son números primos o compuestos.

Con esta actividad el alumno diferenciará a los números de los números compuestos. A continuación, se definirán estos conceptos formalmente y se pasará a una exposición de actividades en la pizarra, en la que el alumno, con ayuda del profesor, participará activamente en su resolución.

Como paso final se expondrá cómo se realiza en una tabla, que contenga a los cien primeros números naturales, a partir de eliminación de los múltiplos de los primeros números primos que se van encontrando. Estos números que quedan en la tabla sin eliminar serán los que el alumno utilizará para la realización de la descomposición factorial, concepto que se verá en esta unidad didáctica un poco más adelante.

Las actividades que se propondrán a continuación serán las que consoliden el concepto recién estudiado:

Act.18 Descompón los números 8, 20, 45, 70 y 100 en producto de:

a) En dos factores.   b) En tres factores.
c) En el máximo número de factores.

Act.19 Descompón en el máximo número de factores que sea posible el número 1.024.

Para la finalización de la sesión se propondrán las siguientes actividades para que sirvan de consolidación de los conceptos estudiados:

d) Números primos y compuestos.

Act.20 Completa la siguiente tabla:

Números	Divisores	Primo / Compuesto
33		
61		
79		
72		
39		

Act.21 Un número de dos cifras es divisible por 3. ¿Se puede decir que es primo? Pon un ejemplo.

5. Criterios de divisibilidad. (4.ª sesión)

Una vez corregidas las actividades de la sesión anterior y aclaradas las posibles dudas, los alumnos han de entender que, al trabajar con los números primos y los compuestos y con la realización de la tabla de números primos, se encuentran en disposición de asumir perfectamente los criterios de divisibilidad. No siendo necesaria, en este caso, la introducción de actividades de motivación.

En estos momentos estamos en total disposición de expresar formalmente los criterios de divisibilidad por 2, 3, 5, 10 y 11, y de realizar ejercicios en la pizarra, con participación del alumno, que es ayudado por el profesor.

Para la finalización de la sesión se propondrán las siguientes actividades para que sirvan de consolidación de los conceptos estudiados:

e) Criterios de divisibilidad.

Act.22 Aplica los criterios de divisibilidad que conoces a estos números:

33, 5.025, 616, 900, 1.100, 812 y 3.322

Act.23 De los números 230, 455, 496, 2.080, 2.100 y 2.745:

a) ¿Cuáles son múltiplos de 2? ¿Y de 3?
b) ¿Cuáles son múltiplos de 5? ¿Y de 7?

6. Descomposición de un número en sus factores primos.
(1.ª parte de la 5ª sesión)

Corregidas las correspondientes actividades de la sesión anterior y habiéndose aclarado todas las posibles dudas, nos disponemos a descomponer cualquier número no primo en factores y estos a su vez en otros factores hasta que todos sean primos.

Las siguientes actividades de motivación servirán para ello:

Act.4 Descomponer 36 en un producto, de forma que todos los factores sean primos.

Act.5 Descomponer 600 en sus factores primos.

Con estas actividades el alumno descubrirá un método inicial para la descomposición en factores de un número, siendo el punto de partida para mostrar la potencia y claridad que refleja el método tradicional de descomposición.

Se realizarán en la pizarra distintos ejercicios de desarrollo de este concepto, solicitando a los alumnos y alumnas su participación.

7. Múltiplos y divisores de números descompuestos en factores primos.
(2.ª parte de la 5.ª sesión)

Una vez que se sabe descomponer un número en sus correspondientes factores primos, se plantea la posibilidad de obtención de los múltiplos y los divisores de ese número.

Como actividades de motivación pueden servir las siguientes:

Act.6 Obtener los múltiplos de 40 multiplicando su descomposición factorial por otro número.

Act.7 Obtener los divisores de 40 dividiendo, a partir de su descomposición, y obteniendo divisiones exactas.

Una vez que los alumnos reconocen cómo se obtienen los múltiplos y los divisores de números descompuestos en factores primos, se propondrán unas actividades en la pizarra donde se les animará, siempre con la ayuda y orientación del profesor a su resolución.

Al finalizar la sesión y para asentar los conocimientos recientemente aprendidos se propondrán las siguientes actividades:

f) Descomposición de un número en sus factores primos.

Act.24 Descompón en factores primos:

a) 12   b) 18   c) 24   d) 36   e) 50   f) 130

g) 450   h) 504   i) 540   j) 875   k) 1.584   l) 1.188

Act.25 ¿Qué números tienen las siguientes descomposiciones factoriales?

a) $2 \cdot 3^3$ b) $3^2 \cdot 7$ c) $2^2 \cdot 3^2 \cdot 5$
d) $2 \cdot 5 \cdot 7^2$ e) $2^3 \cdot 13$ f) $2 \cdot 5^2 \cdot 11$

g) Múltiplos y divisores de números descompuestos en factores primos.

Act. 26 Contesta sin hacer ninguna operación y razonando tus respuestas:

a) ¿Es 12 divisor de 60? $\begin{cases} 12 = 2 \cdot 2 \cdot 3 \\ 60 = 2 \cdot 2 \cdot 3 \cdot 5 \end{cases}$

b) ¿Es 8 divisor de 180? $\begin{cases} 8 = 2 \cdot 2 \cdot 2 \\ 180 = 2 \cdot 2 \cdot 3 \cdot 3 \cdot 5 \end{cases}$

c) ¿Es 12 divisor de 180? $\begin{cases} 12 = 2^2 \cdot 3 \\ 180 = 2^2 \cdot 3^2 \cdot 5 \end{cases}$

Act.27 Escribe factorizados, sin hacer ninguna operación, tres múltiplos diferentes del número 12: $12 = 2^2 \cdot 3$

Act.28 Busca todos los divisores del número 60: $60 = 2 \cdot 2 \cdot 3 \cdot 5$

8. Múltiplos comunes a varios números. (1.ª parte de la 6.ª sesión)

Corregidas las actividades de la sesión anterior y aclaradas las posibles dudas que puedan haber surgido, los alumnos están en disposición de entender el cálculo de los múltiplos comunes.

Como actividad de motivación puede servir la siguiente actividad:

Act.8 El veterinario del zoo visita a los gorilas cada 6 días y a los elefantes, cada 4 días. ¿Cada cuánto tiempo coinciden ambas visitas en el mismo día?

Con esta actividad el alumno relacionará los conceptos aprendidos en las sesiones anteriores y se encontrará en disposición de afrontar diversas actividades en la pizarra, cada una con un mayor grado de dificultad, siendo en todo momento guiados por el profesor, y con la participación activa del alumnado.

El menor de los múltiplos comunes de dos o más números se llama mínimo común múltiplo y se expresa así: m.c.m. (a,b,c, …)

9. Método para el cálculo del mínimo común múltiplo. (2.ª parte de la 6.ª sesión)

Durante la segunda parte de esta sesión y con el concepto de mínimo común múltiplo, al que se ha llegado a través de los múltiplos comunes a varios números, siempre que estos sean sencillos, el alumno está en disposición de aprender un nuevo método, aplicable a cantidades de cualquier tamaño, y mucho más aconsejable que el método anterior.

Se realizarán en la pizarra distintos ejercicios de desarrollo de estos conceptos, pidiendo a los alumnos y alumnas su participación.

Se mostrará a los alumnos y alumnas que, en general, para el cálculo del mínimo común múltiplo de varios números:

1) Se descompondrán los números en factores primos.
2) Se tomarán todos los factores primos, comunes y no comunes, elevados cada uno al mayor de los exponentes con que aparece.

Para finalizar se propondrán las siguientes actividades de consolidación:

h) Divisores comunes a varios números.

Act.29 Obtén la serie de múltiplos comunes a:

a) 10 y 15   b) 20 y 30   c) 40 y 60   d) 24 y 30

Indica en cada caso el mínimo común múltiplo.

Act.30 Calcula:

a) m.c.m. (3,5)   b) m.c.m. (6,8)   c) m.c.m. (6,9)   d) m.c.m. (10,20)

i) Método para el cálculo del mínimo común múltiplo.

Act. 31 Calcula:

a) m.c.m. (60,90)   b) m.c.m. (8,27)   c) m.c.m. (16,20)

d) m.c.m. (45,54)   e) m.c.m. (4,6,10)   f) m.c.m. (12,18,24)

Act.32 Calcula:

a) m.c.m. (150,180)   b) m.c.m. (200,300)   c) m.c.m. (120,350)

d) m.c.m. (120,180)   e) m.c.m. (81,243)   f) m.c.m. (256,512)

10. Divisores comunes a varios números. (1.ª parte de la 7.ª sesión)

Se empezará la sesión con la corrección de las actividades propuestas durante la sesión anterior y aclaración de las posibles dudas que puedan haber surgido, los alumnos están en disposición de entender el cálculo de los divisores comunes a varios números.

Como introducción a este concepto puede realizar la siguiente actividad de motivación:

Act.9 El zoo ha adquirido 8 panteras y 12 gacelas que se han de trasladar en jaulas con igual número de animales y lo más grande que sea posible. ¿Cuántos animales irán en cada jaula?

Con esta actividad el alumno irá tanteando las distintas posibilidades, hasta que alcance la solución. En estos momentos se le expondrán más actividades, en que, guiados por el profesor, llegan a encontrar que la solución coincide con los divisores comunes de correspondientes números. A continuación, se les indicará que el mayor de estos divisores comunes de varios números recibe el nombre de máximo común divisor y se expresa matemáticamente así: M.C.D. (a, b, c, …)

A continuación el profesor expondrá en la pizarra distintos casos, en que con la participación activa de los alumnos y las alumnas se llegará a la conclusión: que para números algo grandes el proceso se vuelve muy engorroso, siendo necesario un método más eficaz.

11. Método para el cálculo del máximo común divisor. (2.ª parte de la 7.ª sesión)

Durante esta segunda parte de la 7.ª sesión se desarrollará un método mucho más adecuado para el cálculo del máximo común divisor de cantidades de cualquier tamaño.

Se utilizará la pizarra para la realización de distintos ejercicios de desarrollo de estos conceptos, pidiendo a los alumnos y alumnas su participación.

Se llegará a demostrar a los alumnos y alumnas que, en general, para el cálculo del máximo común divisor de varios números:

1) Se descompondrán los números en factores primos.
2) Se tomarán solamente los factores primos comunes, elevados cada uno al menor de los exponentes con que aparece.

Para finalizar se propondrán las siguientes actividades de consolidación:

j) Divisores comunes a varios números.

Act.33 Obtén los divisores comunes e indica, en cada caso, el máximo común divisor:

a) 10 y 15	b) 12 y 18	c) 20 y 30
d) 24 y 32	e) 28 y 72	f) 12 y 70

Act.34 Hemos de embalar 12 botellas de refresco de naranja y 18 botellas de refresco de limón en cajas con igual número de botellas, lo más grandes que sea posible y sin mezclar en una misma caja ambos sabores. ¿Cuántas botellas pondremos en cada caja?

k) Método para el cálculo del máximo común divisor.

Act.35 Calcula el máximo común divisor y el mínimo común múltiplo en cada caso:

a) 45, 54   b) 24, 32   c) 140, 210   d) 392, 252

e) 12, 18, 24   f) 3, 5, 7   g) 2, 9, 11   h) 132, 176, 220

Act.36 Calcula el máximo común divisor y el mínimo común múltiplo en cada caso y reflexiona:

a) 10, 5   b) 15, 60   c) 8, 24   d) 25, 100

Si el número *a* es el divisor del número *b*, ¿cuál es su M.C.D.? ¿Y su m.c.m.?

8. RECURSOS DIDÁCTICOS Y MATERIALES

- Pizarra y útiles para pizarra.
- Libro de texto, cuaderno de clase y fichas de ejercicios prácticos.
- Libros de consulta de la biblioteca del instituto y propios. Especialmente recomendables son:

  - *Cómo enseñar la divisibilidad.* Mª Dolores De Prada y otros. Ed. Anaya. Madrid.
  - *Colección Matemáticas, cultura y aprendizaje.* Modesto Sierra y otros. Madrid.

- Calculadora científica.
- Ordenadores del aula de informática.
- Uso del Proyecto Descartes. Aula de informática.

9. ATENCIÓN A LA DIVERSIDAD

La atención a la diversidad se justifica a través de las actividades de refuerzo y ampliación. Se utilizarán según las necesidades de los alumnos. En ocasiones toda la clase necesitará algún apoyo para reforzar conceptos no asimilados en su totalidad. Por el contrario, nos encontraremos con casos en que la mayoría de la clase profundice con las actividades de ampliación. Lo más habitual será detectar qué necesidades tiene cada alumno para incidir con las actividades más idóneas en sus carencias o inquietudes intelectuales.

En el caso de que en el grupo haya algún alumno con necesidades educativas especiales, se realizarán adaptaciones curriculares significativas según lo establecido en la programación.

9.1. Actividades de refuerzo

Están destinadas a aquellos alumnos que precisan corregir y consolidar los contenidos de la unidad.

Los alumnos resolverán actividades relacionadas con:

- Identificar los múltiplos y divisores de un número.
- Comprender y aplicar los criterios de divisibilidad.
- Números primos y compuestos. Descomposición en factores primos.
- Obtener divisores y múltiplos comunes de varios números.

1) Escribe los números que sean:

   a) Múltiplos de 3 menores que 36.
   b) Múltiplos de 4 menores que 60.
   c) Múltiplos de 100 menores que 1.000.
   d) Múltiplos de 7 que estén comprendidos entre 30 y 90.

2) Juan acude a unos grandes almacenes y observa que algunos artículos se venden de la siguiente forma.

- Las cintas de vídeo en paquetes de 3 unidades.
- Los lápices en bolsas de 2 unidades.
- Los disquetes en cajas de 10 unidades.

- Los CD en grupos de 5 unidades.

¿Cuántas unidades de cada artículo podríamos comprar?

3) Halla todos los divisores de:

   a) 18   b) 22   c) 15   d) 20   e) 16   f) 14

4) En la clase de Educación Física hay 24 alumnos. ¿De cuántas maneras se podrán formar grupos iguales de alumnos sin que sobre ninguno? Razona tu respuesta.

5) Dados los números 15, 10, 1, 25, 5, 8, 20, 45, 2, 12, indica cuáles son:

   a) Divisores de 50.
   b) Múltiplos de 3.

6) De los números 230, 496, 520, 2.080, 2.100, 2.745 y 455, di:

   a) ¿Cuáles son múltiplos de 2?   b) ¿Y múltiplos de 3?
   c) ¿Cuáles son múltiplos de 5?   d) ¿Y múltiplos de 10?

7) Clasifica los números en primos o compuestos: 6, 15, 7, 24, 13, 2, 20, 11 y 10.

8) Quiero guardar 40 latas en cajas iguales sin que sobre ninguna. ¿De cuántas maneras puedo hacerlo?

9) Un barco sale de un puerto cada 4 días, otro cada 5 y un tercero cada 7 días. ¿Cuándo vuelven a coincidir los tres barcos en el puerto?

9.2. Actividades de ampliación

Apropiadas para los alumnos que pueden avanzar con rapidez y que pueden profundizar en los contenidos de la unidad mediante un trabajo más autónomo.

Los alumnos resolverán actividades relacionadas con:

- Múltiplos y divisores.
- Números primos y compuestos.
- Criterios de divisibilidad.
- Máximo común divisor y mínimo común múltiplo.

1) El número 186 es divisible por 31. Comprueba si $2 \cdot 186$ y $3 \cdot 186$ son también divisibles por 31.

2) ¿Qué número comprendido entre 100 y 200 es múltiplo de 5 y la suma de sus cifras es igual a 6?

3) Encuentra el menor y el mayor número de tres cifras que sea múltiplo de:

    a) 2 y 3   b) 2 y 5   c) 3 y 5   d) 3 y 7

4) El número a es divisible por 4. Halla a si el cociente de la división es 29.

5) Escribe estos números como suma de dos números primos.

    a) 12   b) 20   c) 36   d) 52

6) Calcula cuánto ha de valer n para que:

    a) $n05$ sea divisible por 3 y por 5.
    b) $5n8$ sea divisible por 2 y por 3.
    c) $n30$ sea divisible por 2, por 3 y por 5.

7) La descomposición en factores primos de 10 es $2 \cdot 5$, la de 100 es $2^2 \cdot 5^2$ ... ¿Cuál será la descomposición de 100.000?

8) Obtén el máximo común divisor de los siguientes números.

    a) 8, 12 y 18   b) 16, 20 y 28   c) 8, 20 y 28
    d) 45, 54 y 81   e) 75, 90 y 105   f) 40, 45 y 55

9) Ana tiene un álbum de 180 cromos. Los cromos se venden en sobres de 5 cromos cada uno. Suponiendo que no se repita ningún cromo, ¿cuántos sobres tiene que comprar como mínimo?

10) Marta tiene 15 piñas y desea repartirlas en cestos, con el mismo número de piñas en cada uno, sin que le sobre ninguna. ¿De cuánta maneras distintas puede repartirlas?

11) Andrés tiene una colección de monedas que puede agrupar de 6 en 6, de 8 en 8 y de 10 en 10, sin que falte ninguna. ¿Cuál es el menor número de monedas que puede tener?

10. EVALUACIÓN

La evaluación de esta unidad se llevará a cabo siguiendo las directrices explicadas en la programación didáctica que la engloba.

Se realizará al comienzo de la unidad, a lo largo del proceso y a su finalización (donde se realizará una prueba escrita).

Los instrumentos que habitualmente se utilizarán para obtener información sobre el progreso de nuestros alumnos serán:
- La observación diaria.
- La revisión y corrección de las tareas realizadas por el alumno en casa.
- Seguimiento del cuaderno del alumno valorando su contenido (apuntes, actividades...), estructura, orden, limpieza y claridad.
- Intervenciones en la pizarra.
- Control de faltas y conducta.
- Realización de una prueba individual escrita al finalizar la unidad.

Para determinar las calificaciones de nuestros alumnos, se aplicarán los criterios de calificación reflejados en la programación, a saber:

a) Pruebas escritas. Supone el 60 % de la nota final.
b) Cuaderno de clase del alumno, trabajo diario e intervenciones en la pizarra. Su valoración es un 20 % de la nota final.
c) Puntualidad, comportamiento, interés y participación. A este apartado se le aplica el 20 % restante de la nota final.

Por último, habría que indicar que también se evaluará nuestra práctica docente, valorando después de la experiencia, el nivel de adecuación de la unidad a los objetivos propuestos inicialmente, para proponernos posibles modificaciones.

Esta evaluación considerará los siguientes aspectos:

- Sesiones programadas y sesiones empleadas.
- Metodología aplicada.
- Adecuación de los recursos utilizados y de las actividades desarrolladas.
- Objetivos propuestos y objetivos conseguidos.
- Resultados académicos de nuestros alumnos.

11. TEMAS TRANSVERSALES Y EDUCACIÓN EN VALORES

Mediante la utilización de los múltiplos y los divisores se pueden estudiar muchas situaciones de la vida cotidiana relacionadas con los temas transversales.

El fenómeno del crecimiento de la población en estas últimas décadas así como la reducción de los recursos naturales son claros ejemplos de ello, pues se sirven de las herramientas matemáticas necesarias para expresar números en gran magnitud.

El cuidado del medio ambiente y la paz podrán ser mejor protegidos si se disponen de las matemáticas para entenderlos.

Valores: Justicia. Paz. Vida.

Temas transversales: Educación ambiental. Educación para la paz. Educación para la salud.

UNIDAD DIDÁCTICA 3: FRACCIONES

1. INTRODUCCIÓN

Esta es la tercera unidad didáctica de las siete que comprenden el bloque de Números del currículo de 1.º de ESO del área de Matemáticas.

Se imparte a continuación de la unidad referida a divisibilidad, y precede a la unidad que estudia los números decimales, perteneciendo ambas al bloque de Números.

En ella se observa la utilidad de los conceptos estudiados, como las operaciones básicas con números naturales o el cálculo del mínimo común múltiplo y máximo común divisor.

Se recuerda, así mismo, las distintas interpretaciones de una fracción, como parte de un total, como medida y como operador de un número, siendo el primer paso para comprender la estructura del conjunto de los números racionales.

Se estudia la representación de las fracciones en la recta real o mediante figuras geométricas para permitir comprender conceptos como la relación de equivalencia entre fracciones, obtener fracciones equivalentes a una fracción dada, comparar fracciones y hallar fracciones comprendidas entre dos fracciones.

Además, conceptos como la equivalencia de fracciones y la fracción como expresión decimal serán la base para el estudio de la proporcionalidad numérica.

2. CONOCIMIENTOS PREVIOS

Para poder desarrollar satisfactoriamente esta unidad, resulta conveniente que el alumno domine las siguientes cuestiones:

1) Conocer el significado y el uso de las fracciones como expresión de una relación parte-todo, expresión de un cociente y operador.

2) Representar fracciones en la recta.

3. OBJETIVOS DIDÁCTICOS

En este punto se presentan los objetivos didácticos que deberán alcanzar los alumnos al finalizar la unidad, así como su relación con los objetivos generales de etapa y de área.

Objetivos didácticos	Objetivos de etapa	Objetivos de área
1) Conocer y utilizar adecuadamente las diversas interpretaciones de una fracción.	b, f, g	2, 3, 9
2) Distinguir si dos fracciones son equivalentes y calcular fracciones equivalentes a una fracción dada.	b, f	2, 3
3) Amplificar y simplificar fracciones.	b, f	2, 3, 9
4) Calcular la fracción irreducible de una fracción.	b, f	2, 3, 9
5) Reducir fracciones a común denominador.	b, f	2, 3, 9
6) Comparar y ordenar fracciones.	b, f	2, 7, 8, 9
7) Sumar y restar fracciones con el mismo y distinto denominador.	b, f	2, 3
8) Multiplicar y dividir fracciones.	b, f	2, 7, 8, 9
9) Resolver problemas cotidianos donde aparezcan fracciones.	b, f, g, h	2, 7, 8, 9, 10

4. CONTENIDOS

4.1. Conceptos

1) Interpretación de una fracción.
2) Fracciones propias e impropias.
3) Fracciones equivalentes. Amplificación y simplificación.
4) Fracción irreducible.
5) Comparación de fracciones.
6) Reducción de fracciones a común denominador.
7) Suma y resta de fracciones.
8) Multiplicación de fracciones.

9) Fracción inversa. División de fracciones.

4.2. Procedimientos

1) Utilización de las distintas interpretaciones de una fracción.
2) Obtención de fracciones equivalentes a una fracción dada.
3) Determinación de la fracción irreducible.
4) Obtención del común denominador de varias fracciones.
5) Comparación de fracciones.
6) Operaciones con fracciones.
7) Resolución de problemas reales que impliquen la realización de cálculos con fracciones.

4.3. Actitudes

1) Valoración de la utilidad de las fracciones para comunicar información y para resolver problemas.
2) Utilizar el vocabulario adecuado para leer fracciones.
3) Curiosidad e interés por enfrentarse a problemas numéricos.
4) Perseverancia en la búsqueda de regularidades y relaciones de conjuntos numéricos.
5) Interés por revisar y mejorar los resultados de un problema numérico.
6) Utilización adecuada de la calculadora para realizar cálculos e investigaciones numéricas.
7) Confianza en las propias capacidades para resolver problemas numéricos.
8) Sensibilidad y gusto por la presentación ordenada y clara del proceso seguido en la resolución de un problema, así como sus resultados.
9) Interés y respeto por las estrategias y soluciones distintas de las propias.

5. CRITERIOS DE EVALUACIÓN

1) Utilizar de manera adecuada las distintas interpretaciones de una fracción.
2) Determinar si dos fracciones son equivalentes.
3) Amplificar y simplificar fracciones.
4) Obtener la fracción irreducible de una fracción.
5) Ordenar un conjunto de fracciones.

6) Reducir un conjunto de fracciones a común denominador.

7) Sumar, restar, multiplicar y dividir fracciones con igual o distinto denominador.

8) Realizar operaciones combinadas con fracciones, respetando la jerarquía de las operaciones.

9) Resolver problemas reales donde aparezcan fracciones.

6. SECUENCIACIÓN Y DISTRIBUCIÓN TEMPORAL

La secuenciación de los conceptos en esta unidad se ha hecho en relación con su grado de dificultad de forma que el alumno conocerá en primer lugar los conceptos más elementales, para pasar posteriormente a otros que se basen en los anteriores, y así sucesivamente. Además, estos se van introduciendo siguiendo un orden lógico y natural.

Creo que es conveniente dedicarle a esta unidad didáctica un total de 8 sesiones, que se impartirán a lo largo del primer trimestre.

Estas sesiones se desarrollarán en función del nivel de conocimientos de que parten los alumnos y del trabajo que realicen por ellos mismos.

7. METODOLOGÍA Y SECUENCIA DE ACTIVIDADES

7.1. Consideraciones generales

Al inicio de la unidad se realizará una prueba para evaluar el nivel de conocimientos previos. Al final de la misma se dedicará una sesión para la realización de una prueba objetiva sobre la unidad con objeto de comprobar si se han alcanzado los objetivos.

El desarrollo de la unidad se llevará a cabo en el aula, dejando abierta la posibilidad, si las circunstancias lo permitieran, de impartir una sesión en el aula de informática, para que los alumnos conozcan y se introduzcan en el manejo del asistente matemático Derive.

Todas las sesiones, excepto la primera dedicada a evaluar los conocimientos previos de los alumnos, se iniciarán con la corrección de las actividades que se hayan realizado en casa o en clase la sesión anterior. Con esto, se aclaran las dudas y se sigue el avance o estancamiento del alumnado. En función de lo que se observe en la corrección se tomarán las medidas pertinentes. A continuación, en un segundo tercio de la sesión, se introducirán nuevos conceptos con la explicación correspondiente. Por último, en el tercer tercio de la clase se plantearán nuevas actividades con objeto de aclarar posibles dudas y cimentar lo explicado. De esta forma las clases tendrán una estructura fija que el alumno conocerá desde el principio.

7.2. Desarrollo de la unidad

Con objeto de evaluar el nivel de conocimientos previos, en la 1.ª mitad de la sesión inicial de la unidad, se propondrán actividades de motivación que plantearán nuevos problemas y al mismo tiempo pondrán de manifiesto la necesidad de adquirir nuevos conocimientos para resolverlos. Estas actividades iniciales serán de los tipos siguientes:

a) Escribir cómo se leen fracciones.

b) Escribir fracciones a partir de gráficas coloreadas.

c) Representar gráficamente fracciones.

d) Cálculo de expresiones decimales de fracciones.

e) Realizar operaciones sencillas con fracciones.

El resultado de esta prueba nos dará el nivel inicial de conocimientos del alumnado.

Acto seguido, con afán motivador, se plantearán diversos problemas aritméticos sencillos cuyo resultado es un número fraccionario, tales como:

a) Elisabet ha de construir un puzle de 50 piezas. Ya ha colocado 20 piezas. ¿Qué parte o fracción ha colocado?

b) ¿Cuántos árboles son los dos tercios de un bosque que tiene 600 árboles?

1. Números fraccionarios. (2.ª sesión)

Una vez corregida la prueba inicial propuesta, se introducirán las nociones de lectura de fracciones, la fracción como parte de la unidad, la fracción como cociente y la fracción como operador que los alumnos conocen de cursos anteriores. Esta introducción se realizará a partir de la siguiente actividad:

Expresa gráficamente el significado de la siguiente fracción: $\dfrac{3}{4}$

Con la representación de la misma, dividir un cuadrado en cuatro partes iguales (uniendo sus diagonales), y coloreando tres de ellas, se consigue la definición de numerador y denominador, la lectura de la fracción y la división de una unidad en partes iguales. Sirviéndose de estas expresiones se mostrarán más casos y se definirán la fracción como un cociente entre dos números y como operador de un número, se multiplica el número por el numerador y se divide entre el denominador.

El objetivo que se persigue de estos primeros ejemplos es recordar al alumno que las fracciones tienen significado en situaciones concretas.

Con todo ello, se reforzarán y repasarán cuestiones que los alumnos estudiaron ya en el curso pasado.

Por último, se propondrán las siguientes actividades de consolidación:

Act.1 Indica cuál es el numerador y el denominador de cada fracción.

a) $\dfrac{8}{15}$　　　　　b) $\dfrac{6}{11}$　　　　　c) $\dfrac{1}{22}$

Act.2 Escribe en forma de fracción.

a) Siete novenos　　　b) Dos décimos
c) Diez doceavos　　　d) Trece sextos

Act.3 Calcula:

a) $\dfrac{2}{5}$ de 60　　　　b) $\dfrac{1}{3}$ de 36　　　　c) $\dfrac{5}{9}$ de 72

Act.4 Marta da clases de español a inmigrantes. Tiene 12 alumnos, de los cuales 3 son rumanos, 4 marroquíes y el resto nigerianos. Expresa con una fracción la parte que representa cada grupo de alumnos según su nacionalidad.

2. Fracciones propias e impropias. (2.ª sesión)

Corregidas las actividades de la sesión anterior y aclaradas las dudas, se recuerda el concepto de fracciones propias e impropias de una fracción, estudiado ya en el curso anterior.

Los alumnos deben ver que cualquier fracción impropia se puede expresar como un número natural más una fracción propia.

A continuación, se proponen las siguientes actividades sobre el particular:

Act.5 Indica si estas fracciones son propias, impropias o iguales a la unidad.

$$\text{a) } \frac{17}{35} \qquad \text{b) } \frac{43}{42} \qquad \text{c) } \frac{5}{5} \qquad \text{d) } \frac{13}{18}$$

Act.6 Representa gráficamente las fracciones y di si son menores, iguales o mayores que la unidad.

$$\text{a) } \frac{7}{5} \qquad \text{b) } \frac{4}{7} \qquad \text{c) } \frac{16}{16} \qquad \text{d) } \frac{9}{3}$$

Act.7 Expresa cada fracción como la suma de un número natural más una fracción propia.

$$\text{a) } \frac{17}{3} \qquad \text{b) } \frac{43}{5} \qquad \text{c) } \frac{68}{13} \qquad \text{d) } \frac{134}{11}$$

Act.8 ¿Cómo expresarías gráficamente $1+\dfrac{4}{5}$? Exprésalo con una sola fracción.

3. Fracciones equivalentes. (3.ª sesión)

En esta tercera sesión, previamente al desarrollo de los conceptos referidos a las operaciones con polinomios, se repasarán propiedades fundamentales de las fracciones.

Para ello se realizarán las actividades siguientes:

a) Definición de fracciones equivalentes.

Act.9 ¿Son equivalentes las fracciones $\dfrac{2}{5}$ y $\dfrac{8}{20}$? ¿Y las fracciones $\dfrac{3}{5}$ y $\dfrac{6}{30}$?

Act.10 Completa para que sean equivalentes.

a) $\dfrac{4}{6} = \dfrac{6}{x}$ b) $\dfrac{9}{15} = \dfrac{x}{5}$ c) $\dfrac{x}{4} = \dfrac{15}{6}$ d) $\dfrac{8}{x} = \dfrac{6}{9}$

b) Propiedad fundamental de las fracciones.

Act.11 Comprueba que $\dfrac{6}{8}$ es equivalente a estas fracciones.

a) Si multiplicamos su numerador y su denominador por 3.
b) Si dividimos su numerador y su denominador entre 2.

Act.12 Busca:

a) Una fracción equivalente a $\dfrac{1}{2}$ que tenga 5 por numerador.

b) Una fracción equivalente a $\dfrac{3}{4}$ que tenga 12 por denominador.

Una vez comentadas y resueltas estas actividades, se introduce el concepto de obtención de fracciones equivalentes, mediante la amplificación, que consiste en obtener una fracción equivalente multiplicando numerador y denominador por el mismo número, y la simplificación, que consiste en obtener fracciones equivalentes al dividir numerador y denominador entre un divisor común.

Se hará una mayor incidencia en los casos de simplificación para introducir el concepto de fracción irreducible, para que puedan comprobar que resulta ser la fracción que no se puede simplificar más.

Para consolidar estos conceptos se proponen actividades de los tipos siguientes:

c) Cómo obtener fracciones equivalentes.

Act.13 Obtén tres fracciones equivalentes por amplificación.

$$a)\ \frac{11}{2} \qquad b)\ \frac{9}{7} \qquad c)\ \frac{2}{3}$$

Act.14 Obtén dos fracciones equivalentes por simplificación.

$$a)\ \frac{125}{75} \qquad b)\ \frac{48}{60} \qquad c)\ \frac{30}{36} \qquad d)\ \frac{12}{18}$$

d) Fracción irreducible.

Act.15 ¿Son irreducibles estas fracciones?

$$a)\ \frac{40}{60} \qquad b)\ \frac{72}{90}$$

Act.16 ¿Se puede encontrar una fracción equivalente a una fracción irreducible? Compruébalo poniendo varios ejemplos.

4. Comparación de fracciones. (4.ª sesión)

Una vez corregidas las actividades de la sesión anterior, en la cuarta sesión se estudia la comparación de fracciones.

El propio alumnado será capaz de deducir fácilmente esta operación, pues se definirá en primer lugar la comparación de fracciones con el mismo denominador, y que gráficamente resulta muy intuitivo. De igual forma resulta la comparación de fracciones con el mismo numerador.

Finalmente, se verá la comparación de fracciones de distinto denominador y numerador, cuyo proceso consiste en obtener otras fracciones equivalentes a ellas pero que tengan el mismo denominador, cuyo proceso consiste en reducir a común denominador todas las fracciones y comparar los numeradores.

Se propondrán actividades tales como:

e) Fracciones con el mismo denominador.

Act.17 Compara estas fracciones. a) $\dfrac{5}{6}$ y $\dfrac{4}{6}$ b) $\dfrac{2}{9}, \dfrac{5}{9}, \dfrac{1}{9}, \dfrac{7}{9}$

Act.18 Completa: $\dfrac{1}{5} < \dfrac{}{5} < \dfrac{4}{5}$

f) Fracciones con el mismo numerador.

Act.19 Compara estas fracciones: a) $\dfrac{1}{4}$ y $\dfrac{1}{2}$ b) $\dfrac{3}{5}, \dfrac{3}{7}, \dfrac{3}{4}, \dfrac{3}{2}$

Act.20 Completa: $\dfrac{3}{4} > \dfrac{3}{} > \dfrac{3}{7}$

g) Fracciones con distinto denominador y numerador.

Act.21 Reduce a común denominador: a) $\dfrac{2}{3}, \dfrac{1}{4}, \dfrac{5}{6}$ b) $\dfrac{4}{5}, \dfrac{1}{10}, \dfrac{3}{4}$

Act.22 Compara estas fracciones: a) $\dfrac{5}{6}$ y $\dfrac{3}{4}$ b) $\dfrac{7}{4}$ y $\dfrac{3}{9}$

Act.23 Ordena de mayor a menor: a) $\dfrac{7}{18}, \dfrac{3}{10}, \dfrac{5}{12}$ b) $\dfrac{3}{2} < \dfrac{4}{3} < \dfrac{9}{8}$

5. Suma y resta de fracciones. (5.ª sesión)

Una vez que los alumnos ya dominan los conceptos y procedimientos tratados en las sesiones anteriores, en esta quinta sesión se introducirán las operaciones de suma y resta de fracciones.

Este concepto se desarrollará, en primer lugar, mediante la suma y resta con el mismo denominador, que al alumno le resulta relativamente sencillo, para pasar posteriormente a la suma y resta de fracciones con distinto denominador, donde se deberá reducir primero a común denominador, que es donde radica la dificultad de las operaciones y donde se reforzará con los conceptos estudiados en la sesión anterior.

Finalmente se recordará la prioridad en las operaciones, haciendo hincapié en que en primer lugar se realizan los paréntesis, para realizar operaciones de sumas y restas de fracciones con paréntesis.

Para la total asimilación de este concepto, al final de la sesión se realizarán las siguientes actividades:

Act.24 Calcula:

a) $\dfrac{5}{6} - \dfrac{4}{9}$
b) $\dfrac{1}{2} + \dfrac{1}{4} + \dfrac{1}{8}$
c) $\dfrac{1}{2} - \dfrac{2}{3} + \dfrac{3}{5}$
d) $\dfrac{3}{4} - \dfrac{7}{10} + \dfrac{3}{5} - \dfrac{13}{20}$

Act.25 Calcula:

a) $\dfrac{2}{5} + \left(\dfrac{3}{4} - 1 \right) - \left(\dfrac{3}{10} - 1 \right)$
b) $\left(\dfrac{1}{2} + \dfrac{1}{3} \right) - \left(\dfrac{1}{2} - \dfrac{1}{3} \right)$

Act.26 En una población de 3.000 habitantes, $\dfrac{1}{5}$ son varones menores de 20 años y $\dfrac{1}{6}$ son mujeres menores de 20 años. ¿Qué fracción de la población tiene menos de 20 años? ¿Cuántos son?

<u>Act.27</u> En el desayuno, Luisa toma $\dfrac{2}{8}$ de litro de leche, mientras que Juan toma $\dfrac{3}{4}$ de litro.

a) ¿Cuánta leche toman entre los dos?

b) ¿Quién toma más? ¿Cuánto?

<u>6. Producto de fracciones.</u> (1.ª parte de 6.ª sesión)

En la sexta sesión, se introduce el producto de fracciones, donde la regla nemotécnica que han de recordar es que el producto de dos o más fracciones se realiza en línea recta, es decir, mientras que el numerador del producto corresponde con el producto de los numeradores, el denominador del producto corresponde con el producto de los denominadores.

El proceso gráfico se basa en dividir la parte representada por la segunda fracción en tantas partes como indica el denominador de la primera, y tomar de esas partes tantas como indica el numerador de esa primera fracción. Por ejemplo, si se ha de calcular 3/8 de 2/5, se procedería de la siguiente forma: se divide en 8 partes iguales el trozo que representa los 2/5 y se toman 3 de esas partes.

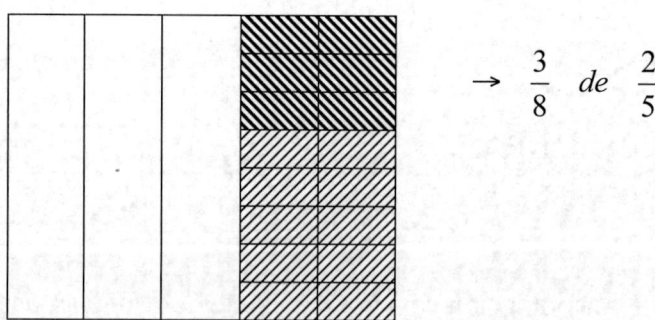

$$\rightarrow \quad \frac{3}{8} \quad de \quad \frac{2}{5}$$

En este caso, el rectángulo queda dividido en 40 partes iguales de las que se consideran 6, es decir, la fracción 6/40. De aquí debe deducirse la regla de multiplicar fracciones que deberán describir detalladamente.

7. Fracciones inversas. (2.ª parte de 6.ª sesión)

En esta segunda parte de la sexta sesión se va a desarrollar el concepto de fracción inversa, que los alumnos y alumnas entenderán fácilmente al ver que representa el producto de la fracción inicial por otra, tal que su resultado sea la unidad.

Al final de la sesión, se propondrán actividades de consolidación relativas al producto de fracciones, como:

Act.28 Expresa con una fracción.

a) La mitad de la mitad.   b) La mitad de un cuarto.
c) La cuarta parte de la mitad.   d) La cuarta parte de un octavo.

Act.29 Calcula.

a) $5 \cdot \dfrac{2}{3}$ b) $\dfrac{3}{4} \cdot (-4)$ c) $\dfrac{-2}{3} \cdot \dfrac{6}{5}$ d) $\dfrac{1}{2} \cdot \dfrac{1}{5}$

Act.30 Calcula y simplifica.

a) $\dfrac{4}{3} \cdot \dfrac{5}{6} \cdot \dfrac{9}{7}$ b) $\dfrac{10}{3} \cdot \dfrac{8}{5} \cdot \dfrac{6}{7}$ c) $3 \cdot \dfrac{7}{4} \cdot \dfrac{5}{6}$ d) $\dfrac{2}{3} \cdot \dfrac{6}{7} \cdot 4$

Act.31 En una ciudad viven 200.000 personas, 1/5 de las cuales son inmigrantes, y 3/4 de los inmigrantes son jóvenes. ¿Qué fracción de la población representa a los inmigrantes jóvenes? ¿Cuántos son?

Act.32 Calcula x en cada caso.

a) $\dfrac{3}{4} \cdot x = \dfrac{12}{20}$ b) $\dfrac{2}{5} \cdot x = \dfrac{2}{15}$ c) $4 \cdot x = \dfrac{4}{3}$ d) $\dfrac{2}{5} \cdot x = 3$

8. Cociente de fracciones. (7.ª sesión)

Corregidas las actividades de la sesión anterior y aclaradas las dudas, se pasará a desarrollar el concepto de cociente de fracciones.

Este concepto se introducirá a partir del concepto de las fracciones inversas que se vieron en la sesión anterior. En primer lugar se realizará la división correspondiente a dos números enteros, con lo que el alumno verá claramente que la división de dos números es lo mismo que la multiplicación del primer número por el inverso del segundo. De igual forma sucede con la división de una fracción entre un entero y la división entre dos fracciones.

Por tanto, el alumno y la alumna han de aplicar cualquiera de los dos procesos para efectuar un cociente de fracciones:

a) Multiplicar la primera fracción por la fracción inversa de la segunda fracción.

b) Realizar la multiplicación de los términos cruzados, es decir, el resultado de la división se obtiene así: el numerador corresponde al producto del numerador de la primera fracción por el denominador de la segunda fracción, y el denominador corresponde al producto del denominador de la primera fracción por el numerador de la segunda fracción.

Al final de la sesión, se propondrán actividades de consolidación relativas al cociente de fracciones, como:

Act.33 Opera.

a) $5 : \dfrac{1}{2}$ b) $\dfrac{1}{2} : 5$ c) $\dfrac{2}{7} : \dfrac{3}{4}$ d) $\dfrac{4}{3} : \dfrac{2}{6}$

e) $\dfrac{1}{2} : \dfrac{1}{5}$ f) $\dfrac{2}{5} : \dfrac{4}{10}$ g) $\dfrac{2}{3} : \dfrac{4}{6}$ h) $\dfrac{3}{7} : \dfrac{5}{2}$

Act.34 Calcula x en cada caso.

a) $\dfrac{2}{5} : x = \dfrac{8}{15}$ b) $\dfrac{1}{2} : x = \dfrac{3}{2}$ c) $\dfrac{4}{3} : x = \dfrac{2}{3}$ d) $x : \dfrac{1}{3} = 1$

<u>Act.35</u> Con una jarra de zumo de 3/4 de litro se llenan 5 vasos. ¿Qué fracción de litro entra en un vaso?

La última sesión de la unidad se dedicará a la realización de la prueba objetiva.

8. RECURSOS DIDÁCTICOS Y MATERIALES

- Pizarra y útiles para pizarra.

- Libro de texto, cuaderno de clase y fichas de ejercicios prácticos.

- Libros de consulta de la biblioteca del instituto y propios. Especialmente recomendables son:

  - *Fracciones. La relación parte-todo.* S. Llenares y M. V. Sánchez. Colección Matemáticas: Cultura y Aprendizaje, n.º 4. Madrid.
  - *La calculadora de bolsillo como instrumento pedagógico.* Grupo Azarquiel y J. Colera. Instituto de Ciencias de la Educación. Madrid.

- Calculadora científica.

- Ordenadores del aula de informática.

- Uso del Proyecto Descartes. Aula de informática.

- Asistente matemático Derive. Aula de informática.

9. ATENCIÓN A LA DIVERSIDAD

La atención a la diversidad se justifica a través de las actividades de refuerzo y ampliación. Se utilizarán según las necesidades de los alumnos. Habrá veces en que toda la clase necesite algún apoyo para reforzar conceptos no asimilados en su totalidad. Por el contrario nos encontraremos con casos en que la mayoría de la clase profundice con las actividades de ampliación. Lo más habitual será detectar qué necesidades tiene cada alumno para incidir con las actividades más idóneas en sus carencias o inquietudes intelectuales.

En el caso de que en el grupo haya algún alumno con necesidades educativas especiales, se realizarán adaptaciones curriculares significativas según lo establecido en la programación.

9.1. Actividades de refuerzo

Están destinadas a aquellos alumnos que precisan corregir y consolidar los contenidos de la unidad.

Los alumnos resolverán actividades relacionadas con:

- Comprender el concepto de fracción. Identificar términos.
- Tipos de fracciones. Representación en la recta.
- Comprender el significado de fracción equivalente.
- Realizar operaciones con fracciones.

1) Escribe cómo se leen las fracciones.

a) $\dfrac{3}{5}$ b) $\dfrac{2}{17}$ c) $\dfrac{5}{12}$ d) $\dfrac{12}{20}$ e) $\dfrac{9}{10}$ f) $\dfrac{8}{15}$

2) María se ha comido 2 trozos de un bizcocho dividido en 6 partes iguales.

   a) ¿Qué fracción representa lo que se ha comido María?
   b) Represéntalo mediante cuatro tipos de gráficos.

3) Indica las fracciones que representan en cada situación mediante un dibujo.

   a) De una tableta de chocolate dividida en 15 trozos nos comemos 6.
   b) Parto una pizza en 8 partes iguales y me como 5.
   c) Un paquete de pan de molde tiene 24 rebanadas y utilizo 8.
   d) De un total de 20 cromos de sellos he cambiado 12.

4) Representa gráficamente las fracciones 3/2, 7/4, 15/8, 10/7.

5) Representa las fracciones en la recta.

 a) 7/6 b) 9/4 c) 11/6

6) Halla el término que falta para que las fracciones sean equivalentes.

a) $\dfrac{10}{15} = \dfrac{2}{}$ b) $\dfrac{8}{} = \dfrac{6}{9}$ c) $\dfrac{}{2} = \dfrac{8}{16} = \dfrac{}{32}$ d) $\dfrac{2}{5} = \dfrac{}{20} = \dfrac{6}{}$

7) Ordena, de mayor a menor, las fracciones, numérica y gráficamente:

$$\dfrac{2}{3}, \ \dfrac{3}{8}, \ \dfrac{4}{6}, \ \dfrac{1}{2}$$

8) Calcula.

 a) $\dfrac{3}{15} + \dfrac{2}{15} =$ b) $\dfrac{12}{5} - \dfrac{8}{5} =$ c) $\dfrac{6}{9} + \dfrac{1}{9} + \dfrac{2}{9} =$

9) Calcula.

 a) $\dfrac{2}{3} \cdot \dfrac{4}{10} =$ b) $\dfrac{5}{6} \cdot \dfrac{2}{3} =$ c) $\dfrac{2}{3} \cdot \dfrac{1}{4} \cdot \dfrac{3}{5} =$

 d) $\dfrac{4}{5} : \dfrac{8}{12} =$ e) $\dfrac{4}{6} : \dfrac{2}{5} =$ f) $\dfrac{5}{3} : 4 =$

9.2. Actividades de ampliación

Apropiadas para los alumnos que pueden avanzar con rapidez y que pueden profundizar en los contenidos de la unidad mediante un trabajo más autónomo.

Los alumnos resolverán actividades relacionadas con:

- Números fraccionarios.

- Fracciones propias e impropias.
- Fracciones equivalentes.
- Comparación de fracciones.
- Operaciones con fracciones.
- Problemas con fracciones.

1) Indica qué fracción determina cada una de las afirmaciones.

   a) 15 minutos de una hora.   b 7 meses de un año.
   c) 3 huevos de una docena.   d) 13 letras del abecedario.

2) Expresa cada fracción como la suma de un número natural más una fracción propia.

   a) $\dfrac{17}{3}$ b) $\dfrac{43}{5}$ c) $\dfrac{68}{13}$ d) $\dfrac{134}{11}$

3) Averigua cuáles de las fracciones son irreducibles.

   a) $\dfrac{3}{12}$ b) $\dfrac{70}{33}$ c) $\dfrac{45}{32}$ d) $\dfrac{49}{35}$ e) $\dfrac{54}{27}$ f) $\dfrac{10}{11}$

4) Ordena las siguientes fracciones.

   a) $\dfrac{3}{2}, \dfrac{4}{3}, \dfrac{5}{4}, \dfrac{6}{5}, \dfrac{7}{6}$ b) $\dfrac{2}{3}, \dfrac{3}{4}, \dfrac{4}{5}, \dfrac{5}{6}, \dfrac{6}{7}$

   ¿Qué observas?

5) Calcula y simplifica el resultado.

   a) $\dfrac{5}{9} - \left(\dfrac{7}{6} - \dfrac{2}{3} \right)$ b) $\dfrac{3}{4} \cdot \left(\dfrac{5}{6} : \dfrac{7}{2} \right)$ c) $\left(\dfrac{3}{5} + \dfrac{1}{10} \right) : \dfrac{7}{2}$

   d) $12 - \left(\dfrac{25}{6} - \dfrac{7}{6} \right) - \dfrac{4}{18} \cdot \dfrac{18}{4}$ e) $\dfrac{2}{16} + \left(\dfrac{3}{6} - \dfrac{4}{8} \right) \cdot \dfrac{9}{5} - 6 \cdot \dfrac{4}{8}$

f) $\dfrac{1}{3} : \dfrac{2}{5} + \dfrac{2}{5} - \dfrac{3}{12} + 4$

g) $\dfrac{19}{5} - \left(\dfrac{3}{4} - \dfrac{1}{7} \right) \cdot \dfrac{2}{6} : \dfrac{4}{9}$

6) Para las bebidas de una fiesta tenemos que comprar: 2/3 partes de refrescos de naranja, 1/5 de refrescos de limón y 2/15 de zumos. ¿De qué bebida habrá mayor cantidad?

7) Ana ha pintado una pared. Si ya ha pintado la sexta parte, ¿qué fracción le queda por pintar?

8) En una clase de 1.º ESO hay 25 alumnos: las 2/5 partes son chicos y las 3/5 partes son chicas. ¿Cuántos chicos y chicas hay?

9) Por la mañana hemos recorrido las 2/3 partes del camino y por la tarde 5 km. ¿Cuántos kilómetros hemos recorrido en total?

10. EVALUACIÓN

La evaluación de esta unidad se llevará a cabo siguiendo las directrices explicadas en la programación didáctica que la engloba.

Se realizará al comienzo de la unidad, a lo largo del proceso y a su finalización (donde se realizará una prueba escrita).

Los instrumentos que habitualmente se utilizarán para obtener información sobre el progreso de nuestros alumnos serán:
- La observación diaria.
- La revisión y corrección de las tareas realizadas por el alumno en casa.
- Seguimiento del cuaderno del alumno valorando su contenido (apuntes, actividades...),estructura, orden, limpieza y claridad.
- Intervenciones en la pizarra.
- Control de faltas y conducta.
- Realización de una prueba individual escrita al finalizar la unidad.

Para determinar las calificaciones de nuestros alumnos, se aplicarán los criterios de calificación reflejados en la programación, a saber:

a) Pruebas escritas. Supone el 60 % de la nota final.

b) Cuaderno de clase del alumno, trabajo diario e intervenciones en la pizarra. Su valoración es un 20 % de la nota final.

c) Puntualidad, comportamiento, interés y participación. A este apartado se le aplica el 20 % restante de la nota final.

Por último, es necesario indicar que también se evaluará nuestra <u>práctica docente</u>, valorando, después de la experiencia, el nivel de adecuación de la unidad a los objetivos propuestos inicialmente, para proponernos posibles modificaciones.

Esta evaluación considerará los siguientes aspectos:

- Sesiones programadas y sesiones empleadas.
- Metodología aplicada.
- Adecuación de los recursos utilizados y de las actividades desarrolladas.
- Objetivos propuestos y objetivos conseguidos.
- Resultados académicos de nuestros alumnos.

11. TEMAS TRANSVERSALES Y EDUCACIÓN EN VALORES

Mediante la traducción de enunciados de problemas a algunos tipos de fracciones, podríamos tratar algunos temas transversales, como:

<u>Educación para la salud</u>: problemas relacionados con el peso ideal de hombres y mujeres, nos llevan a analizar la importancia que tiene llevar a cabo una alimentación correcta y adecuada y la necesidad de seguir hábitos de nutrición saludables.

<u>Educación del consumidor</u>: problemas relativos a depósitos en entidades bancarias, beneficios de empresas, facturas de compañías eléctricas... son ejemplos de situaciones relacionadas con la sociedad de consumo, que ponen de manifiesto la importancia que tiene llevar a cabo un consumo crítico y responsable.

<u>Valor</u>: Justicia.

UNIDAD DIDÁCTICA 4: NÚMEROS DECIMALES

1. INTRODUCCIÓN

Esta es la cuarta unidad didáctica de las siete que corresponden al bloque de Números del currículo de 1.º de ESO del área de Matemáticas.

Se imparte a continuación de la unidad referida a fracciones, y precede a la unidad que estudia los números enteros, perteneciendo ambas al bloque de Números.

En ella se comienza recordando el sistema de numeración decimal, que es la base de la expresión escrita de los números decimales, formados por una parte entera y una parte decimal.

Las representaciones gráficas de fracciones, ya sea en la recta real o mediante figuras geométricas, vuelven a aplicarse en esta unidad. A través de ellas se compararán y ordenarán los números decimales. Además, se aprenderá la relación existente entre una fracción y un número decimal, y cómo pasar de una a otro.

Se verá que la realización de sumas, restas, multiplicaciones y divisiones con números decimales tienen como base los números naturales. Se hará uso de la propiedad fundamental de la división, ya estudiada en los números naturales, y se distinguirá entre los dos casos que se pueden dar, según se trate de división decimal de números naturales o decimales. Se trabajará tanto la multiplicación como la división de la unidad seguida de ceros.

2. CONOCIMIENTOS PREVIOS

Para poder desarrollar satisfactoriamente esta unidad, resulta conveniente que el alumno domine las siguientes cuestiones:

1) Representar números decimales en la recta.
2) Leer, escribir e interpretar números decimales.
3) Ordenar números decimales.

3. OBJETIVOS DIDÁCTICOS

En este punto se presentan los objetivos didácticos que deberán alcanzar los alumnos al finalizar la unidad, así como su relación con los objetivos generales de etapa y de área.

Objetivos didácticos	Objetivos de etapa	Objetivos de área
1) Escribir la expresión polinómica de un número decimal exacto y calcular su fracción decimal.	b, f	2, 3, 9
2) Comparar y ordenar números decimales.	b, f	2, 3
3) Obtener la expresión decimal exacta o periódica de una fracción cualquiera.	b, f	2, 3, 9
4) Hacer sumas y restas de decimales escritos en forma ordinaria o en forma de fracción decimal.	b, f, g	2, 3, 7, 8, 9
5) Efectuar multiplicaciones y divisiones de números decimales.	b, f	2, 3, 7, 8, 9
6) Estimar el resultado de operaciones con números decimales mediante el cálculo mental y el redondeo con diversos niveles de aproximación.	b, f, g, h	7, 8, 9
7) Comprobar con una estimación si el resultado de una operación con decimales es correcto o no.	b, f, g, h	2, 3, 8, 9 10

4. CONTENIDOS

4.1. Conceptos

1) Parte entera y decimal de un número decimal.
2) Comparación de números decimales.
3) Números decimales exactos y periódicos.
4) Sumas y restas de números decimales. Redondeo y truncamiento.
5) Multiplicación y división de números decimales.

4.2. Procedimientos

1) Expresión de un número decimal como fracción decimal.
2) Cálculo de la expresión decimal de una fracción cualquiera.
3) Comparación de dos números decimales.

4) Resolución de sumas y restas de números decimales mediante fracciones decimales o por el método habitual.

5) Multiplicación y división de números decimales.

6) Redondeo y estimación del resultado de operaciones con números decimales.

4.3. Actitudes

1) Valoración de los números decimales para comunicar informaciones y para resolver problemas.

2) Utilizar el vocabulario adecuado para leer los números decimales.

3) Curiosidad e interés por enfrentarse a problemas numéricos.

4) Perseverancia en la búsqueda de regularidades y relaciones de conjuntos numéricos.

5) Interés por revisar y mejorar los resultados de un problema numérico.

6) Utilización adecuada de la calculadora para realizar cálculos e investigaciones numéricas.

7) Confianza en las propias capacidades para resolver problemas numéricos.

8) Sensibilidad y gusto por la presentación ordenada y clara del proceso seguido en la resolución de un problema, así como sus resultados.

9) Interés y respeto por las estrategias y soluciones distintas de las propias.

5. CRITERIOS DE EVALUACIÓN

1) Escribir la expresión polinómica de un número decimal exacto.

2) Comparar y ordenar números decimales.

3) Calcular la fracción decimal asociada a un número decimal.

4) Obtener la expresión decimal exacta o periódica de una fracción cualquiera.

5) Calcular sumas, restas, multiplicaciones y divisiones de números decimales.

6) Estimar el resultado de operaciones con números decimales mediante el cálculo mental y el redondeo.

7) Comprobar mediante una estimación el resultado de una operación.

6. SECUENCIACIÓN Y DISTRIBUCIÓN TEMPORAL

La secuenciación de los conceptos en esta unidad se ha hecho en relación con su grado de dificultad de forma que el alumno conocerá en primer lugar los conceptos más elementales, para pasar posteriormente a otros que se basen en los anteriores, y así sucesivamente. Además, estos se van introduciendo siguiendo un orden lógico y natural.

Creo que es conveniente dedicarle a esta unidad didáctica un total de 8 sesiones, que se impartirán a lo largo del primer trimestre.

Estas sesiones se desarrollarán en función del nivel de conocimientos de que parten los alumnos y del trabajo que realicen por ellos mismos.

7. METODOLOGÍA Y SECUENCIA DE ACTIVIDADES

7.1. Consideraciones generales

Al inicio de la unidad se realizará una prueba para evaluar el nivel de conocimientos previos. Al final de la misma se dedicará una sesión para la realización de una prueba objetiva sobre la unidad con objeto de comprobar si se han alcanzado los objetivos.

El desarrollo de la unidad se llevará a cabo en el aula, dejando abierta la posibilidad, si las circunstancias lo permitieran, de impartir una sesión en el aula de informática, para que los alumnos conozcan y se introduzcan en el manejo del asistente matemático Derive.

Todas las sesiones, excepto la primera dedicada a evaluar los conocimientos previos de los alumnos, se iniciarán con la corrección de las actividades que se hayan realizado en casa o en clase la sesión anterior. Con esto, se aclaran las dudas y se sigue el avance o estancamiento del alumnado. En función de lo que se observe en la corrección se tomarán las medidas pertinentes. A continuación, en un segundo tercio de la sesión, se introducirán nuevos conceptos con la explicación correspondiente. Por último, en el tercer tercio de la clase se plantearán nuevas actividades con objeto de aclarar posibles dudas y cimentar lo explicado. De esta forma las clases tendrán una estructura fija que el alumno conocerá desde el principio.

7.2. Desarrollo de la unidad

Con objeto de evaluar el nivel de conocimientos previos, en la 1.ª mitad de la sesión inicial de la unidad, se propondrán actividades de motivación que plantearán nuevos problemas y al mismo tiempo pondrán de manifiesto la necesidad de adquirir nuevos conocimientos para resolverlos. Estas actividades iniciales serán de los tipos siguientes:

a) Comprender el concepto de número decimal.
b) Ordenar números decimales.
c) Realizar sumas y restas con números decimales.
d) Realizar multiplicaciones y divisiones con números decimales.

Durante la 2.ª mitad de esta primera sesión se procederá a la corrección de esta prueba inicial.

Una vez corregidas, en la 2.ª mitad de esta primera sesión, se desarrollará el primer concepto de la unidad:

1. Números enteros. (1.ª sesión)

El primer concepto de esta unidad es el número decimal, que los alumnos conocen de cursos anteriores. Tal introducción se realizará a partir de la siguiente actividad:

Pon ejemplos de situaciones en las que se utilizan números decimales.

Con esta actividad, el alumno puede percatarse de que hay infinidad de casos a su alrededor en los que se manejan los números decimales. A continuación, se enumerarán las partes de que consta un número decimal, la parte entera y la parte decimal, dando pie a desarrollar el concepto de la descomposición en unidades de cualquier número decimal.

El objetivo de estos primeros ejemplos es recordar al alumnado el sistema de numeración decimal.

El paso siguiente será la presentación de los números decimales en la recta, donde se verá cómo se realizan las divisiones, en partes iguales, entre dos números decimales consecutivos.

A continuación, apoyándose en estos últimos ejemplos, se realizará la comparación de números enteros, donde se tendrá en cuenta que:

1) Es mayor el número que tiene mayor parte entera.

2) Si la parte entera es igual, se comparan las décimas, las centésimas, las milésimas…, siendo mayor el número con mayor parte decimal comparada cifra a cifra.

Con todo ello, se reforzarán y repasarán cuestiones que los alumnos estudiaron ya en el curso pasado.

Por último, se propondrán las siguientes actividades de consolidación:

Act.1 Escribe con cifras.

a) Veinticinco centésimas.

b) Ciento ochenta millonésimas.

c) Cuatro unidades y cinco diezmilésimas.

d) Veinticinco milésimas.

Act.2 Escribe cómo se leen estas cantidades.

a) 0,008   b) 0,080   c) 12,50   d) 1,025   e) 7,0523

f) 70,05   g) 0,0007   h) 21,0021   i) 0,000007

Act.3 Un número está formado por 30 décimas y 95 centésimas. ¿Qué número es?

Act.4 Representa en la recta numérica estos números: 3, 3,25, 3,4, 3,9, 4.

Act.5 Ordena de mayor a menor estos números.

11,83, 11,51, 11,09, 11,511, 11,47

Act.6 Intercala dos números decimales entre cada pareja de números.

a) 7 y 8   b) 2,4 y 2,9   c) 2,5 y 2,6   d) 5,12 y 5,14

2. Tipos de números decimales. (2.ª sesión)

Corregidas las actividades de la sesión anterior y aclaradas las dudas, se introduce la clasificación de los números decimales. Tal introducción se puede realizar con las siguientes actividades motivadoras:

Act.1 Se ha dividido una cuerda de 30 metros en 8 trozos iguales. ¿Cuántos metros mide cada trozo?

Act.2 Una cadena de oro de 11 eslabones pesa 35 gramos. ¿Cuánto pesa cada eslabón?

Act.3 Girar la ruleta, anotar el número obtenido y colocar, a continuación, una coma. Seguir girando la ruleta una y otra vez, indefinidamente y anotar cada resultado a la derecha del anterior.

Con estas tres actividades, los alumnos pueden distinguir entre los tres tipos de números decimales:

a) **Número decimal exacto**: que tiene un número limitado de cifras decimales.

b) **Números decimales periódicos**: que tienen un número ilimitado de cifras decimales y, además, una o varias de ellas se repiten periódicamente. Si las cifras se repiten periódicamente a partir de la coma, diremos que es un número decimal **periódico puro**. En caso contrario, el número es decimal **periódico mixto**.

c) **Números decimales no exactos y no periódicos**: que tienen un número ilimitado de cifras decimales no periódicas.

A continuación, se proponen las siguientes actividades sobre el particular:

Act.7 Determina el tipo de número decimal que representan las fracciones.

a) $\dfrac{7}{20}$ b) $\dfrac{100}{75}$ c) $\dfrac{10}{13}$ d) $\dfrac{4}{625}$ e) $\dfrac{5}{16}$ f) $\dfrac{25}{60}$

Act.8 Escribe las siguientes cifras del número decimal 3,11223344...
¿Qué tipo de número decimal es?

Act.9 Halla tres fracciones que expresen números decimales exactos y
tres que expresen números decimales periódicos.

3. Números decimales y fracciones. (3.ª sesión)

En esta tercera sesión se introducirán los conceptos de la expresión de un
número decimal exacto como fracción y de la expresión de una fracción como
número decimal.

Para ello se realizarán las actividades siguientes:

Act.4 Expresa estos números decimales en forma de fracción.

a) 3,4   b) 0,8

Act.5 Expresa estas fracciones como número decimal.

$$\text{a) } \frac{4}{5} \qquad \text{b) } \frac{6}{4} \qquad \text{c) } \frac{1}{2} \qquad \text{d) } \frac{143}{10} \qquad \text{e) } \frac{89}{100} \qquad \text{f) } \frac{52}{1.000}$$

Con estas dos actividades los alumnos pueden distinguir, por una parte,
que en el caso de un número decimal exacto se puede expresar como una
fracción que tiene:
a) Por numerador: el número decimal sin la coma.
b) Por denominador: la unidad seguida de tantos ceros como cifras
    decimales tiene el número decimal.

Por otro lado, el alumno se encuentra que para expresar una fracción como
número decimal se ha de dividir el numerador entre el denominador.

Al final de la sesión se propondrán las siguientes actividades que servirán
para consolidar los conceptos estudiados:

Act.10 Escribe como fracción: a) 4,25   b) 0,375   c) 24,3   d) 9,6

Act.11 Expresa como número decimal.

a) $\dfrac{39}{100}$ b) $\dfrac{3}{6}$ c) $\dfrac{77}{10}$ d) $\dfrac{9}{12}$

Act.12 Escribe en forma de fracción.

a) 3 unidades y 8 centésimas.
b) 12 unidades y 14 milésimas.

4. Aproximación de números decimales. (4.ª sesión)

Una vez corregidas las actividades de la sesión anterior y aclaradas las posibles dudas, en esta cuarta sesión se estudia la aproximación de números decimales.

El propio alumnado será capaz de deducir esta operación, pues se define de la misma forma que las aproximaciones de los números naturales. Se trata, pues, de aproximar por truncamiento o redondeo números decimales.

Se propondrán actividades tales como:

Act.6 Trunca lo números 56,632 y 13,479 a las centésimas.

Act.7 Redondea los números 56,632 y 13,479 a las centésimas.

Como consecuencia de estas actividades el alumno descifrará que el truncamiento de un número decimal hasta un determinado orden consiste en eliminar las cifras de órdenes inferiores a él, mientras que redondear un número decimal a un cierto orden consiste en eliminar las cifras de los órdenes inferiores a él, teniendo en cuenta que:
- Si la cifra siguiente a la que tenemos que aproximar es mayor o igual que cinco, sumamos una unidad a la cifra que estamos redondeando.
- Si es menor que cinco, no cambia la cifra que queremos redondear.

Se propondrán actividades como:

Act.13 Redondea 13,444 y 13,447 a las centésimas

Act.14 Redondea a las décimas.

a) 5,93   b) 5,96   c) 0,964   d) 0,934

Act.15 Trunca y redondea a las centésimas.

Act.16 ¿Cuál es el redondeo de $13,\widehat{4}$ y $13,4\widehat{7}$ a cualquier unidad decimal?

5. Suma y resta de números decimales. (5.ª sesión)

Corregidos y aclaradas las posibles dudas de la sesión anterior, se procederá a repasar y reforzar los conceptos relativos a sumas y restas de números decimales.

Se introducirá mediante las siguientes actividades de motivación:

Act.8 Calcula:

a) 124,6 + 45,802 + 4,18   b) 3,4 – 0,987
c) 75,06 – 32,005 + 2,45   d) 130,39 + 25,47 – 86,01

Con ella se pretende que los alumnos y las alumnas vean qué pasos han de seguir para realizar correctamente la operación, que son los siguientes:

- Colocar los números, de forma que las comas decimales estén en la misma columna, y se añaden los ceros necesarios para que todos tengan el mismo número de decimales.

- Se suma o se resta como si fueran números naturales, manteniendo la coma en su lugar correspondiente.

Para la total asimilación de este concepto, al final de la sesión se realizarán las siguientes actividades:

Act.17 Calcula.

a) 12,5 + 3,75   b) 16,56 – 11,36 – 5,125   c) 16,25 – 12,5

d) 16,56 – (11,36 + 5,125)   e) (2,046 + 0,24) – (1,25 – 0,75)

Act.18 Alexandra mide 1,57 m; Ernesto, 0,28 m más, y Nuria, 0,37 m menos que Ernesto. ¿Cuál es la estatura de Nuria?

6. Multiplicación de números decimales. (6.ª sesión)

En la sexta sesión, se introduce la multiplicación de números decimales mostrando a los/as alumnos/as que el resultado obtenido en una multiplicación con el algoritmo tradicional, teniendo en cuenta la coma decimal, juega un papel muy importante.

Aunque la multiplicación de números decimales suele ser asimilada fácilmente por el alumnado, es importante que, a la hora de aplicarla, tengan en cuenta los siguientes aspectos:

1) Se multiplica como si fueran números naturales.
2) Se colocará la coma en el resultado, separando tantas cifras como decimales sumen entre los dos factores, contando de derecha a izquierda.
3) El cociente es un polinomio completo y ordenado de un grado inferior al dividendo.

Como actividades de motivación servirán para ello las siguientes:

Act.9 Calcula: a) 34,5 · 0,17 b) 6,815 · 3,08

Act.10 Un ladrillo tiene una altura de 4,5 cm. ¿Qué altura alcanzarán tres ladrillos apilados uno encima de otro?

Las actividades correspondientes a este concepto consistirán en efectuar repetidamente multiplicaciones utilizando esta regla, hasta comprobar que los alumnos las realizan correctamente.

Se pasará a continuación a introducir las multiplicaciones por 10, 100, 1.000,… teniendo en cuenta que para multiplicar un número decimal por la unidad seguida de ceros, se ha de desplazar la coma hacia la derecha tantos lugares como ceros acompañen a la unidad.

Por último se procederá a la introducción de la multiplicación por 0,1; 0,01; 0,001,… donde se ha de tener en cuenta que para multiplicar un número decimal por estos factores se ha de desplazar la coma de número decimal hacia la izquierda tantos lugares como ceros tenga el factor 0,1; 0,01; 0,001,…

Al final de la sesión, se propondrán actividades de consolidación relativas a la multiplicación de números decimales, como:

a) Multiplicación de números decimales.

Act.19 Calcula.

a) 42,6 · 5,9   b) 24,8 · 0,05   c) 765,3 · 3,8   d) 6,54 · 0,7

Act.20 Luís corta una cuerda en cuatro trozos de 2,35 m cada uno. ¿Cuántos metros tenía la cuerda total?

Act.21 Ana trae tres bolsas con 3,8 kg de naranjas en cada una de ellas. ¿Cuántos kilos ha comprado?

Act.22 Sabiendo que 364 · 123 = 44.772, indica el resultado de estos productos.

a) 36,4 · 12,3   b) 364 · 1,23   c) 0,364 · 12,3   d) 36,4 · 0,123

b) Multiplicar por 10, 100, 1.000…

Act.23 Calcula.

a) 42,6 · 10   b) 24,8 · 1.000   c) 765,3 · 100   d) 6,543 · 10.000

c) Multiplicar por 0,1, 0,01, 0,001…

Act.24 Calcula.

a) 57,12 · 0,1   b) 123,12 · 0,001   c) 649,2 · 0,01   d) 44,9 · 0,0001

d) Actividades conjuntas

Act.25 Efectúa estas operaciones.

a) $15,63 - 0,1 \cdot (5,6 - 4,1)$

c) $(23,92 + 8,75) \cdot 100 - 69,7$

b) $(105,29 - 3,48) \cdot 100 + 6,5 \cdot 0,1$

d) $(10 \cdot 1,3 - 2) \ 0,1 + 6,3$

Act.26 Averigua por qué número tenemos que multiplicar 30,721 para que se convierta en

a) 30,721   b) 0,30721   c) 307.210   d) 3,0721

e) 0,030721   f) 30.721

7. División de números decimales. (sesión 7.ª)

Corregidas las actividades de la sesión anterior y aclaradas las dudas, se pasará a desarrollar el concepto de división de números decimales.

Este concepto se introducirá partiendo de los distintos casos que el alumno se puede encontrar.

Un primer caso es el cociente de un número decimal entre un número natural, donde se ha de tener en cuenta que:

- Se realiza la división como si fueran números naturales.
- Al bajar la primera cifra decimal se ha de poner una coma en el cociente.
- Se continúa la división.

Como actividad motivadora servirá para ello:

Act.11 Calcula: $11,35 : 5$

Un segundo caso es el cociente de un número natural entre un número decimal, que se ha de realizar:

- Multiplicar dividendo y divisor por la unidad seguida de tantos ceros como cifras decimales haya en el divisor.

- Realizar la división como si fueran números naturales.

Pudiendo servir como actividad motivadora la siguiente:

Act.12 Calcula: 1.914 : 1,5

Y un último caso que puede presentarse corresponde con el cociente de un número decimal entre un número decimal, para cuya realización se debe tener presente:

- Multiplicar dividendo y divisor por la unidad seguida de tantos ceros como cifras decimales haya en el divisor.

- Si en el dividendo siguen apareciendo decimales, se resolverá la división como en el caso del cociente de un número decimal entre un natural.

Como actividad motivadora puede servir:

Act. 13 Calcula 7,2 : 0,16

Las actividades correspondientes a este concepto consistirán en efectuar repetidamente divisiones utilizando la regla correspondiente, hasta comprobar que los alumnos las realizan correctamente.

Se pasará a continuación a introducir las divisiones por 10, 100, 1.000… teniendo en cuenta que para dividir un número decimal por la unidad seguida de ceros, se ha de desplazar la coma hacia la izquierda tantos lugares como ceros acompañen a la unidad.

Por último se procederá a la introducción de la división por 0,1; 0,01; 0,001, … donde se ha de tener en cuenta que para dividir un número decimal por estos factores se ha de desplazar la coma de número decimal hacia la derecha tantos lugares como ceros tenga el factor 0,1; 0,01; 0,001, …

Por último, se invitará al alumno a reflexionar sobre el tipo de división de números decimales que se puede encontrar.

Como actividades de consolidación de estos últimos conceptos, se proponen las siguientes:

e) División de un número decimal entre un número natural.

Act.27 Calcula.

a) 42,6 : 3   b) 23,4 : 9   c) 399,5 : 17   d) 2,7 : 50   e) 453,18 : 8

Act.28 He comprado de la pescadería del mercado cinco truchas de tamaño similar que han pesado 1,640 kg en total. ¿Cuánto pesa cada una por término medio?

f) División de un número natural entre un número decimal.

Act.29 Calcula.

a) 850 : 0,34   b) 910 : 2,8   c) 2.015 : 0,62
d) 8 : 0,1   e) 117 : 3,125

g) División de un número decimal entre un número decimal.

Act.30 Calcula.

a) 129,6 : 3,6   b) 19,1 : 3,82   c) 16,32 : 0,34
d) 19,8 : 1,65   e) 2,8 : 6,36

Act.31 Hemos comprado salami de 7,8 €/kg y hemos pagado 5,85 €. ¿Cuánto salami hemos comprado?

h) Divisiones por 10, 100, 1.000… y por 0,1, 0,01, 0,001, …

Act. 32 Resuelve:

a) 9.268 : 1.000   b) 3,24 : 100   c) 3,85 : 0,01
d) 46,97 : 10   e) 1,8 : 100   f) 61,2 : 0,1

La última sesión de la unidad se dedicará a la realización de la prueba objetiva.

8. RECURSOS DIDÁCTICOS Y MATERIALES

- Pizarra y útiles para pizarra.

- Libro de texto, cuaderno de clase y fichas de ejercicios prácticos.

- Libros de consulta de la biblioteca del instituto y propios. Especialmente recomendables son:

  - *Números decimales*. Colección Matemáticas: Cultura y Aprendizaje, nº 5. J. Centeno. Ed. Síntesis, Madrid.
  - *La calculadora de bolsillo como instrumento pedagógico*. Grupo Azarquiel y J. Colera. Instituto de Ciencias de la Educación. Madrid.

- Calculadora científica.

- Ordenadores del aula de informática.

- Uso del Proyecto Descartes. Aula de informática.

- Asistente matemático Derive. Aula de informática.

9. ATENCIÓN A LA DIVERSIDAD

La atención a la diversidad se justifica a través de las actividades de refuerzo y ampliación. Se utilizarán según las necesidades de los alumnos. Habrá veces en que toda la clase necesite algún apoyo para reforzar conceptos no asimilados en su totalidad. Por el contrario nos encontraremos con casos en que la mayoría de la clase profundice con las actividades de ampliación. Lo más habitual será detectar qué necesidades tiene cada alumno para incidir con las actividades más idóneas en sus carencias o inquietudes intelectuales.

En el caso de que en el grupo haya algún alumno con necesidades educativas especiales, se realizarán adaptaciones curriculares significativas según lo establecido en la programación.

9.1. Actividades de refuerzo

Están destinadas a aquellos alumnos que precisan corregir y consolidar los contenidos de la unidad.

Los alumnos resolverán actividades relacionadas con:

- Comprender el concepto de número decimal.
- Ordenar números decimales. Fracción de un número decimal.
- Realizar sumas y restas con números decimales.
- Realizar multiplicaciones y divisiones con números decimales.

1) Escribe con cifras.

a) Cinco décimas.

b) Una décima.

c) Once milésimas.

d) Quince centésimas.

e) Diez centésimas.

f) Ciento catorce milésimas.

2) ¿Cuál es el valor de la cifra 7 en cada número?

a) 37,98   b) 43,07   c) 91,75   d) 70,51   e) 52,347

3) Ordena, de menor a mayor, los siguientes números decimales

6,22, 5,67, 4,98, 5,07, 4,99, 5,81, 6,01, 7,34, 5,73, 5,91, 6,30, 6,28, 7,11

4) Expresa en forma de fracción decimal los siguientes números.

a) 36,78 b) 130,9 c) 0,75 d) 2,801 e) 73,06723 f) 0,30675

5) Realiza las siguientes operaciones.

a) $73,987 + 20, 621 + 0,34 + 23,96$

b) $234,76 - 155,3$

c) $0,702 + 11,8 + 238,4945 + 9,2$

d) $74,78 - 7,831$

6) Efectúa las operaciones.

a) $34,5 \cdot 1,2$ b) $654 \cdot 12,7$ c) $71,23 \cdot 4$ d) $108,24 \cdot 9,6$

e) 534,235 · 100   f) 3,56 · 10   g) 10,840 · 1.000

7) Efectúa las siguientes divisiones.

a) 3.480 : 2   b) 6.435 : 35   c) 0,52 : 0,2   d) 158,75 : 1,25

8) Un ciclista ha dado 25 vueltas a un circuito durante un enfrentamiento. Ha recorrido un total de 235 km. ¿Qué longitud tiene el circuito?

9.2. Actividades de ampliación

Apropiadas para los alumnos que pueden avanzar con rapidez y que pueden profundizar en los contenidos de la unidad mediante un trabajo más autónomo.

Los alumnos resolverán actividades relacionadas con:

- Números decimales.
- Números decimales y fracciones.
- Tipos de números decimales.
- Aproximación de números decimales.
- Operaciones con números decimales.
- Problemas con números decimales.

1) Halla tres números comprendidos entre:

a) 1,2 y 1,4   b) 2,14 y 2,16   c) 7,25 y 7,26   d) 0,01 y 0,001

2) Escribe en forma de fracción. Simplifica siempre que sea posible.

a) 7 décimas b) 13 centésimas c) 4 milésimas d) 11 diezmilésimas

3) Indica cuáles de estos números decimales son no exactos y no periódicos.

a) 5,232233222333…   b) 5,2233344444…   c) 5,2345345345…
d) 5,232425   e) 5,223223223…   f) 0,10120123…

4) Si aproximamos, por redondeo y por truncamiento, a las décimas el número 2,068. ¿Se obtiene el mismo resultado? ¿Por qué?

5) Opera, respetando la jerarquía de las operaciones.

a) $134,5 : 2,5 + 12,125$
b) $2,75 \cdot (4,605 - 3,5) + 1,37$
c) $5,7 + 6,225 : 7,5 - 0,39$
d) $(4,987 + 0,875) : 1,5 + 3,094$
e) $12,3 : 8,2 \cdot 2,5 - 3,29$
f) $9,6 \cdot 2,4 - 8,5 \cdot 1,27$
g) $0,05 + (11,3 - 3,2) : 0,09$
h) $44,4 : 0,002 \cdot 1,7 - 2,9 \cdot 3,1$

6) La suma de dos números decimales es 52,63. Si uno de los sumandos es 28,557; calcula el otro sumando.

7) Las alturas de tres amigos suman 5 m. María mide 1,61 m y Luís, 1,67 m. Halla cuánto mide Alberto.

8) Una camisa cuesta 20,95 €. Por estar rebajada nos descuentan la quinta parte de su valor, y por pagar en efectivo, la veinteava parte. ¿Cuál es su precio final?

10. EVALUACIÓN

La evaluación de esta unidad se llevará a cabo siguiendo las directrices explicadas en la programación didáctica que la engloba.

Se realizará al comienzo de la unidad, a lo largo del proceso y a su finalización (donde se realizará una prueba escrita).

Los instrumentos que habitualmente se utilizarán para obtener información sobre el progreso de nuestros alumnos serán:
- La observación diaria.
- La revisión y corrección de las tareas realizadas por el alumno en casa.
- Seguimiento del cuaderno del alumno valorando su contenido (apuntes, actividades...),estructura, orden, limpieza y claridad.
- Intervenciones en la pizarra.
- Control de faltas y conducta.
- Realización de una prueba individual escrita al finalizar la unidad.

Para determinar las calificaciones de nuestros alumnos, se aplicarán los criterios de calificación reflejados en la programación, a saber:

a) Pruebas escritas. Supone el 60 % de la nota final.
b) Cuaderno de clase del alumno, trabajo diario e intervenciones en la pizarra.Su valoración es un 20 % de la nota final.
c) Puntualidad, comportamiento, interés y participación. A este apartado se le aplica el 20 % restante de la nota final.

Por último hay que indicar que también se evaluará nuestra <u>práctica docente</u>, valorando, después de la experiencia, el nivel de adecuación de la unidad a los objetivos propuestos inicialmente, para proponernos posibles modificaciones.

Esta evaluación considerará los siguientes aspectos:

- Sesiones programadas y sesiones empleadas.
- Metodología aplicada.
- Adecuación de los recursos utilizados y de las actividades desarrolladas.
- Objetivos propuestos y objetivos conseguidos.
- Resultados académicos de nuestros alumnos.

11. TEMAS TRANSVERSALES Y EDUCACIÓN EN VALORES

Mediante la traducción de enunciados de problemas a algunos tipos de números decimales, podríamos tratar algunos temas transversales, como:

<u>Educación para la salud</u>: problemas relacionados con el peso ideal de hombres y mujeres, nos llevan a analizar la importancia que tiene llevar a cabo una alimentación correcta y adecuada y la necesidad de seguir hábitos de nutrición saludables.

<u>Educación del consumidor</u>: problemas relativos a depósitos en entidades bancarias, beneficios de empresas, facturas de compañías eléctricas... son ejemplos de situaciones relacionadas con la sociedad de consumo, que ponen de manifiesto la importancia que tiene llevar a cabo un consumo crítico y responsable.

<u>Valor</u>: Justicia.

UNIDAD DIDÁCTICA 5: NÚMEROS ENTEROS

1. INTRODUCCIÓN

Esta es la quinta de las siete unidades didácticas que corresponden al bloque de Números del currículo de 1.º de ESO del área de Matemáticas.

Se imparte a continuación de la unidad referida a números decimales, y precede a la unidad que estudia el sistema métrico decimal, perteneciendo ambas al bloque de Números.

En ella se comienza introduciendo el concepto de número entero negativo, que implica la inclusión en el sistema numérico de unos números que superan el concepto de cantidad que mostraban los números naturales. Por medio de ejemplos sencillos y cotidianos se mostrará a los alumnos la necesidad de su utilización.

Será preciso afianzar la representación numérica de los números enteros, la existencia de signos que les preceden, su orden y la posibilidad de realizar comparaciones.

Finalmente, mediante conceptos como añadir, tener, sobre, más que, y otros como reducir, menos que, deber, las reglas de los signos y el uso de los paréntesis, se realizarán operaciones básicas con números enteros.

2. CONOCIMIENTOS PREVIOS

Para poder desarrollar satisfactoriamente esta unidad, resulta conveniente que el alumno domine las siguientes cuestiones:

1) Conocer e identificar el conjunto de los números naturales.
2) Dominar el orden de los números naturales.
3) Construir series de números naturales a partir de un criterio dado.
4) Representar números naturales en una semirrecta, asignando el cero al origen de aquella.
5) Representar pares ordenados de números naturales en ejes de coordenadas.

3. OBJETIVOS DIDÁCTICOS

En este punto se presentan los objetivos didácticos que deberán alcanzar los alumnos al finalizar la unidad, así como su relación con los objetivos generales de etapa y de área.

Objetivos didácticos	Objetivos de etapa	Objetivos de área
1) Reconocer la presencia de los números enteros en distintos contextos reales.	b, f, g	4, 5
2) Representar números enteros en la recta real.	b, f, g	2, 7, 9
3) Comparar números enteros.	b, f	2, 3, 7, 8, 9
4) Obtener el valor absoluto de un número entero.	b, f	2, 3, 7
5) Hallar el opuesto de un número entero.	b, f	2, 3, 7
6) Utilizar el valor absoluto para sumar números enteros.	b, f, g	2, 7, 8, 9
7) Restar números enteros sumando al primero el opuesto del segundo.	b, f, g	2, 3, 9, 10
8) Realizar multiplicaciones de números enteros utilizando la regla de los signos.	b, f, g	2, 3, 9, 10

4. CONTENIDOS

4.1. Conceptos

1) Números enteros positivos y negativos.
2) Valor absoluto de un número entero.
3) Opuesto de un número entero.
4) Representación y comparación de enteros.
5) Suma y resta de números enteros.
6) Multiplicación y división de números enteros. Regla de los signos.

4.2. Procedimientos

1) Cálculo del valor absoluto de un número entero.
2) Comparación y representación de un conjunto de números enteros.
3) Cálculo del opuesto de un número entero.
4) Resolución de sumas y restas de números enteros.

5) Resolución de operaciones combinadas con números enteros.
6) Multiplicación de números enteros.
7) Resolución de la división de dos números enteros cuando sea posible.

4.3. Actitudes

1) Valoración de la precisión, la simplicidad y la utilidad de los números enteros para representar, comunicar y resolver diferentes situaciones de la vida cotidiana.
2) Sensibilidad, interés y valoración crítica ante las informaciones y mensajes de naturaleza numérica.
3) Perseverancia y flexibilidad en la búsqueda de soluciones a los problemas numéricos.
4) Interés y respeto por las estrategias y soluciones a problemas numéricos.
5) Sensibilidad y gusto por la presentación ordenada y clara del proceso seguido y los resultados obtenidos en problemas numéricos.

5. CRITERIOS DE EVALUACIÓN

1) Interpretar y utilizar los números enteros en distintos contextos reales.
2) Representar los números enteros en la recta real.
3) Comparar números enteros.
4) Obtener el valor absoluto de un número entero.
5) Calcular el opuesto de un número entero.
6) Sumar, restar y multiplicar números enteros.
7) Dividir dos números enteros, determinando primero si es posible hacer esa división, dividiendo sus valores absolutos y usando la regla de los signos.
8) Utilizar la jerarquía y propiedades de las operaciones, y las reglas de uso de paréntesis y signos, en cálculos de operaciones combinadas con y sin paréntesis.

6. SECUENCIACIÓN Y DISTRIBUCIÓN TEMPORAL

La secuenciación de los conceptos en esta unidad se ha hecho en relación con su grado de dificultad, de forma que el alumno conocerá en primer lugar los conceptos más elementales, para pasar posteriormente a otros que se basen en los anteriores, y así sucesivamente. Además, estos se van introduciendo siguiendo un orden lógico y natural.

Creo que es conveniente dedicarle a esta unidad didáctica un total de 10 sesiones, que se impartirán a lo largo del primer trimestre.

Estas sesiones se desarrollarán en función del nivel de conocimientos de que parten los alumnos y del trabajo que realicen por ellos mismos.

7. METODOLOGÍA Y SECUENCIA DE ACTIVIDADES

7.1. Consideraciones generales

Al inicio de la unidad se realizará una prueba para evaluar el nivel de conocimientos previos. Al final de la misma se dedicará una sesión para la realización de una prueba objetiva sobre la unidad con objeto de comprobar si se han alcanzado los objetivos.

El desarrollo de la unidad se llevará a cabo en el aula, dejando abierta la posibilidad, si las circunstancias lo permitieran, de impartir una sesión en el aula de informática, para que los alumnos conozcan y se introduzcan en el manejo del asistente matemático Derive.

Todas las sesiones, excepto la primera dedicada a evaluar los conocimientos previos de los alumnos, se iniciarán con la corrección de las actividades que se hayan realizado en casa o en clase la sesión anterior. Con esto, se aclaran las dudas y se sigue el avance o estancamiento del alumnado. En función de lo que se observe en la corrección se tomarán las medidas pertinentes. A continuación, en un segundo tercio de la sesión, se introducirán nuevos conceptos con la explicación correspondiente. Por último, en el tercer tercio de la clase se plantearán nuevas actividades con objeto de aclarar posibles dudas y cimentar lo explicado. De esta forma las clases tendrán una estructura fija que el alumno conocerá desde el principio.

7.2. Desarrollo de la unidad

Con objeto de evaluar el nivel de conocimientos previos, en la 1.ª mitad de la sesión inicial de la unidad, se propondrán actividades de motivación

que plantearán nuevos problemas y al mismo tiempo pondrán de manifiesto la necesidad de adquirir nuevos conocimientos para resolverlos. Estas actividades iniciales serán de los tipos siguientes:

a) Significado de los números enteros: positivos y negativos.

b) Representar, ordenar y comparar números enteros.

c) Realizar sumas y restas con números enteros.

d) Realizar multiplicaciones y divisiones sencillas con números enteros.

<u>1. Números enteros</u>. (1.ª sesión)

Una vez corregida la prueba inicial propuesta, se supone que nuestros alumnos poseen los conocimientos mínimos suficientes para seguir el desarrollo de la unidad con total normalidad, entonces en esta primera sesión se introducirán los números enteros, de cuya existencia el alumno posee conocimientos de primaria.

Se debe dejar claro que los números enteros son números precedidos del signo + o −, dependiendo de si la cantidad expresada está por encima o por debajo de cero. Dentro de los números enteros, que se designarán por Z, se pueden diferenciar:

- Números enteros positivos: +1, +2, +3, +4…

- El número cero.

- Números enteros negativos: −1, −2, −3, −4, …

Donde el 0 es el único número que no es ni positivo ni negativo.

Se introducirán las nociones de números negativos a partir de ejemplos que el alumno sea capaz de enunciar, ayudado en todo momento por el profesor. A continuación y mediante una representación gráfica lineal se dibujará un segmento vertical, que representará a los botones de un ascensor de un edificio de viviendas donde existen tres plantas subterráneas (−1, −2 y −3) y cinco plantas en altura (+1, +2, +3, +4 , +5), siendo el número 0 la entrada al edificio. Con esta representación, el alumno y la alumna pueden ver claramente la necesidad de los números enteros en la vida real.

El siguiente paso será la representación de los números enteros en la recta numérica, para tal representación se tendrá en cuenta que:

- El cero, 0, divide a la recta en dos partes iguales, se encuentra en el centro.

- Los números enteros positivos se sitúan a la derecha del cero.

- Los números enteros negativos se sitúan a la izquierda del cero.

El siguiente concepto que se introducirá corresponderá al valor absoluto de un número entero, que el alumnado debe entender que corresponde a la distancia, en unidades, que separa al número del cero en la recta real.

El último concepto que se introducirá en esta primera sesión es el opuesto de un número entero, que operativamente corresponde simplemente cambiar el signo del número entero de partida, estando ambos números situados a la misma distancia respecto del 0 de la recta numérica.

Por último, se propondrán las siguientes actividades de consolidación:

Act.1 Expresa con un número.

 a) Debo cuatro euros a mi amigo.

 b) Estamos a cinco grados bajo cero.

 c) No me queda nada.

Act.2 Asocia cada enunciado con un número.

 a) El ascensor sube cinco plantas.

 b) He bajado cinco plantas hasta el aparcamiento.

 c) He perdido 200 céntimos.

d) La temperatura ha bajado de 20 ºC a 17 ºC.

e) Tenía 120 € y ahora tengo 170 €.

f) He pagado una factura de 6.000 €.

g) He ganado 15 € y me he gastado 18 €.

Act.3 ¿Cuántos números enteros están comprendidos entre −4 y +3? Escríbelos.

Act.4 Calcula.

a) | +7 | b) | −1 | c) | +22 | d) | −41 |

Act.5 Escribe el opuesto en cada caso.

a) +3   b) −11   c) −9   d) +24

Act.6 La distancia al 0 de dos números es 13 unidades. Hállalos.

2. Comparación de números enteros. (2.ª sesión)

Corregidas las actividades de la sesión anterior y aclaradas las dudas, se recuerda el concepto de comparación de números enteros, teniendo en cuenta que el mayor de los números enteros es el que se encuentra situado más a la derecha en la recta real.

Así, los alumnos deben ver que:

- De dos números enteros positivos, es mayor el que tiene mayor valor absoluto.

- De los números enteros negativos, es mayor el que tiene menor valor absoluto.

- Cualquier número entero positivo es mayor que cualquier número entero negativo.

A continuación, se proponen las siguientes actividades sobre el particular:

Act.7 Comprueba gráficamente.

a) $-4 < -1$ b) $+9 > +4 > +1$

Act.8 Ordena los siguientes números y represéntalos en la recta numérica.

$$-8, \ +6, \ -1, \ +8, \ +3, \ -2, \ -5, \ +4, \ -12$$

Observa que los números quedan ordenados de izquierda (menores) a derecha (mayores).

Act.9 Ordena de menor a mayor.

$$+3, \ |-6|, \ |+2|, \ -9, \ -5, \ |-1|, \ +4$$

3. Suma y resta de números enteros. (3.ª sesión)

En esta tercera sesión, corregidas las actividades de la sesión anterior y aclaradas las posibles dudas aparecidas, se aprenderá a operar con números enteros, empezando con las operaciones aditivas.

Para realizar las siguientes actividades se va a trabajar con una ficha que se desplaza a lo largo de una escalera:

- Cada escalón representa una entera fija.

- Las subidas se expresan con números positivos, y las bajadas, con números negativos.

- Para mover la ficha, añadimos (+) o suprimimos (–).

Act.1 Sumar un número positivo.

Añadir una subida significa subir. Por ejemplo, añadir a la ficha una subida de cinco significa subir cinco escalones: $+ (+5) = +5$. Si estamos en el escalón n.º 8 y añadimos una subida de cinco, nos colocaremos en el escalón 13:

$$(+8) + (+5) = 8 + 5 = 13$$

Act.2 Sumar un número negativo.

Añadir una bajada significa bajar. Por ejemplo, añadir una bajada de cinco significa bajar cinco escalones: $+ (-5) = -5$. Si estamos en el escalón $(+3)$ y añadimos una bajada de 5, nos pondremos en el escalón -2: $(+3) + (-5) = 3 - 5 = -2$

Act.3 Restar un número positivo.

Lo contrario de sumar es restar, de la misma forma que lo contrario de bajar es subir. Así, lo contrario de subir 5 escalones es bajar 5 escalones: $- (+5) = -5$. Si estamos en el escalón $+13$ y hacemos la operación contraria de subir 5, iremos a parar al escalón $+8$: $(+13) - (+5) = 13 - 5 = 8$

Act.4 Restar un número negativo.

Lo contrario de bajar es subir. Lo contrario de bajar 5 escalones es subir 5 escalones: $- (-5) = +5$. Si estamos en el escalón (-2) y hacemos la operación contraria de bajar 5 escalones, iremos a parar al escalón $+3$: $(-2) - (-5) = -2 + 5 = +3$

De estas actividades el alumno puede deducir fácilmente que:

a) Para sumar un número entero, se elimina el paréntesis y se deja el signo propio del número: $+ (+a) = +a$ $\qquad$ $+ (-a) = -a$

b) Para restar un número entero, se elimina el paréntesis y se pone el signo contrario al que tenía: $- (+a) = -a$ $\qquad$ $- (-a) = +a$

Para finalizar se propondrán las siguientes actividades de consolidación:

<u>Act.10</u> Calcula.

a) $(+4) + (+12)$ $\quad$ b) $(+4) + (-12)$ $\quad$ c) $(-4) + (-12)$ $\quad$ d) $(-4) + (+12)$

Act.11 Quita paréntesis y calcula el resultado.

a) $(+12) + (+15)$ b) $(+25) + (-8)$ c) $(+30) + (-45)$

d) $(-14) + (+4)$ e) $(-14) + (+16)$ f) $(-14) + (+16)$

g) $50 + (+25) + (+5)$ h) $50 + (+25) + (-10)$

Act.12 Opera.

a) $(+8) - (+6)$ b) $(+8) - (+12)$ c) $(-3) - (-4)$

d) $(-18) - (+10)$ e) $(-50) - (-10)$ f) $(-50) - (-75)$

Act.13 En el contexto de la ficha y la escalera, explica dos movimientos diferentes cuyo resultado sea el mismo: bajar diez escalones.

Traduce ambos a lenguaje matemático.

Act.14 Si sumas un número entero y su opuesto, ¿qué resultado obtienes? ¿Y si los restas? Escribe un ejemplo en cada caso.

4. Reglas prácticas para sumar enteros. (4.ª sesión)

Una vez corregidas las actividades de la sesión anterior, en la cuarta sesión se estudia un conjunto de reglas que se derivan de lo que ya se ha visto en la sesión anterior y que ayudará a operar con más agilidad.

La primera operación que se va introducir es la suma de dos números del mismo signo, por ejemplo: $-2 - 4 = -6$ o $+3 + 5 = +8$. Como se aprecia directamente o si se realiza una representación en la recta numérica, se puede llegar a las siguientes conclusiones a la hora de sumar dos números del mismo signo:

- Se suman sus valores absolutos.
- Se pone el mismo signo que tenían los números.

A continuación se seguirá con la suma de dos números, pero en este caso de distinto signo, por ejemplo: $-4 + 7 = +3$ o $+2 - 6 = -4$. Si se representa en la recta numérica o su apreciación directa pueden extraerse las siguientes conclusiones cuando se suman dos números de distinto signo:

- Se restan sus valores absolutos, del mayor el menor.
- Se coloca el signo del que tenga mayor valor absoluto.

La siguiente operación que nos podemos encontrar será la suma de más de dos números positivos y negativos. Para la realización sería conveniente actuar ordenadamente:

- Ordenar, agrupando los números positivos con los números positivos y los negativos con los negativos.
- Sumar los positivos por un lado y los negativos por otro.
- Y para finalizar, restar los positivos y los negativos y colocar el signo del mayor.

Por último nos podemos encontrar con sumas dentro de un paréntesis. Se ha de tener en cuenta que el paréntesis empaqueta, en un solo bloque, todo lo que va dentro de él. De esta forma, el signo que lo precede afecta a todos los sumandos que se encuentran en su interior. Pueden suceder dos casos:

a) Primer caso: Paréntesis precedido de un signo positivo. Para quitar un paréntesis precedido del signo +, los signos de los sumandos interiores quedan como estaban.

b) Segundo caso: Paréntesis precedido de un signo negativo. Para quitar un paréntesis precedido del signo −, cada uno de los sumandos interiores se transforma en su opuesto.

Para finalizar esta cuarta sesión y poder consolidar los conceptos, se propondrán las siguientes actividades:

Act.15 Calcula.

a) $3 - 1 + 5 + 6 - 9 - 7 + 10$ b) $- 5 - 6 + 9 + 2 - 11 + 3 + 5$

c) $10 + 7 - 15 - 6 - 4 + 2 + 5$

Act.16 Quita paréntesis y calcula.

a) $(-8) - (-4) + (-6) - (+2) - (-9)$ b) $(+7) - (+5) + (-11) - (-9) + (+4)$

c) $(+15) + (-13) - (+12) - (-10)$ d) $(-2) - (-8) + (-4) - (-6) - (+9) + (-7)$

e) $(+12) - (-14) - (+16) + (-18) - (20)$

Act.17 Resuelve por dos métodos diferentes cada una de las siguientes expresiones.

a) $(17 - 2) - (8 + 2)$ b) $(5 - 12) + (3 - 8)$ c) $(7 - 10) - (2 - 9)$

d) $(10 - 3 + 4) - (9 - 2 + 8)$ e) $(-3 + 5 - 9) - (-4 + 11 + 6)$

Act.18 Calcula.

a) $25 - [4 - (3 - 9)]$ b) $(10 - 7) - [11 - (7 - 5)]$

c) $15 - [(8 - 6) + (3 - 7)]$ d) $16 - [16 - (16 - 4)] + (-16)$

e) $[(+3) - (-5) + (-7)] - [(+2) - (-10)]$

5. Multiplicación de números enteros. (5.ª sesión)

Corregidas las actividades propuestas en la sesión anterior y aclaradas las dudas que pudieran haber surgido en la sesión previa, se continúa en esta sesión con la multiplicación de números enteros.

En primer lugar se ha de recordar que la multiplicación es una forma abreviada de expresar una suma de sumandos iguales. Después de este inciso, se procede a ver los distintos casos que se pueden presentar al efectuar una multiplicación de números enteros.

Para el desarrollo de cada una de las situaciones de multiplicación de números enteros se utilizará el símil, que se ha utilizado en la suma y resta de números enteros, de la ficha que recorre la escalera.

Como primer caso podemos estudiar el producto de dos números positivos, por ejemplo, el *hacer tres subidas de dos escalones*, que equivale a subir seis escalones:

$$+ (+2) + (+2) + (+2) = 2 + 2 + 2 = +6$$

$$(+3) \cdot (+2) = +6$$

Como segundo caso tendríamos el producto de un número positivo por un número negativo, por ejemplo, el *hacer tres bajadas de dos escalones* que equivale a bajar seis escalones:

$$+ (-2) + (-2) + (-2) = -2 - 2 - 2 = -6$$

$$(+3) \cdot (-2) = -6$$

En el tercer caso se estudiaría el producto de un número negativo por uno positivo, por ejemplo, el *hacer tres veces lo contrario de subir dos escalones*, que equivale a bajar seis escalones:

$$- (+2) - (+2) - (+2) = -2 - 2 - 2 = -6$$

$$(-3) \cdot (+2) = -6$$

Por último, el cuarto caso que se puede encontrar es el producto de dos números negativos, por ejemplo, el hacer *tres veces lo contrario de bajar dos escalones*, que equivale a subir seis escalones:

$$- (-2) - (-2) - (-2) = +2 + 2 + 2 = +6$$

$$(-3) \cdot (-2) = +6$$

Para la total asimilación de este concepto, al final de la sesión se realizarán las siguientes actividades:

Act.19 Expresa como producto las siguientes sumas y calcula el resultado.

a) $+ (-5) + (-5) + (-5)$ b) $- (+3) - (+3) - (+3) - (+3)$

c) + (+4) + (+4) + (+4)   d) + (−6) + (−6) + (−6)

e) − (−2) − (−2) − (−2) − (−2) − (−2) − (−2)

Act.20 Calcula.

a) (+5) · (+4)   b) (−3) · (+6)   c) (+5) · (−3)

d) (−4) · (−3)   e) (−5) · (−8)   f) (+6) · (−4)

6. Regla práctica de la multiplicación. Regla de los signos.
(1.ª parte de la 6ª sesión)

En la sexta sesión, una vez que se han corregido las actividades de la sesión anterior y se ha aclarado cualquier tipo de duda, se introduce la regla de los signos, para automatizar la multiplicación de los enteros.

Esta regla, que es muy fácil de aprender, se expresa de la siguiente forma:

- Si los factores tienen el mismo signo, el resultado obtenido es positivo.
- Por el contrario, si los factores tienen distinto signo, el resultado que se obtiene es negativo.

Para que los alumnos practiquen con esta regla, se mostrarán en la pizarra los suficientes ejercicios, pidiendo en todo momento para su resolución, la participación activa de todos ellos.

7. Operaciones combinadas. (2.ª parte de la 6.ª sesión)

En esta segunda parte de la sexta sesión se introducirá el concepto de operaciones combinadas con números enteros. El alumno y la alumna entenderán que este concepto es una ampliación del que ya han trabajado en el tema de los números naturales.

De todas formas, se volverá a recordar el orden de prioridad de las operaciones y que viene a representar que:

- Primero se atenderá a los paréntesis.
- Después las operaciones de producto y cociente.

- Por último las operaciones de suma y resta.

Como actividad de motivación puede servir la siguiente:

Act.5 Calcula.

a) $(+2) \cdot (-3) + (-5) \cdot (-3) - (-2) \cdot (+7)$ b) $5 - 6 \cdot [11 + 2 \cdot (-4)]$

Al final de la sesión, se propondrán actividades de consolidación relativas tanto a la regla de los signos como a operaciones combinadas como:

Act.21 Calcula.

a) $(-2) \cdot (+6)$ b) $(-7) \cdot (-3)$ c) $(+2) \cdot (-5)$

d) $(+4) \cdot (+3)$ e) $(-1) \cdot (-8)$ f) $(+6) \cdot (-5)$

Act.22 Calcula.

a) $(-2) \cdot (-7) - 8 \cdot (-4) - (-5) \cdot (-2)$ b) $30 - (-2) \cdot (-10) + (-5) \cdot (+8)$

c) $18 + 2 \cdot (5 - 9) - 3 \cdot (10 - 7)$ d) $3 \cdot [4 - 2 \cdot (5 - 11)] - 11$

7. División de números enteros. (7.ª sesión)

Corregidas las actividades de la sesión anterior y aclaradas las posibles dudas, se pasará a desarrollar el concepto de división de números enteros.

Este concepto se introducirá partiendo de los conocimientos que el alumno posee hasta el momento, la división de los números naturales. Lo que necesita es aprender a calcular el signo del cociente.

Para descubrir el signo correspondiente de la división de números enteros se va a trabajar desde la operación producto, por las sesiones anteriores se conoce el signo que pertenece al efectuar el producto de dos números enteros.

Partiendo de la operación:

- $(+3) \cdot (+5) = (+15)$ se tiene que $(+15) : (+3) = +5$

- $(-3) \cdot (-5) = (+15)$ se tiene que $(+15) : (-3) = -5$

- $(+3) \cdot (-5) = (-15)$ se tiene que $(-15) : (+3) = -5$

- $(+3) \cdot (-5) = (-15)$ se tiene que $(-15) : (-3) = +3$

Donde los alumnos pueden discernir que la regla de los signos para la división coincide con la del producto:

a) En el cociente de números enteros de igual signo, se obtiene como resultado un número entero con el signo positivo.

b) Por el contrario, en el cociente de números enteros de distinto signo, el resultado es un número entero con el signo negativo.

Seguidamente, se expondrán en la pizarra un conjunto de divisiones para que el alumno las resuelva, guiado en todo momento por el profesor. Teniendo en cuenta que el cociente de dos números enteros no siempre es entero.

Finalmente, las actividades propuestas a continuación servirán para consolidar los conceptos estudiados en esta sesión:

<u>Act.23</u> Escribe.

a) Tres divisiones de enteros cuyo cociente sea entero.

b) Tres divisiones de enteros cuyo cociente no sea entero.

<u>Act.24</u> Calcula.

a) $(+28) : (+4)$ b) $(+35) : (-7)$ c) $(-21) : (-3)$

d) $(-8) : (-4)$ e) $(-3) : (-3)$ f) $30 : (-6)$

<u>8. Propiedades de la división de números enteros.</u> (8.ª sesión)

Se iniciará la octava sesión de la unidad aclarando todas las posibles dudas de las actividades propuestas en el apartado anterior, con ello, los alumnos deben dominar todos los aspectos relacionados con la división de números enteros.

Pasando a continuación a desarrollar las propiedades del cociente de dos números enteros, estableciendo un paralelismo con la división de los números naturales.

El alumno ha de ver que:

a) La división no es conmutativa.

b) La división no es asociativa.

Por otro lado, para operaciones combinadas, se ha de tener en cuenta la prioridad de las operaciones. Todo ello aparecerá en un compendio de actividades que se han de realizar en la pizarra, pidiendo la participación de todo el alumnado, y por supuesto, guiados por el profesor.

Para finalizar la sesión, se propondrán un conjunto de actividades para que se consoliden los conceptos estudiados en la presente sesión:

<u>Act.25</u> Calcula el cociente entero, si existe.

a) $(-18) : (+6)$ b) $(+20) : (-5)$ c) $(-4) : (-3)$

d) $(-15) : (-3)$ e) $(+32) : (+8)$ f) $(+8) : (+32)$

<u>Act,.26</u> Calcula.

a) $12 : 3 - 4 : 2 - 42 : 7 - 20 : 6$ b) $(-3) \cdot (-4) - (-24) (+6) - (+5) \cdot (+3)$

c) $(+15) : (-5) - (-18) : (-2) + (-32) : (-8)$ d) $16 - 30 : [6 - 2 \cdot (3 - 1) + 3]$

e) $[(+23) + (-5)] : [12 - (+3) \cdot (-2)]$

f) $(+9) : (+2) - (-11) : (+2) - (+13) : (+2)$

g) $[(-30) + (-18)] : (-6) + [125 - (-30)] : (-5)$

h) $(+10) : (-3) - (-7) : (-3) + (-4) : (-3)$

9. Potencias y raíces de números enteros. (9.ª sesión)

Llegados a este punto, los alumnos deben saber operar con productos de números enteros, además, deben recordar el tratamiento matemático que se realizó con las potencias y raíces en el correspondiente apartado de los números naturales.

En esta novena sesión se introducirán las potencias de base positiva o negativa, con exponente natural y las raíces cuadradas de números enteros.

Las potencias de base positiva y exponente natural no presentan mayor dificultad para el alumnado que tener en cuenta que el signo + de la base no afecta en nada al resultado final, y es como si se trabajase con números naturales.

Cuando la base de las potencias es negativa, se presentará una tabla en la pizarra, como puede servirnos la tabla de las potencias de base (–2) e ir incrementando el exponente, para poder extraer al final la correspondiente regla, que dice:

Al elevar un número negativo a una potencia natural se obtiene:

- Si el exponente es par, el resultado es positivo:
$$(-a)^{\text{exponente par}} = a^{\text{exponente}}$$

- Si el exponente es impar, el resultado es negativo:
$$(-a)^{\text{exponente impar}} = -a^{\text{exponente}}$$

La siguiente operación que se realizará será la raíz cuadrada de un número negativo. Para su realización, se procederá a recordar el significado de la raíz cuadrada de números naturales, que viene a decir que la raíz cuadrada exacta de un número a es otro número b tal que al elevarlo al cuadrado, se obtiene el número a. A continuación se intentará calcular raíces cuadradas de números negativos y se podrá comprobar que no se obtiene solución.

Se continuará la sesión con la enumeración de errores frecuentes que se suelen cometer al operar con potencias y raíces, haciendo especial hincapié en las siguientes:

- En general no es lo mismo $(-a)^n$ que $-a^n$, por ejemplo $(-3)^2 \neq -3^2$.

- No es lo mismo $(a+b)^n$ que $a^n + b^n$, por ejemplo $(3+7)^2 \neq 3^2 + 7^2$.

- No es lo mismo $\sqrt{a+b}$ que $\sqrt{a} + \sqrt{b}$, por ejemplo $\sqrt{16+9} \neq \sqrt{16} + \sqrt{9}$.

Se finalizará la sesión proponiendo actividades tales como:

Act.27 Calcula.

    a) $(+2)^5$ b) $(-2)^5$ c) -2^5 d) $(-2)^6$ e) -2^6

    f) $(+2)^6$ g) $(-1)^{36}$ h) $(-1)^{37}$ i) $(-1)^{38}$ j) $(-1)^{39}$

Act.28 Calcula.

    a) $3^2 \cdot 3^3$ b) $2^7 : 2^4$ c) $(-5)^7 : (-5)^7$

    d) $(5+3)^2$ e) $5^2 + 3^2$ f) $(6-4)^2$

    g) $6^2 - 4^2$ h) $(1-5)^2$ i) $1^2 - 5^2$

Act.29 Calcula si existen.

    a) $\sqrt{36+64}$ b) $\sqrt{36} + \sqrt{64}$ c) $\sqrt{100-36}$

    d) $\sqrt{100} - \sqrt{36}$ e) $\sqrt{16-25}$ f) $\sqrt{16} - \sqrt{25}$

La última sesión de la unidad se dedicará a la realización de la prueba objetiva.

8. RECURSOS DIDÁCTICOS Y MATERIALES

- Pizarra y útiles para pizarra.

- Libro de texto, cuaderno de clase y fichas de ejercicios prácticos.

- Libros de consulta de la biblioteca del instituto y propios. Especialmente recomendables son:

  - *Didáctica de los números enteros*. Colectivo Periódica Pura. Ed. Nuestra Cultura. Madrid.
  - *Números enteros*. Colección Matemática: Cultura y Aprendizaje. VV. AA. Madrid.

- Ordenadores del aula de informática.

- Uso del Proyecto Descartes. Aula de informática.

- Asistente matemático Derive. Aula de informática.

9. ATENCIÓN A LA DIVERSIDAD

La atención a la diversidad se justifica a través de las actividades de refuerzo y ampliación. Se utilizarán según las necesidades de los alumnos. Habrá veces en que toda la clase necesite algún apoyo para reforzar conceptos no asimilados en su totalidad. Por el contrario nos encontraremos con casos en que la mayoría de la clase profundice con las actividades de ampliación. Lo más habitual será detectar qué necesidades tiene cada alumno para incidir con las actividades más idóneas en sus carencias o inquietudes intelectuales.

En el caso de que en el grupo haya algún alumno con necesidades educativas especiales, se realizarán adaptaciones curriculares significativas según lo establecido en la programación.

9.1. Actividades de refuerzo

Están destinadas a aquellos alumnos que precisan corregir y consolidar los contenidos de la unidad.

Los alumnos resolverán actividades relacionadas con:

- Significado de los números enteros: positivos y negativos.
- Representar números enteros.
- Ordenar y comparar números enteros.

- Realizar sumas y restas con números enteros.
- Realizar multiplicaciones y divisiones de números enteros.

1) Expresa con un número entero estas situaciones.

   a) El helicóptero vuela a 150 m.
   b) Estoy flotando en el mar.
   c) El termómetro marca 4 grados bajo cero.
   d) El Everest mide 8.844 m.
   e) Ana tiene una deuda de 46 €.
   f) Te espero en la planta baja.

2) Representa con un dibujo los botones del ascensor de un edificio que tiene 7 plantas, una planta baja y 4 plantas de garaje.

3) Representa en una recta los siguientes números enteros:

$$+8, -9, +5, 0, -1, +6, -7, +11, -6$$

4) Ordena de menor a mayor los siguientes números.

$$+11, -2, +8, 0, -1, +5, -6, +3, -3, +7, -4, -9, +17$$

5) Haz las siguientes operaciones.

   a) $(+7) + (+1)$ b) $(-15) + (-4)$ c) $(+10) - (+2)$ d) $(-7) + (+1)$

6) Calcula las operaciones aplicando la regla de los signos.

   a) $(+12) \cdot (-3)$ b) $(-20) : (-10)$ c) $(+10) \cdot (+4)$ d) $(+35) : (+5)$

9.2. Actividades de ampliación

Apropiadas para los alumnos que pueden avanzar con rapidez y que pueden profundizar en los contenidos de la unidad mediante un trabajo más autónomo.

Los alumnos resolverán actividades relacionadas con:

- Números enteros.

- Comparación de números enteros.
- Suma y resta de números enteros.
- Multiplicación y división de números enteros.
- Operaciones combinadas.
- Problemas de números enteros.

1) Utiliza los números enteros para expresar el valor numérico de estas afirmaciones.

a) El avión vuela a 2.700 m de altura.
b) Marisa está en la planta baja.
c) Luís trabaja en el segundo sótano.
d) Estamos a 4 grados bajo cero.
e) Ocurrió en el año 540 a.C.
f) Debo 15 euros a mi madre.

2) ¿Cuántos números enteros están comprendidos entre -256 y 123?

3) Ordena de menor a mayor, los siguientes números.

$$-4, 0, -6, 7, -11, 21, -3, 12, -7, 9$$

4) Opera.

a) $-3 + (-2) + 7 - (-4)$ b) $9 - (+4) - (-6) - (-2)$

c) $[-3 + 7] - [9 - (-2)]$ d) $[12 - (+5)] + [-4 - (-6)]$

e) $6 + (-4 + 2) - (-3 - 1)$ f) $-1 - (-1 + 2 - 5 + 4)$

5) Calcula aplicando la propiedad distributiva.

a) $5 \cdot (3 + 5)$ b) $7 \cdot (2 + 4)$ c) $(-5) \cdot (6 + 3)$ d) $(-6) \cdot [5 + (-2)]$

6) Calcula.

a) $(+35) : (-7) : (-5)$ b) $(-10) : (-5) : (+2)$

7) Calcula.

   a) $(-12) : 3 - [13 + 6 - (-2)]$ b) $(-3) \cdot 2 - (4 - 10 : 2)$

   c) $(+5) : (-5) - (-7) \cdot (+2)$ d) $(-18) - [(+4) + (-6)] : (+2) + (+5)$

8) ¿Cuántos metros separan a un avión, que vuela a una altura de 8.500 m, de un submarino que está a 350 m bajo el nivel del mar?

9) En una ciudad, a las seis de la mañana, el termómetro marcaba –10 °C, y a las 12 horas indicaba 4 °C. ¿Cuál fue la variación de la temperatura en grados?

10. EVALUACIÓN

La evaluación de esta unidad se llevará a cabo siguiendo las directrices explicadas en la programación didáctica que la engloba.

Se realizará al comienzo de la unidad, a lo largo del proceso y a su finalización (donde se realizará una prueba escrita).

Los instrumentos que habitualmente se utilizarán para obtener información sobre el progreso de nuestros alumnos serán:
- La observación diaria.
- La revisión y corrección de las tareas realizadas por el alumno en casa.
- Seguimiento del cuaderno del alumno valorando su contenido (apuntes, actividades...),estructura, orden, limpieza y claridad.
- Intervenciones en la pizarra.
- Control de faltas y conducta.
- Realización de una prueba individual escrita al finalizar la unidad.

Para determinar las calificaciones de nuestros alumnos, se aplicarán los criterios de calificación reflejados en la programación, a saber:

a) Pruebas escritas. Supone el 60 % de la nota final.
b) Cuaderno de clase del alumno, trabajo diario e intervenciones en la pizarra. Su valoración es un 20 % de la nota final.

c) Puntualidad, comportamiento, interés y participación. A este apartado se le aplica el 20 % restante de la nota final.

Por último, hay que indicar que también se evaluará nuestra <u>práctica docente,</u> valorando después de la experiencia, el nivel de adecuación de la unidad a los objetivos propuestos inicialmente, para proponernos posibles modificaciones.

Esta evaluación considerará los siguientes aspectos:

- Sesiones programadas y sesiones empleadas.
- Metodología aplicada.
- Adecuación de los recursos utilizados y de las actividades desarrolladas.
- Objetivos propuestos y objetivos conseguidos.
- Resultados académicos de nuestros alumnos.

11. TEMAS TRANSVERSALES Y EDUCACIÓN EN VALORES

<u>Educación del consumidor</u>: Los números enteros se pueden usar en distintas situaciones de compra y venta, a la hora de resolver cualquiera de ellas, se puede señalar la necesidad de llevar a cabo un consumo responsable y crítico, comentando también la importancia de ejercer los derechos y deberes como consumidores.

<u>Educación ambiental</u>: Problemas relacionados con la contaminación atmosférica, el agotamiento de los recursos naturales, etc., se pueden estudiar utilizando los números naturales. A partir de su resolución se puede reflexionar sobre la toma de conciencia para preservar el planeta.

Se puede incidir también en la <u>Educación para la solidaridad y la paz</u> fomentando las actitudes respetuosas hacia las ideas de los compañeros cuando se establezcan discusiones en clase.

UNIDAD DIDÁCTICA 6: EL SISTEMA MÉTRICO DECIMAL

1. INTRODUCCIÓN

Esta es la penúltima unidad didáctica de las siete que se corresponden con el bloque de Números del currículo de 1.º de ESO del área de Matemáticas.

Se imparte a continuación de la unidad referida a números enteros, y precede a la unidad que estudia la proporcionalidad numérica, perteneciendo ambas al bloque de Números.

En ella se comienza introduciendo la potenciación y las operaciones de multiplicación y división por la unidad seguida de ceros. De esta forma se iniciará el estudio de las magnitudes y unidades de medida.

Será preciso que el alumno realice mediciones y cálculos en el aula, en el laboratorio o en el exterior. El uso de los principales instrumentos de medida ha de ser reforzado por operaciones y comprobaciones aritméticas en el aula. Para poder comprender el concepto de medida nos ayudaremos de acciones como dibujar un metro cuadrado en el suelo, construir un metro cúbico, realizar con recortables el decímetro cúbico y la utilización de medidas de capacidad y volumen.

Gradualmente se conseguirá la comprensión en la equivalencia de las unidades, y sobre todo en el caso de litro/decímetro cúbico/kilogramo. Finalmente, la resolución de problemas sencillos contribuirá a la consecución de los objetivos marcados en la presente unidad.

2. CONOCIMIENTOS PREVIOS

Para poder desarrollar satisfactoriamente esta unidad, resulta conveniente que el alumno domine las siguientes cuestiones:

1) Saber realizar mediciones directas de longitudes, pesos y capacidades.
2) Conocer y utilizar las unidades del sistema métrico decimal.
3) Medir áreas por conteo directo de unidades cuadradas y volúmenes por conteo directo de unidades cúbicas.

4) Conocer y utilizar las equivalencias entre las distintas unidades de volumen y de capacidad.

3. OBJETIVOS DIDÁCTICOS

En este punto se presentan los objetivos didácticos que deberán alcanzar los alumnos al finalizar la unidad, así como su relación con los objetivos generales de etapa y de área.

Objetivos didácticos	Objetivos de etapa	Objetivos de área
1) Reconocer la necesidad de medir, apreciar la utilidad de los instrumentos de medida y conocer los más importantes.	b, f, g, h	1, 3, 4
2) Definir el metro como unidad principal de longitud, el kilogramo de masa, el litro de capacidad, el metro cuadrado de superficie y el metro cúbico de volumen.	b, f, g	2, 3
3) Realizar cambios de unidades en medidas de longitud, masa, capacidad, superficie y volumen.	b, f	2, 3, 8, 9
4) Pasar distintas medidas de forma compleja a incompleja, y viceversa.	b, f	2, 3, 8, 9, 10
5) Obtener el volumen de un cubo como extensión de las unidades de volumen.	b, f, g	3, 9, 10
6) Reconocer la relación entre las medidas de volumen y de capacidad.	b, f, g	2, 3, 8
7) Utilizar las relaciones entre las unidades de volumen y masa para el agua destilada.	b, f, g	2, 3, 7, 9
8) Resolver problemas cotidianos en los que hay que manejar o convertir diferentes unidades.	b, f, g, h	2, 3, 8, 9, 10

4. CONTENIDOS

4.1. Conceptos

1) Magnitudes. Unidades de medida.
2) Unidades de longitud, capacidad, masa, superficie y volumen.

3) Formas complejas e incomplejas.

4.2. Procedimientos

1) Utilización de distintas unidades de medida para medir una cantidad de cierta magnitud.
2) Transformación de unas unidades de medida en otras.
3) Traducción de medidas en forma compleja a forma incompleja, y viceversa.
4) Expresión de una medida en la unidad adecuada al contexto.

4.3. Actitudes

1) Hábito de expresar los resultados numéricos de las mediciones con las unidades de medida utilizadas.
2) Reconocimiento y valoración de las mediciones para transmitir informaciones relativas al entorno.

5. CRITERIOS DE EVALUACIÓN

1) Reconocer la necesidad de medir y emplear unidades de medida adecuadas.
2) Utilizar las unidades de longitud, masa, capacidad, superficie y volumen.
3) Realizar cambios de unidades en medidas de longitud, masa, capacidad, superficie y volumen.
4) Reconocer la relación entre las medidas de volumen y de capacidad.
5) Utilizar las relaciones entre las unidades de volumen y masa para el agua destilada.

6. SECUENCIACIÓN Y DISTRIBUCIÓN TEMPORAL

La secuenciación de los conceptos en esta unidad se ha hecho en relación con su grado de dificultad de forma que el alumno conocerá en primer lugar los conceptos más elementales, para pasar posteriormente a otros que se basen en los anteriores, y así sucesivamente. Además, estos se van introduciendo siguiendo un orden lógico y natural.

Creo que es conveniente dedicarle a esta unidad didáctica un total de 8 sesiones, que se impartirán a lo largo del segundo trimestre.

Estas sesiones se desarrollarán en función del nivel de conocimientos de que parten los alumnos y del trabajo que realicen por ellos mismos.

7. METODOLOGÍA Y SECUENCIA DE ACTIVIDADES

7.1. Consideraciones generales

Al inicio de la unidad se realizará una prueba para evaluar el nivel de conocimientos previos. Al final de la misma se dedicará una sesión para la realización de una prueba objetiva sobre la unidad con objeto de comprobar si se han alcanzado los objetivos.

El desarrollo de la unidad se llevará a cabo en el aula, dejando abierta la posibilidad, si las circunstancias lo permitieran, de impartir una sesión en el aula de informática, para que los alumnos conozcan y se introduzcan en el manejo del asistente matemático Derive.

Todas las sesiones, excepto la primera dedicada a evaluar los conocimientos previos de los alumnos, se iniciarán con la corrección de las actividades que se hayan realizado en casa o en clase la sesión anterior. Con esto, se aclaran las dudas y se sigue el avance o estancamiento del alumnado. En función de lo que se observe en la corrección se tomarán las medidas pertinentes. A continuación, en un segundo tercio de la sesión, se introducirán nuevos conceptos con la explicación correspondiente. Por último, en el tercer tercio de la clase se plantearán nuevas actividades con objeto de aclarar posibles dudas y cimentar lo explicado. De esta forma las clases tendrán una estructura fija que el alumno conocerá desde el principio.

7.2. Desarrollo de la unidad

Con objeto de evaluar el nivel de conocimientos previos, en la sesión inicial de la unidad, se propondrán actividades de motivación que plantearán nuevos problemas y al mismo tiempo pondrán de manifiesto la necesidad de adquirir nuevos conocimientos para resolverlos. Estas actividades iniciales serán de los tipos siguientes:

a) Conocer las unidades de longitud y realizar cambios de unidades.

b) Conocer las unidades de masa y realizar cambios de unidades.

c) Conocer unidades de superficie.

d) Conocer unidades de volumen.

1. Magnitudes y unidades. (1.ª mitad de la 2.ª sesión)

Una vez corregidas las actividades propuestas en primera sesión, se desarrollará el primer concepto de la unidad:

Se introducirá la noción de magnitud que los alumnos conocen de primaria, pero carecen de una definición exacta, y se les indicará que corresponde con cualquier cualidad que se pueda medir, y cuyo valor pueda ser expresado mediante un número.

Por otro lado se definirá la unidad de medida, definiéndose como una cantidad fija y que servirá para medir una cantidad de una magnitud.

Como actividad introductoria a estos conceptos se puede utilizar la siguiente:

Act.1 Calcular las dimensiones de la mesa del pupitre utilizando como unidad de medida un bolígrafo.

Con esta actividad se pretende que el alumno y la alumna sean capaces de definir una unidad de medida y el manejo de la misma para mediciones.

Se continuará con una exposición en la pizarra de elementos, de los cuales se animará al alumno para indicar, por un lado, si son magnitudes, y por otro lado, si son unidades de medida.

En la parte final de esta primera mitad de la segunda sesión se indicará cuál es el sistema de medida internacional, el Sistema Métrico Decimal, viendo que es un sistema decimal porque sus unidades se relacionan entre sí mediante potencias de 10.

2. Unidades de longitud. (2.ª mitad de la 2.ª sesión)

Se les recordará a los alumnos que la principal medida de longitud es el metro, y que se simboliza por *m*.

Acto seguido se realizará una tabla donde se colocará el metro en la parte central, se irán incluyendo los submúltiplos, a la derecha del metro, y los múltiplos, a la izquierda. Al mismo tiempo se colocarán las equivalencias que tiene cada unidad con el metro.

Otra tabla que se podrá colocar sobre esta nos indicará por cuánto hay que multiplicar o dividir al pasar de una unidad a otra. Por lo que el alumno será capaz de ver que en cada desplazamiento hacia la derecha se producirá una multiplicación por 10, es decir, se añadirá un cero o un desplazamiento de la coma un lugar hacia la derecha por cada escalón de desplazamiento, mientras que los desplazamientos hacia la izquierda supondrán dividir por 10 en cada escalón, es decir, se desplazará la coma un lugar a la izquierda por cada escalón de desplazamiento.

Seguidamente, en la pizarra, se colocarán diversas medidas para realizar su cambio a otras unidades, haciendo partícipe al alumnado para su cálculo, y siendo guiado en todo momento por el profesor.

Por último, se propondrán las siguientes actividades de consolidación:

a) Magnitudes y unidades.

Act.1 Indica si son magnitudes o no:

a) La capacidad de un bidón.
b) La simpatía.
c) La distancia entre dos ciudades.
d) El amor.
e) La altura de un árbol.
f) La capacidad de memoria de un PC.

Act.2 Escribe la unidad que utilizarías para medir las magnitudes del ejercicio anterior.

b) Unidades de longitud.

Act.3 Expresa en kilómetros:

a) 275 m   b) 5 dam   c) 3,7 hm   d) 24,3 dam   e) 8.594,3 cm   f) 15.365 mm

<u>Act.4</u> Expresa en hectómetros:

a) 0,85 dam   b) 3,12 km   c) 56 dam   d) 325 m   e) 324,6 dm   f) 27,6 cm

<u>Act.5</u> La distancia entre Granada y Zaragoza es de 700 km y 590 hm. ¿Cuántos metros tendremos que recorrer desde una ciudad a la otra?

<u>3. Unidades de longitud. Forma compleja e incompleja.</u>
(1.ª mitad de la 3.ª sesión)

Corregidas las actividades de la sesión anterior y aclaras todas las posibles dudas, el paso siguiente será definir cuándo una medida está en forma compleja y cuándo en forma incompleja, aprendiendo a su vez a pasar de una forma a otra.

En la pizarra se encontrará el alumno un conjunto de medidas y deberá colocarlas en el grupo de las formas complejas o en el grupo de las formas incomplejas.

Como un paso más en dificultad, se mostrarán medidas en ambas formas, solicitando su conversión a la otra forma. En todo momento será una actividad en la que participará todo el alumnado y guiado por el profesor.

<u>4. Operaciones con medidas de longitud.</u> (2.º mitad de la 3.º sesión)

Esta segunda mitad de la tercera sesión se dedicará a operaciones de suma, resta y multiplicación de las unidades de medida.

Antes de comenzar a operar es importante colocar cada una de las unidades en el lugar correspondiente.

Seguidamente se colocarán en la pizarra distintas operaciones, siempre en aumento de grado de dificultad, para que el alumnado participe activamente en la resolución, y en caso de duda, el profesor indicará cuál es el paso a seguir.

Para finalizar, se proponen las siguientes actividades de consolidación de los conceptos estudiados:

c) Forma compleja e incompleja.

<u>Act.6</u> Expresa en metros:

a) 2,15 km 17,3 dam 8,5 m   b) 3,75 m 52 dm 13,4 cm

<u>Act.7</u> Expresa en forma compleja las siguientes medidas:

a) 2,284 m   b) 0,045 km   c) 8.793 dam   d) 13.274 hm

<u>Act.8</u> El circuito de la carrera de atletismo mide 3 km 4 hm 2 dam. ¿Cuántos metros mide el circuito?

d) Operaciones con medidas de longitud.

<u>Act.9</u> Realiza las siguientes operaciones y expresa el resultado en metros:

a) 4.322 cm + 57 dm   b) 34,78 dam – 3,57 dm

c) 3 hm 2 m 5 cm + 67,34 dam   d) 4 km 7 dam 8 dm – 3 dam 8 cm

e) 12,432 cm · 5   f) 5,146 m · 7

<u>Act.10</u> En una carrera, Carmen ha recorrido 3 km 4 hm 2 dam. ¿Cuántos metros le faltan para recorrer 5.000 m?

<u>Act.11</u> Un robot avanza en saltos de 25 cm. ¿Cuántos metros avanza si da 12 saltos seguidos?

<u>5. Unidades de capacidad.</u> (1.ª mitad de la 4.ª sesión)

Corregidas las actividades propuestas en la sesión anterior y aclaradas las dudas que han surgido, durante esta primera mitad de esta cuarta sesión se trabajará con las unidades de capacidad, siendo la unidad principal el litro.

De igual forma que se realizó en la sesión anterior con las unidades de longitud, se procederá a realizar una tabla con los submúltiplos, a la derecha del litro, y los múltiplos, a la izquierda del litro. También se colocará otra tabla en la que se reflejará el paso de una unidad a la contigua.

Todo alumno verá que cada desplazamiento hacia la derecha corresponderá con una multiplicación por 10, o la colocación de un cero o un desplazamiento de la coma hacia la derecha. En cambio, cada desplazamiento hacia la izquierda supondrá una división por diez, es decir, se desplazará la coma un lugar hacia la izquierda.

Seguidamente, y para que el alumno tome la suficiente soltura, se colocarán en la pizarra una variedad significativa de ejemplos. En cada uno de ellos se solicitará su intervención, siendo el profesor el encargado de orientarlos y pronunciarse sobre el resultado.

6. Unidades de masa. (2.ª mitad de la 4.ª sesión)

Se procederá durante esta segunda mitad de la cuarta sesión a describir las unidades de masa.

Primeramente se definirá a los alumnos y alumnas que la masa se corresponde con la cantidad de materia de un cuerpo, siendo la unidad principal de masa el gramo.

Al igual que se realizó con las unidades de longitud y de capacidad, se realizará la tabla correspondiente a los submúltiplos, a la derecha, y de los múltiplos, a la izquierda del gramo.

Igualmente se colocará la tabla de transformación de una unidad a otra, pudiendo comprobar todo alumno que coincide con las realizadas para las unidades de longitud y de capacidad, con lo cual, no se insistirá más.

Para consolidar estos conceptos se proponen actividades de los tipos siguientes:

e) Unidades de capacidad.

Act.12 Transforma en litros:

    a) 7,5 kl   b) 593 cl   c) 0,4 dal   d) 6.300 ml

Act.13 Expresa en litros:

a) 1,2 kl 4,6 hl 25 dl

b) 0,27 hl 1,9 dl 16 cl

c) 1 kl 0,4 dal 3,5 dl 12 ml

d) 4,6 hl 12,3 dal 1,23 dl 0,14 cl

Act.14 Un tonel tiene una capacidad igual a 30 hl 5 dal 500 l. ¿Cuánto es en litros?

Act.15 Un bote contiene 40 cl. ¿Con cuántos botes podemos llenar un recipiente de un litro?

f) Unidades de masa.

Act.16 Expresa en gramos y ordena de menor a mayor:

31 dg   1,02 kg   8,34 cg   0,4 t   0,009 q

Act.17 Realiza las siguientes operaciones:

a) 123 hg 35 g + 3,2 kg 15,8 dag
b) 30 t 20 q – 250 dag 120 kg 200 hg

Act.18 Un camión lleva una carga de 8,5 t y efectúa dos descargas, la primera de 1 q 20 kg y la segunda de 2 t 500 kg.

a) ¿Qué carga queda en el camión?
b) En la siguiente parada descarga 1.750 kg y carga mercancía con un peso de 28,3 q. ¿Qué carga tiene ahora el camión?

7. Unidades de superficie. (5.ª sesión)

Una vez corregidas y aclaradas todas las posibles dudas de las actividades de la sesión anterior, en esta quinta sesión se trabajará con las unidades de superficie, siendo el metro cuadrado la unidad principal de medida.

Al igual que se realizó para las unidades de longitud, capacidad o masa, se dibujará una tabla para indicar los submúltiplos del metro cuadrado, que se colocarán a la derecha, por otro lado se colocarán los múltiplos, a la izquierda.

También se dibujará, sobre la tabla construida anteriormente, la relación que existe al avanzar o retroceder de una unidad de superficie a otra, tanto hacia la derecha como hacia la izquierda. En esta tabla el alumno y la alumna verán que para transformar una unidad de superficie a la contigua se multiplicará o dividirá por el factor 100, en contraposición con las otras tablas que se construyeron cuyo factor era el 10.

Se expondrán en la pizarra diversas expresiones de áreas para la transformación en otras, incentivando a los alumnos a la participación en su resolución.

Acabada la actividad anterior se pasará rápidamente a mostrar las expresiones de superficies en formas complejas e incomplejas. Se acompañarán de ejemplos y de casos particulares para la resolución en la pizarra por parte de los alumnos y guiados en todo momento por el profesor.

Para finalizar la sesión se indicarán unas determinadas unidades de medidas de superficies que se refieren a extensiones de fincas, campos, terrenos, etc., y que se denominan unidades agrarias. A ellas pertenecen las hectáreas, el área y la centiárea, viendo su equivalencia tanto en unidades de superficie, como en metros cuadrados.

Para consolidar estos conceptos se proponen actividades de los tipos siguientes:

Act.19 Transforma en m^2 las siguientes unidades:

a) $32 \ dam^2$ b) $3,6 \ dam^2$ c) $1,0005 \ km^2$ d) $1,16 \ hm^2$ e) $12,165 \ hm^2$

f) $3,007 \ dam^2$ g) $0,008 \ km^2$ h) $0,00001 \ km^2$ i) $0,0035 \ hm^2$ j) $56 \ dm^2$

Act.20 Expresa $17,02 \ dam^2$ como metros, decímetros, centímetros y milímetros cuadrados.

Act.21 Un metro cuadrado de seda vale 11,45 €. ¿Cuánto valdrá un centímetro cuadrado? ¿Y un decímetro cuadrado?

<u>Act.22</u> Expresa en m²: 2 km² 17 hm² 2,75 dam²

<u>Act.23</u> Reduce a dm²: 45,37 dam² 23,4 m² 945 cm²

<u>Act.24</u> ¿A cuántos dam² equivalen 6 hectáreas? ¿Cuántas hectáreas son 2 km²?

<u>Act.25</u> Quiero envolver una caja para regalo. Si la superficie de dicha caja es de 0,0005 dam² 325 dm². ¿Cuántos m² de papel necesito?

<u>Act.26</u> Una finca tiene una superficie de 3,12 hm² 14,6 m² 193,8 dm². ¿Cuánto le falta para tener 5 ha?

<u>8. Unidades de volumen.</u> (6.ª sesión)

Una vez corregidas las actividades de la sesión anterior, en la sexta sesión se estudian las unidades de volumen, siendo el metro cúbico su principal unidad de medida.

El propio alumnado será capaz de deducir la construcción de la tabla, pues ya se han realizado varias en sesiones anteriores y suelen conocer las unidades que anteceden y preceden a la unidad principal de cursos anteriores, correspondiente de los submúltiplos como de los múltiplos. En este caso para la transformación de una unidad de volumen a la siguiente será necesario multiplicar por 1.000, si nos desplazamos a la derecha, o dividir por 1.000 si nos desplazamos a la izquierda.

El paso siguiente consistirá en colocar en la pizarra un conjunto de diferentes unidades de volumen para su conversión a otras, siendo el alumno el que participe activamente en su resolución, y en todo caso ayudado por el profesor.

A continuación, como el alumno ha tomado cierta habilidad en la transformación de unidades, nos adentraremos en expresar las medidas de volumen tanto en forma compleja como incompleja.

En este punto, no ha de resultar nada dificultoso, pues el alumno ya ha trabajado en sesiones anteriores la forma compleja e incompleja para unidades de longitud, de volumen, de masa y de superficie, con la salvedad de que aquí las unidades van de 1.000 en 1.000.

Como paso final se darán unas breves pinceladas al concepto de volumen de un cuerpo.

Se propondrán actividades tales como:

Act.27 Expresa en metros cúbicos estas medidas:

a) 83 dam^3 b) 231 hm^3 c) 1.233,33 cm^3 d) 123,44 mm^3
e) 0,049 km^3

Act.28 Transforma en hectómetros cúbicos:

a) 18 dam^3 b) 43.215 m^3 c) 25.418,75 dm^3 d) 812,75 km^3

Act.29 Calcula:

a) 17 hm^3 + 340 dm^3 b) 87,23 m^3 – 1.435,48 mm^3
c) 1 km^3 + 100 hm^3 + 1 m^3

Act.30 Un bote tiene un volumen de 30 dm^3 5 cm^3 500 mm^3. ¿Qué volumen ocupa en mm^3?

Act.31 Una lata tiene un volumen de 3 dm^3 50 cm^3 5.000 mm^3. ¿Qué volumen ocupa en m^3?

Act. 32 Calcula el volumen de un cubo que tiene 3 cm de arista. Expresa el resultado en m^3.

9. Relación entre las unidades de volumen, capacidad y masa. (7.ª sesión)

Una vez que los alumnos ya dominan los conceptos y procedimientos tratados en las sesiones anteriores, en esta séptima sesión se introducirá la relación entre las unidades de volumen, capacidad y masa.

La primera relación que se introducirá será la de volumen y capacidad.

Para la comprobación de que 1 litro equivale a un dm^3 se realizará la siguiente práctica:

a) Se construirá un cubo de arista 1 dm sin tapadera. Se partirá de 5 cuadrados de un 1dm de lado, plastificando una de las caras con plástico adhesivo, a continuación se montará y se formará el cubo, uniendo las aristas con el mismo plástico adhesivo.

b) Se utilizará una botella de 1 litro de capacidad y se llenará de agua del grifo, ya que es el líquido elemento más económico. A continuación se vierte en el cubo recién construido, pudiendo observar que se llena completamente.

Seguidamente se expondrá en la pizarra la tabla de conversión, que nos será de gran ayuda para resolver los distintos ejemplos de unidades que planteará el profesor, tanto de volumen a capacidad como viceversa.

La siguiente relación de conversión que se estudiará será el volumen, la masa y la capacidad.

Partiendo del cubo que se ha construido, de la botella de 1 litro de capacidad y de una balanza con una pesa de 1 kg, realizaremos la siguiente práctica:

a) Rellenaremos la botella con agua destilada.

b) Colocaremos en un platillo de la balanza el cubo construido y en el otro la pesa de un kg.

c) Se verterá lentamente el agua destilada de la botella en el cubo y se podrá ver que empieza a equilibrarse, en el momento que se vacíe la botella el cubo está totalmente lleno y la balanza en total equilibrio.

De esta práctica se extrae la relación de que 1 kilogramo se corresponde con la masa que tiene 1 dm^3 de agua destilada, pero ya sabemos por la práctica realizada anteriormente que 1 dm^3 se corresponde con 1 litro.

De aquí se partirá para dibujar la tabla que relaciona las unidades de volumen, de capacidad y de masa y colocar las restantes unidades de conversión.

Acto seguido se expondrán un conjunto de ejercicios para la conversión en distintas unidades, en los que el alumno participará activamente en la resolución de ellos y siendo guiado, si fuera necesario, por el profesor.

Para la total asimilación de estos conceptos, al final de la sesión se realizarán las siguientes actividades:

Act.33 Expresa en litros los siguientes volúmenes:

a) 1.000 cm³   b) 1,4 dm³   c) 0,04 m³   d) 1 m³

Act.34 Transforma en metros cúbicos estas medidas de capacidad:

a) 809,09 l   b) 12 ml   c) 64,2 kl   d) 0,008 dal   e) 1.409,2 cl
f) 0,82 hl

Act.35 El volumen del depósito de una fábrica es de 6 m³ 15 dm³ 500 cm³. ¿Cuál es su capacidad en litros?

Act.36 Expresa en kilogramos estos volúmenes y capacidades de agua destilada:

a) 255l   b) 2.000 cm³   c) 20 dm³   d) 3,5 kl

Act.37 Transforma en cm³ las siguientes masas de agua destilada:

a) 0,5 kg   b) 13 cl   c) 0,015 hl   d) 43 g

Act.38 Un embalse contiene 95 hm³ de agua. Calcular:

a) Su capacidad en m³.
b) Su capacidad en litros.
c) Si fuera agua destilada, ¿cuál sería su masa en toneladas y en kilogramos?

La última sesión de la unidad se dedicará a la realización de la prueba objetiva.

8. RECURSOS DIDÁCTICOS Y MATERIALES

- Pizarra y útiles para pizarra.

- Libro de texto, cuaderno de clase y fichas de ejercicios prácticos.

- Libros de consulta de la biblioteca del instituto y propios. Especialmente recomendables son:

- *Medidas españolas tradicionales.* Alsina, C. Colección Documentos y propuestas de trabajo del MEC, n.º 9. Madrid.
- *Superficie y volumen, ¿algo más que un trabajo con fórmulas?* Del Olmo, M. A.; Moreno, M. F. y Gil, F. Colección Matemáticas Cultura y Aprendizaje, n.º 19. Ed.: Síntesis. Madrid.

- Calculadora científica.

- Ordenadores del aula de informática.

- Uso del Proyecto Descartes. Aula de informática.

- Asistente matemático Derive. Aula de informática.

9. ATENCIÓN A LA DIVERSIDAD

La atención a la diversidad se justifica a través de las actividades de refuerzo y ampliación. Se utilizarán según las necesidades de los alumnos. Habrá veces en que toda la clase necesite algún apoyo para reforzar conceptos no asimilados en su totalidad. Por el contrario nos encontraremos con casos en que la mayoría de la clase profundice con las actividades de ampliación. Lo más habitual será detectar qué necesidades tiene cada alumno para incidir con las actividades más idóneas en sus carencias o inquietudes intelectuales.

En el caso de que en el grupo haya algún alumno con necesidades educativas especiales, se realizarán adaptaciones curriculares significativas según lo establecido en la programación.

9.1. Actividades de refuerzo

Están destinadas a aquellos alumnos que precisan corregir y consolidar los contenidos de la unidad.

Los alumnos resolverán actividades relacionadas con:

- Conocer las distintas unidades de longitud, capacidad y masa.
- Realización de cambios en unidades de la misma clase.
- Unidades de superficie y volumen. Realización de cambios de unidades.

- Relación entre las unidades de volumen, capacidad y masa.

1) Asocia una unidad de longitud con cada ejemplo:

a) La altura de una casa.   b) La longitud de una hormiga.
c) Tu altura.   d) La distancia entre dos ciudades.
e) Una ventana.   f) Un imperdible.
g) El tablero de tu pupitre.   h) La anchura de una calle.
i) Tu habitación.

2) Completa:

a) 5,5 km = ...m   b) 34,5 mm = ... m
c) 6,7 dam = ...m   d) 12 km = ... m
e) 785 cm = ...m   f) 1,60 dm = ... m

3) Ordena de mayor a menor las siguientes medidas. Toma como referencia el gramo o el kilogramo y pasa todas las medidas a la unidad que elijas:

27 dag, 27 dg, 56 g, 0,23 hg, 1,02 kg, 8,34 cg, 345 mg, 0,5 t, 1,1 g

4) Ordena de menor a mayor las siguientes medidas. Toma como referencia el litro y pasa todas las medidas a esta unidad:

250 cl, 1.500 ml, 2,5 l, 0,005 kl, 0,7 dal, 19 dl, 7 hl, 30 l, 450 cl

5) Ordena de menor a mayor las siguientes medidas. Toma como referencia el metro cuadrado y pasa todas las medidas a esta unidad:

$25,4 \text{ km}^2$, 610 m^2, 34.000 dm^2, 157.530 cm^2, $2,4 \text{ hm}^2$, 2 dam^2, 234.971 mm^2

6) Ordena de mayor a menor las siguientes medidas. Toma como referencia el metro cúbico y pasa todas las medidas a esta unidad

$0,4 \text{ km}^3$, 61 dam^3, 54.000 m^3, $3.157.530 \text{ cm}^3$, $3,4 \text{ hm}^3$, $2,1 \text{ hm}^3$, $23.234,971 \text{ mm}^3$

7) Un embalse contiene 95 hm³ de agua. Calcula:

    a) Su capacidad en m³.

    b) Su capacidad en litros.

    c) Si fuera agua destilada, ¿cuál sería su masa en toneladas y en kilogramos?

8) Una piscina tiene de medidas 50 m de largo, 20 m de ancho y 3 m de profundidad.

    a) Si un nadador hace 10 largos de piscina, ¿recorre más o menos de 1 km?

    b) ¿Cuál es el volumen de la piscina en dm³?

    c) ¿Cuántos litros de agua son necesarios para llenar la piscina?

    d) ¿Cuál es la masa en kilogramos del agua de la piscina?

9.2. Actividades de ampliación

Apropiadas para los alumnos que pueden avanzar con rapidez y que pueden profundizar en los contenidos de la unidad mediante un trabajo más autónomo.

Los alumnos resolverán actividades relacionadas con:

- Unidades de longitud.
- Unidades de capacidad y masa.
- Unidades de superficie.
- Unidades de volumen.
- Problemas con medidas.

1) Calcula:

    a) 342 dam + 17 m

    b) 76, 69 m + 23 cm

    c) 92,4598 hm + 0,025 km

    d) 3 hm 4 dam 21 dm + 34 dam 7 m 9 cm

    e) 25,34 m – 146 cm

    f) 8,02 km – 1.324,2 m

    g) 35 dam 23 dm 9 mm – 36,75 m

    h) 17 dam · 3   i) 32,24 cm ·12

2) Calcula en gramos:

   a) 12,5 kg 38 dg + 42,82 dag 15,2 cg   b) 32 dag 8 g 25 dg – 145 dg
   c) 3,25 hg 17,2 dag – 1,25 hg 12,5 mg   d) (25 hg 10 dag 16 cg) · 20
   e) 3,25 t 4,83 q + 31,8 kg 15,6 dg   f) 42,8 t 17,5 q – 32,4 t 27,8 kg

3) Expresa en hm² las siguientes sumas:

   a) 0,0075 km² + 7.000 m²   b) 0,5 km² + 45 dam²
   c) 7.879 m² + 87.622 dm²   d) 676 dm² + 78 m² + 654 cm²
   e) 47 km² + 0,56 hm² + 125 dam²

4) Calcula las siguientes operaciones y expresa el resultado en m³:

   a) 1 hm³ 2 dam³ 3 m³ + 45 hm³ 18 dam³
   b) 34.256 dam³ – 8 hm³ 15 dam³
   c) 125 m³ 67 dm³ 89 cm³ + 16 m³ 45 dm³ 9 cm³
   d) (123 hm³ 456 dam³) : 100
   e) 135 dam³ 458 m³ – 75.000 m³
   f) (4 hm³ 15 dam³ 7 m³) · 50

5) Quiero hacer dos vestidos con un trozo de tela que mide 8 m 14 dm 80 cm. ¿Qué cantidad de tela tengo que utilizar para el vestido?

6) La torre del ayuntamiento de mi pueblo tiene una altura de 20 m y 35 dm.

   a) ¿A cuántos centímetros se encuentra el punto más alto?
   b) ¿A cuántos metros?
   c) ¿A cuántos decímetros?

7) Queremos vallar un campo en forma de cuadrado de lado 2 dam 50 cm.

   a) ¿Cuántos metros de alambrada tengo que comprar?
   b) Si el metro de alambrada tiene un precio de 12,50 €, ¿cuánto cuesta vallar el terreno?

8) ¿Cuántas botellas de vino de un litro de capacidad se pueden llenar con un tonel de un hectolitro?

9) El precio de un frasco de colonia de 100 ml es de 18,60 €. ¿Cuánto cuesta un litro y medio?

10) Una caja de cerillas tiene un volumen de 40 cm³. ¿Cuántas cajas se podrían colocar en otra caja cuyo volumen es de 1,8 dm³?

10. EVALUACIÓN

La evaluación de esta unidad se llevará a cabo siguiendo las directrices explicadas en la programación didáctica que la engloba.

Se realizará al comienzo de la unidad, a lo largo del proceso y a su finalización (donde se realizará una prueba escrita).

Los instrumentos que habitualmente se utilizarán para obtener información sobre el progreso de nuestros alumnos serán:

- La observación diaria.
- La revisión y corrección de las tareas realizadas por el alumno en casa.
- Seguimiento del cuaderno del alumno valorando su contenido (apuntes, actividades...),estructura, orden, limpieza y claridad.
- Intervenciones en la pizarra.
- Control de faltas y conducta.
- Realización de una prueba individual escrita al finalizar la unidad.

Para determinar las calificaciones de nuestros alumnos, se aplicarán los criterios de calificación reflejados en la programación, a saber:

a) Pruebas escritas. Supone el 60 % de la nota final.
b) Cuaderno de clase del alumno, trabajo diario e intervenciones en la pizarra. Su valoración es un 20 % de la nota final.
c) Puntualidad, comportamiento, interés y participación. A este apartado se le aplica el 20 % restante de la nota final.

Por último, hay que indicar que también se evaluará nuestra práctica docente, valorando, después de la experiencia, el nivel de adecuación de la unidad a los objetivos propuestos inicialmente, para proponernos posibles modificaciones. Esta evaluación considerará los siguientes aspectos:

- Sesiones programadas y sesiones empleadas.
- Metodología aplicada.
- Adecuación de los recursos utilizados y de las actividades desarrolladas.
- Objetivos propuestos y objetivos conseguidos.
- Resultados académicos de nuestros alumnos.

11. TEMAS TRANSVERSALES Y EDUCACIÓN EN VALORES

Educación del consumidor: El sistema métrico decimal se puede usar en distintas situaciones de compra y venta, a la hora de resolver cualquiera de ellas, se puede señalar la necesidad de llevar a cabo un consumo responsable y crítico, comentando también la importancia de ejercer los derechos y deberes como consumidores.

Educación ambiental: Problemas relacionados con la contaminación atmosférica, el agotamiento de los recursos naturales, etc., se pueden estudiar utilizando el sistema métrico decimal. A partir de su resolución se puede reflexionar sobre la toma de conciencia para preservar el planeta.

Se puede incidir también en la Educación para la solidaridad y la paz fomentando las actitudes respetuosas hacia las ideas de los compañeros cuando se establezcan discusiones en clase.

UNIDAD DIDÁCTICA 7: PROPORCIONALIDAD NUMÉRICA

1. INTRODUCCIÓN

Esta es la última de las unidades didácticas correspondiente al bloque de Números del currículo de 1.º de ESO del área de Matemáticas.

Se imparte a continuación de la unidad referida al sistema métrico decimal, que es la última del bloque de números, y precede a la unidad que estudia la iniciación al álgebra, perteneciente esta última al bloque de Álgebra.

En ella se comienza introduciendo el concepto de proporcionalidad, siendo este complejo y difícil de comprender por el alumno si no se ha adquirido soltura en aspectos como son las operaciones de multiplicación y división de números enteros y por la unidad seguida de ceros, la equivalencia de fracciones, la fracción como expresión decimal y de una cantidad y el porcentaje.

Será preciso que el alumno, a través de los conceptos de magnitud, proporción, razón y constante de proporcionalidad, aplique las proporciones y sus métodos de resolución de problemas a situaciones de la vida cotidiana.

Para las relaciones entre magnitudes inversamente proporcionales, que plantean un mayor grado de dificultad, se realizará mediante relaciones entre proporciones. Asimismo, se introducirán los conceptos de porcentajes, que posibilitan expresar numéricamente situaciones de la vida real.

Finalmente, también se presentará en esta unidad la resolución de problemas con porcentajes, aumentos y disminuciones porcentuales.

2. CONOCIMIENTOS PREVIOS

Para poder desarrollar satisfactoriamente esta unidad (el alumno en la etapa anterior y en su actividad diaria ha manejado problemas en los que interviene la proporcionalidad se puede afrontar sin necesidad de ningún conocimiento formal previo. De todas formas, en las actividades iniciales, se intentará detectar hasta qué punto tiene interiorizado el concepto de proporcionalidad, y si lo utiliza en la resolución de problemas sencillos que tienen que ver con ella.

3. OBJETIVOS DIDÁCTICOS

En este punto se presentan los objetivos didácticos que deberán alcanzar los alumnos al finalizar la unidad, así como su relación con los objetivos generales de etapa y de área.

Objetivos didácticos	Objetivos de etapa	Objetivos de área
1) Averiguar si dos razones forman o no proporción.	b, f, g	2, 3
2) Completar tablas de proporcionalidad y series de razones iguales.	b, f	2, 7, 8, 9
3) Utilizar las razones entre cantidades para resolver problemas en contextos reales.	b, f, g	2, 8, 9, 10
4) Distinguir si dos magnitudes son proporcionales o no.	b, f, g, h	2, 3
5) Identificar magnitudes directamente proporcionales.	b, f, g, h	2, 3, 8
6) Identificar magnitudes inversamente proporcionales.	b, f, g, h	2, 3, 8
7) Calcular tantos por cien y resolver problemas reales donde aparezcan.	b, f, g, h	8, 9, 10

4. CONTENIDOS

4.1. Conceptos

1) Razón entre dos números.
2) Proporciones.
3) Magnitudes directamente proporcionales.
4) Magnitudes inversamente proporcionales.
5) Porcentajes.

4.2. Procedimientos

1) Cálculo del término desconocido en una proporción.
2) Distinción de la relación de proporcionalidad entre dos magnitudes.
3) Elaboración de tablas de proporcionalidad.
4) Cálculo de porcentajes.
5) Resolución de problemas de porcentajes.

4.3. Actitudes

1) Discriminación de la información innecesaria en el enunciado de un problema.
2) Disposición favorable ante un problema, por largo que parezca el enunciado.
3) Valoración y utilización de los procedimientos en situaciones reales de la vida del alumno.

5. CRITERIOS DE EVALUACIÓN

1) Distinguir si dos razones forman o no proporción, y calcular el cuarto y el medio proporcionales.
2) Distinguir si dos magnitudes son o no directamente proporcionales.
3) Distinguir si dos magnitudes son o no inversamente proporcionales.
4) Completar tablas de proporcionalidad y series de razones iguales.
5) Calcular tantos por ciento.
6) Resolver problemas reales con tantos por ciento.

6. SECUENCIACIÓN Y DISTRIBUCIÓN TEMPORAL

La secuenciación de los conceptos en esta unidad se ha hecho en relación con su grado de dificultad de forma que el alumno conocerá en primer lugar los conceptos más elementales, para pasar posteriormente a otros que se basen en los anteriores, y así sucesivamente. Además, estos se van introduciendo siguiendo un orden lógico y natural.

Creo que es conveniente dedicarle a esta unidad didáctica un total de 11 sesiones, que se impartirán a lo largo del segundo trimestre.

Estas sesiones se desarrollarán en función del nivel de conocimientos de que parten los alumnos y del trabajo que realicen por ellos mismos.

7. METODOLOGÍA Y SECUENCIA DE ACTIVIDADES

7.1. Consideraciones generales

Al inicio de la unidad se realizará una prueba para evaluar el nivel de conocimientos previos. Al final de la misma se dedicará una sesión para la realización de una prueba objetiva sobre la unidad con objeto de comprobar si se han alcanzado los objetivos.

El desarrollo de la unidad se llevará a cabo en el aula, dejando abierta la posibilidad, si las circunstancias lo permitieran, de impartir una sesión en el aula de informática, para que los alumnos conozcan y se introduzcan en el manejo del asistente matemático Derive.

Todas las sesiones, excepto la primera dedicada a evaluar los conocimientos previos de los alumnos, se iniciarán con la corrección de las actividades que se hayan realizado en casa o en clase la sesión anterior. Con esto, se aclaran las dudas y se sigue el avance o estancamiento del alumnado. En función de lo que se observe en la corrección se tomarán las medidas pertinentes. A continuación, en un segundo tercio de la sesión, se introducirán nuevos conceptos con la explicación correspondiente. Por último, en el tercer tercio de la clase se plantearán nuevas actividades con objeto de aclarar posibles dudas y cimentar lo explicado. De esta forma las clases tendrán una estructura fija que el alumno conocerá desde el principio.

7.2. Desarrollo de la unidad

Con objeto de evaluar el nivel de conocimientos previos, en la 1.ª mitad de la sesión inicial de la unidad, se propondrán actividades de motivación que plantearán nuevos problemas y al mismo tiempo pondrán de manifiesto la necesidad de adquirir nuevos conocimientos para resolverlos. Estas actividades iniciales serán de los tipos siguientes:

a) Identificación de la relación de proporcionalidad entre magnitudes.
b) Reconocer magnitudes directamente proporcionales.

c) Identificar magnitudes inversamente proporcionales.

d) Concepto de porcentaje.

<u>1. Relación de proporcionalidad entre magnitudes.</u> (sesiones 1.ª y 2.ª)

Una vez corregida la prueba inicial propuesta, se supone que los alumnos poseen los conocimientos suficientes para poder seguir el desarrollo de la unidad con normalidad, entonces en esta primera y segunda sesión se introducirá el concepto de relación de proporcionalidad entre magnitudes.

En primer lugar se introducirá el concepto de razón. Se tomarán ejemplos de dos cantidades o números que se puedan comparar. Ejemplos válidos pueden ser: el número de chicas de una clase y el total de alumnos, el número de profesores y el de profesoras que imparten clase en un grupo... En cada uno de los distintos casos, se puede observar que las cantidades comparables se representan por medio de una fracción, $\frac{a}{b}$, bien entendido que al número a se denomina antecedente y al número b, consecuente. También se les enseñará la forma correcta de leer esta expresión.

Como segundo concepto aparece la proporción, siendo una igualdad de dos proporciones, para ello se introducirá con la siguiente actividad:

Act.1 Si con 4 kilos de pintura se pueden pintar 2 dm^2 de pared, ¿con seis kilos se pueden pintar 3 dm^2?

Los alumnos escribirán las dos proporciones, $\frac{4}{2}$ y $\frac{6}{3}$, y podrán ver que son iguales, por lo tanto la igualdad de estas dos razones forma una proporción.

Se definirá el concepto de constante de proporcionalidad o razón de proporcionalidad, de una proporción al cociente de cualquiera de sus razones.

Usando la actividad anterior se definirán los términos de toda proporción. El 4 y 3 reciben el nombre de extremos, mientras que el 2 y el 6 son los medios, siendo su constante de proporcionalidad igual a 2.

A continuación, se expondrán en la pizarra varios ejemplos más de proporcionalidad para comprobar que toda proporción está formada por fracciones equivalentes, por tanto, para que cuatro números formen una proporción las dos fracciones que se formen han de ser equivalentes.

Seguidamente se expondrá la propiedad fundamental de las proporciones, que todo alumno y alumna puede comprobar en cualquiera de los ejemplos incluidos en la pizarra, que el producto de los medios es igual al producto de los extremos.

Con esta propiedad, si tenemos tres números, se puede calcular fácilmente el cuarto número para calcular una proporción, simplemente aplicando la propiedad fundamental, aunque en la práctica los alumnos descubrirán que el término desconocido de toda proporción vendrá determinado por el producto en cruz de los términos que no contienen al elemento desconocido y el resultado se divide por el tercer número.

Por último, se propondrán las siguientes actividades de consolidación:

<u>Act.1</u> Elige la respuesta acertada:

a) La razón de 15 y 20 es: $\dfrac{1}{2}$; $\dfrac{2}{5}$; $\dfrac{3}{4}$

b) La razón de 12 y 36 es: $\dfrac{1}{2}$; $\dfrac{1}{3}$; $\dfrac{1}{4}$

<u>Act.2</u> Forma cuatro proporciones diferentes con las siguientes razones.

$$\frac{1}{2}; \quad \frac{2}{5}; \quad \frac{6}{15}; \quad \frac{3}{7}; \quad \frac{1}{3}; \quad \frac{9}{21}; \quad \frac{50}{100}; \quad \frac{5}{15}$$

<u>Act.3</u> Calcula el valor de la incógnita.

a) $\dfrac{1}{2} = \dfrac{7}{x}$ b) $\dfrac{4}{5} = \dfrac{3}{x}$ c) $\dfrac{4}{7} = \dfrac{2}{x}$ d) $\dfrac{3}{4} = \dfrac{x}{2}$ e) $\dfrac{6}{x} = \dfrac{2}{5}$ f) $\dfrac{x}{7} = \dfrac{10}{2}$

2. Magnitudes directamente proporcionales. (sesiones 3.ª y 4.ª)

Corregidas las actividades de la sesión anterior y aclaradas las dudas, se recuerda el concepto de magnitud, siendo esta cualquier cualidad del objeto que se pueda medir. Así, pueden ver que la longitud, el peso, el precio, el tiempo ... son ejemplos de magnitudes.

Una vez que los alumnos tienen claro el concepto de magnitud, se puede emplear un conjunto de objetos, como pueden ser las fichas de las damas de un juego de mesa y suponiendo un peso de 10 g a cada una, se puede trabajar el concepto de relación de proporcionalidad directa. Indudablemente se realizará una tabla de valores con dos variables, donde una variable sea el número de fichas y el otro, el peso.

Viendo tanto la tabla como el conjunto de las fichas, todo alumno puede darse cuenta de que si se aumenta el doble o el triple el número de fichas, el peso de estas aumenta también el doble o el triple. Y el suceso también sucede al contrario, si el número de fichas disminuye la mitad o la tercera parte, el peso de estas también disminuye a la mitad o a la tercera parte.

A continuación, se propondrá una actividad de motivación como:

Act.2 Un coche gasta de media 10 litros de gasolina por cada 125 km de recorrido. Calcula una tabla donde aparezcan los litros consumidos al recorrer 125 km, 250 km, 500 km y 1.000 km.

De la tabla se puede ver que si se forman razones con los valores correspondientes de ambas magnitudes, la constante de proporcionalidad es siempre la misma, por tanto es otra forma de ver las magnitudes directamente proporcionales.

Como actividades de consolidación de los conceptos aprendidos se propondrán:

Act.4 Di cuáles de los siguientes pares de magnitudes son directamente proporcionales.

a) El peso de las naranjas y el dinero pagado por ellas.
b) La edad de un chico y su altura.

c) El espacio recorrido por un camión que va a 80 km/h y el tiempo que tarda en recorrerlo.

d) La talla de un pantalón y su precio.

e) El tiempo que permanece abierto un grifo y la cantidad de agua que arroja

f) El grosor de un libro y su precio.

Act.5 En una pastelería se venden caramelos en cajas de peso fijo. Se sabe que cuatro cajas pesan dos kilos. Completa la tabla de valores.

N.º de cajas	1	2	3	4	5	6	10	15	20
Peso (kg)				2					

Act.6 Un libro de 200 páginas cuesta 16,50 €, y otro de 350 páginas, 32 €. Una libreta de 40 páginas vale 2,50 €, y otra de 100 páginas, 6,25 €. Razona en qué caso las magnitudes número de páginas y precio son directamente proporcionales.

Act.7 Si tienes 13 años y mides 1,63 m, ¿medirás el doble cuando tengas 26 años?

3. Magnitudes inversamente proporcionales. (sesiones 5.ª y 6.ª)

Corregidas las actividades propuestas de la sesión anterior y aclaradas las dudas, se encuentran los alumnos en disposición de afrontar el concepto de la relación de proporcionalidad inversa.

En esta ocasión se volverán a utilizar las fichas de damas de las sesiones anteriores, pero en esta ocasión se va a suponer que cada una de ellas tiene un valor de 1 €. La actividad de motivación que se utilizará será la siguiente:

Act.3 Se poseen 30 fichas de 1 € y se procede a repartirlas a una, dos, tres, cinco, seis, diez, quince y treinta personas respectivamente. Rellena una tabla donde aparezcan el número de personas y la cantidad de fichas.

Con esta actividad, el alumno y la alumna se dan cuenta de que conforme va aumentando el número de personas, la cantidad de euros recibida por cada una va disminuyendo. De esta forma se encuentran en condiciones de asimilar teóricamente el concepto de relación de magnitudes inversamente proporcionales, el cual se expondrá en la pizarra.

Seguidamente, se mostrarán más casos para que los alumnos vean que la vida real está llena de ellos.

Como actividades de consolidación de los conceptos estudiados se propondrán las siguientes actividades:

Act.8 Di cuáles de los siguientes pares de magnitudes son inversamente proporcionales:

a) La velocidad de un coche y el tiempo que tarda en cubrir la distancia entre dos ciudades.
b) La edad de una persona y su peso.
c) El precio de las naranjas y los kilos que puedo comprar con seis euros.
d) El número de operarios que descargan un camión y el tiempo que tardan.

Act.9 Una cuadrilla de cinco agricultores recolecta una cosecha de un campo de tulipanes en doce horas.

Completa la tabla con los tiempos que tardarían en hacer ese mismo trabajo distinto grupo de personas.

N.º de personas	1	2	3	5	10	20	30
N.º de horas				12			

4. Problemas de proporcionalidad directa. (7.ª sesión)

Una vez corregidas las actividades de la sesión anterior y aclaradas las posibles dudas que puedan haber surgido, en la séptima sesión se estudia el planteamiento y la resolución de los problemas de proporcionalidad directa.

El primero de los métodos que estudiaremos será el de reducción a la unidad, consistente en calcular, primero el valor asociado a la unidad, y conocido este, completar el par de valores correspondientes.

Como actividad introductoria se puede proponer la siguiente:

Act.4 Tres cajas iguales de caramelos de café con leche pesan 1,5 kg. ¿Cuánto pesarán cinco cajas iguales a las anteriores?

Para la resolución mecánica de la actividad, se les indicará a los alumnos que en primer lugar han de realizar una tabla similar a las actividades de sesiones anteriores, pero que en una de las columnas, que no corresponde con la fila donde se hace la pregunta, se ha de colocar un uno, para posteriormente usarla para el cálculo de la columna donde se encuentra la pregunta. Para el caso concreto de esta actividad, la tabla con los datos de partida sería:

N.º de cajas	1	3	5
Peso (kg)		1,5	

El paso siguiente sería rellenar la columna donde aparece un 1, y como de 3 a 1 se obtiene dividiendo el 3 entre 3, se procederá de igual forma con el 1,5, se dividirá por 3. Acto seguido, se ha de pasar de la columna donde hay 1 caja a la de 5 cajas, obteniéndose al multiplicar el 1 por 5, de igual forma se ha de multiplicar el valor obtenido en la casilla inferior del 1 por 5, llegando de esta forma a la solución del problema.

La consecuencia inmediata que han de extraer los alumnos es que por el método de reducción a la unidad, si nos desplazamos hacia la izquierda, ambos valores se dividen por el mismo valor, en cambio, si nos desplazamos hacia la derecha, ambos valores se multiplican por el mismo valor.

En el siguiente método, que se denomina fracciones equivalentes en las tablas de valores directamente proporcionales, solamente es necesario colocar los datos del problema, sin incluir columnas adicionales, y viendo que los elementos colocados de esa manera forman fracciones equivalentes. Volviendo a la actividad introductoria 3 tendríamos la siguiente tabla:

N.º de cajas	3	5
Peso (kg)	1,5	

donde las fracciones equivalentes serían: $\dfrac{3}{1,5} = \dfrac{5}{x}$, cuyo cálculo se sabe hacer.

Un tercer y último método, que recibe el nombre de regla de tres directa, es el más conocido por los alumnos y alumnas, pues se ha visto en primaria. Consistiría en colocar la tabla anterior pero intercambiando filas por columnas y eliminando el dibujo propiamente de la tabla, eso sí, colocando siempre los datos a la vez que se lee el enunciado, por ejemplo, usando el caso anterior se escribiría la siguiente tabla:

$$3 \text{ cajas} \rightarrow 1,5 \text{ kg}$$
$$5 \text{ cajas} \rightarrow x \text{ kg}$$

cuya solución, calcular x, consiste en multiplicar en cruz los valores posibles, en este caso, 5 y 1,5, a continuación dividir por el valor que corresponde con x.

Finalmente y para consolidar los tres métodos que se han estudiado, se propondrán las siguientes actividades:

Act.10 Un grifo abierto durante 5 minutos hace que el nivel de un depósito suba 20 cm. ¿Cuánto subirá el nivel si el grifo se abre durante 7 minutos?

Act.11 Tres kilos de naranjas cuestan 3,60 €. ¿Cuánto cuestan 5 kg?

Act.12 Ayer, por tres horas de aparcamiento, pagué 2,4 €. ¿Cuánto pagaré hoy si he dejado el coche a las 9 de la mañana y lo recogeré a las 5 de la tarde?

Act.13 Un coche ha recorrido 12 km en los últimos 9 minutos. Si sigue a la misma velocidad, ¿cuántos kilómetros recorrerá en los próximos 30 minutos?

5. Problemas de proporcionalidad inversa. (8.ª sesión)
Una vez corregidas las actividades de la sesión anterior y aclaradas las posibles dudas que puedan haber surgido, en la octava sesión se estudia el planteamiento y la resolución de los problemas de proporcionalidad inversa.

Al igual que con los problemas de la proporcionalidad directa, se utilizarán los mismos métodos, siendo todos ellos mecánicos, pero con pequeñas variaciones.

El primero de ellos consiste en el método de reducción a la unidad. Tal y como su nombre indica, se reducirá a la unidad la variable cuestionada, para proceder, con posterioridad, a su uso en la resolución del problema.

Como actividad introductoria se puede proponer las siguiente

Act.5 Tres segadores cortan un campo de heno en 2 horas. ¿Cuánto tardarán en hacerlo cuatro segadores?

En primer lugar se introducirán los datos en una tabla como en los problemas de proporcionalidad directa, en nuestro caso tendríamos la siguiente tabla:

N.º de segadores	1	3	4
Tiempo (horas)		2	

a continuación, se completa la casilla inferior del 1 de la siguiente forma: el paso de 3 segadores a 1 segador se realiza dividiendo por 3, por tanto, el valor de 2 horas se multiplicará por tres, consecuencia de que el valor 3 x 2 ha de ser igual al de 2 x "el valor calculado". Por tanto, para completar la casilla inferior del 4 se procederá de la siguiente manera: el paso de 1 segador a cuatro se realiza por una multiplicación por 4, por lo que las horas, que se han calculado previamente, se dividirán por 4.

En conclusión, los alumnos aprenderán que si un valor se multiplica, la pareja del mismo se ha de dividir, y viceversa.

Un segundo método, denominado fracciones equivalentes en las tablas de valores inversamente proporcionales, viene a darnos la posibilidad de formar fracciones equivalentes en dichas tablas. Usando la actividad anterior tenemos:

N° de segadores	3	4
Tiempo (horas)	2	

cuyas fracciones equivalentes serían: $\dfrac{3}{4} = \dfrac{x}{2}$, que se sabe resolver, y que para formar las fracciones equivalentes se ha invertido el orden de los valores correspondientes a una de las magnitudes.

El tercer y último método recibe el nombre de regla de tres inversa, que si la comparamos con la regla de tres directa, solo cambia la forma de multiplicarse los valores en la tabla. Con anterioridad se realizaba en forma de productos cruzados, y ahora se realiza en línea.

$$3 \text{ segadores} \rightarrow 2 \text{ horas}$$
$$4 \text{ segadores} \rightarrow x \text{ horas}$$

Para el cálculo de la incógnita se multiplicaría 3×2 y se dividiría por 4.

Finalmente, y para consolidar los procedimientos aprendidos se realizarán las siguientes actividades:

Act.14 Para descargar un camión en una hora son necesarios cuatro operarios. ¿Cuántos operarios se necesitan para descargarlo en ½ hora? ¿Y para descargarlo en 20 minutos?

Act.15 Si cinco obreros tardan 6 horas en construir una tapia, ¿cuánto tardarán dos obreros?

Act.16 Un surtidor que tiene un caudal de 3 litros por minuto tarda 10 minutos en llenar cierto depósito.

a) ¿Cuánto tardaría en llenar el mismo depósito si el caudal fuera de 12 litros por minuto?
b) ¿Y si el caudal fuera de 2 l/min?

Act.17 Una furgoneta, que marcha a una velocidad de 100 km/h, tarda 5 horas en ir de la ciudad A a la ciudad B.

a) ¿Cuánto tardará un camión que va a una velocidad de 50 km/h?
b) ¿Cuánto tardará un coche que va a una velocidad de 120 km/h?

6. Porcentajes. (9.ª sesión)

Una vez que se han corregido las actividades de la sesión anterior y aclaradas las posibles dudas que puedan haber surgido, en la novena sesión se estudian los porcentajes.

Aunque el concepto es sencillo y su uso está muy generalizado, sobre todo en el mundo comercial, suele ser de difícil comprensión por el alumnado.

Como actividad motivadora se realizaría la siguiente:

Act.6 En un rebaño de 300 ovejas, el veinte por ciento son negras. ¿Cuántas ovejas son negras?

Para las resolución se procederá de la siguiente manera: Se repartirá a cada alumno una hoja donde aparezcan dibujadas las trescientas ovejas y separadas en grupos de cien, es decir, en la hoja aparecen tres grupos de 100 ovejas. Acto seguido se indicará que el 20% significa veinte elementos de cada cien. Por tanto el alumno coloreará, de cada grupo, veinte ovejas, para a continuación contar el número de ovejas que ha pintado.

El siguiente paso a dar, sabiendo el significado del concepto del tanto por ciento, sería el cálculo algebraico correspondiente, debiendo aprender el alumnado que para calcular un determinado tanto por ciento de una determinada cantidad, se divide la cantidad por cien y remultiplica por el tanto.

Por otro lado, se introducirá el porcentaje como una fracción, viendo que para el cálculo de un tanto por ciento de una cantidad se procederá a poner el tanto por ciento en forma de fracción, la cantidad del porcentaje dividida por cien, y esta se multiplicará por la cantidad inicial, es decir, el alumno se encontrará con la operación de una fracción por un número, operación que aprendió al trabajar con fracciones.

Para finalizar, se propondrán las siguientes actividades de consolidación:

<u>Act.18</u> Calcula los porcentajes que se dan a continuación.

a) 20 % de 100   b) 20 % de 200   c) 20 % de 50   d) 20 % de 250
e) 30 % de 500   f) 30 % de 1000   g) 50 % de 800   h) 50 % de 60

<u>Act.19</u> En una población de 2000 habitantes, el 40 % viven de la agricultura y el 30 %, de la ganadería. ¿Cuántos viven de la agricultura? ¿Cuántos viven de la ganadería?

<u>7. Problemas de porcentajes.</u> (10.ª sesión)

En esta sesión se pasarán a desarrollar las distintas situaciones problemáticas a que dan lugar los porcentajes.

En primer lugar se verá el <u>cálculo de porcentajes</u> conocidos el total y la parte. Como actividad introductoria se utilizaría la siguiente:

Act.7 Un hotel dispone de 400 camas, de las que 280 están ocupadas. ¿Cuál será el porcentaje de ocupación?

Se seguirá un primer camino por el cual las 400 camas se dividen en grupos de 100, repartiendo las ocupadas, 280, igualmente en cada grupo de cien. Se verá que el reparto será de 70 por cada grupo de 100, con lo que el porcentaje solicitado será 70 %.

Posteriormente se seguirá un segundo camino, de una manera algebraica, aplicando la regla de tres, que ha sido objeto de estudio en sesiones anteriores.

Otro tipo de problema será el <u>cálculo del total</u> conocidos el porcentaje y la parte. Como actividad motivadora se utilizará la siguiente:

Act.8 Los 12 chicos de una clase representan el 40 % del total. Entre alumnos y alumnas, ¿cuántos son en clase?

También se seguirán dos caminos, en el primero, mediante razonamiento lógico, se parte de que de cada 100 alumnos, 40 son chicos, entonces de cada 10 hay 4, pero de cada 30 son 12, siendo esta la solución, 30 alumnos.

Un segundo método será aplicando la regla de tres.

A continuación se verán los problemas de <u>aumento porcentual</u>, que se verá reflejado mediante la siguiente actividad motivadora:

Act.9 El precio de una bicicleta, que costaba 400 € el año pasado, ha subido un 20 %. ¿Cuál es el precio final?

El procedimiento de resolución pasa primero por cuánto representa el aumento porcentual, es decir, calcular el 20 % de 400, para finalizar sumando la cantidad inicial el correspondiente aumento.

Por último, se estudiará el problema de la disminución porcentual, siendo la actividad motivadora la siguiente:

Act.10 Una cadena musical costaba 800 €, pero me hacen una rebaja del 15 %. ¿Cuánto debo pagar por la cadena?

La resolución es muy similar al caso del aumento porcentual, pues primero se calcula la disminución porcentual, que en este caso pasa por calcular el 15 % de 800, para posteriormente restar este valor al inicial.

Como actividades de consolidación de estos últimos conceptos, se proponen las siguientes:

a) Cálculo de porcentajes.

Act.20 Los habitantes de cierta ciudad se distribuyen según esta tabla:

Europeos	880.000
Africanos	60.000
Americanos	50.000
Asiáticos	10.000

¿Qué porcentaje supone cada grupo, respecto del total?

Act.21 Juan cobra 26.000 € al año y paga 5.200 € de impuestos. ¿Qué porcentaje de impuestos paga?

b) Cálculo del total.

Act.22 El 27 % de un número es 621. ¿Cuál es el número?

Act.23 Un jersey, rebajado un 20 %, me ha costado 40 €. ¿Cuánto costaba antes de la rebaja?

Act.24 En una granja, el 15 % de los animales son vacas. Sabiendo que hay 30 vacas, ¿cuál es el número total de animales?

c) Aumento porcentual.

Act.25 Actualmente me dan 15 € mensuales de paga, pero he convencido a mis padres para que me suban el 15 %. ¿Cuál será mi paga a partir de ahora?

d) Disminución porcentual.

Act.26 Una cinta de música cuesta 11,35 €. ¿Cuánto pagaré si me hacen una rebaja del 40 %?

La última sesión de la unidad se dedicará a la realización de la prueba objetiva.

8. RECURSOS DIDÁCTICOS Y MATERIALES

- Pizarra y útiles para pizarra.

- Libro de texto, cuaderno de clase y fichas de ejercicios prácticos.

- Libros de consulta de la biblioteca del instituto y propios. Especialmente recomendables son:

  - *Cómo enseñar las magnitudes, la medida y la proporcionalidad.* Prada Vicente, D. de. Ed.:Ágora. Málaga.
  - *Proporcionalidad directa. La forma y el número.* Fiol, L. y Fortuna, J. M. Ed.:Síntesis. Madrid.

- Calculadora científica.

- Ordenadores del aula de informática.

- Uso del Proyecto Descartes. Aula de informática.

- Asistente matemático Derive. Aula de informática.

9. ATENCIÓN A LA DIVERSIDAD

La atención a la diversidad se justifica a través de las actividades de refuerzo y ampliación. Se utilizarán según las necesidades de los alumnos. Habrá veces en que toda la clase necesite algún apoyo para reforzar conceptos no asimilados en su totalidad. Por el contrario nos encontraremos con casos en que la mayoría de la clase profundice con las actividades de ampliación.

Lo más habitual será detectar qué necesidades tiene cada alumno para incidir con las actividades más idóneas en sus carencias o inquietudes intelectuales.

En el caso de que en el grupo haya algún alumno con necesidades educativas especiales, se realizarán adaptaciones curriculares significativas según lo establecido en la programación.

9.1. Actividades de refuerzo

Están destinadas a aquellos alumnos que precisan corregir y consolidar los contenidos de la unidad.

Los alumnos resolverán actividades relacionadas con:

- Identificar la relación de proporcionalidad entre magnitudes.
- Reconocer magnitudes directamente proporcionales.
- Identificar magnitudes inversamente proporcionales.
- Concepto de porcentaje, realizar operaciones y resolver problemas.

1) Indica si son magnitudes o no.

    a) El peso de un saco de patatas.   b) El cariño.
    c) Las dimensiones de tu pupitre.   d) La belleza.
    e) Los filtros de agua de una piscina.   f) La risa.

2) Indica si estos cocientes son fracciones o razones.

$$a) \frac{2}{5} \qquad b) \frac{0,5}{7} \qquad c) \frac{5}{10} \qquad d) \frac{3,5}{9} \qquad e) \frac{4}{8}$$

3) Indica si las siguientes magnitudes son directamente proporcionales.

    a) El peso de naranjas (en kilogramos) y su precio.
    b) La velocidad de un coche y el tiempo que emplea en recorrer una distancia.
    c) El número de operarios de una obra y el tiempo que tardan en terminarla.
    d) El número de hojas de un libro y su peso.

e) El precio de una tela y los metros que se van a comprar.

f) La edad de un alumno y su altura.

4) En una obra, dos obreros realizan una zanja de 5 m. Si mantienen el mismo ritmo de trabajo, ¿cuántos metros de zanja abrirán si se incorporan 3 obreros más?

5) Identifica si las siguientes magnitudes son o no inversamente proporcionales.

a) La velocidad de un coche y el tiempo que tarda en recorrer una distancia.

b) El número de limpiadores de un edificio y el tiempo que tardan.

c) El número de ladrillos de una pared, su altura.

d) El peso de la fruta y el dinero que cuesta.

e) La velocidad de un corredor y la distancia que recorre.

f) El número de grifos de un depósito y el tiempo que tarda en llenarse.

6) Calcula el 37,5 % de 50.

7) El número de chicos del total de alumnos de 1.º ESO es el 80 % del número de chicas, ¿cuántos chicos hay?

8) Enrique ha comprado unas zapatillas en las rebajas. Las zapatillas marcaban un precio de 60 €, pero le han realizado un descuento del 15 %. ¿Cuántos euros le han rebajado del precio inicial?

9.2. Actividades de ampliación

Apropiadas para los alumnos que pueden avanzar con rapidez y que pueden profundizar en los contenidos de la unidad mediante un trabajo más autónomo.

Los alumnos resolverán actividades relacionadas con:

- Razón y proporción.
- Magnitudes proporcionales.
- Problemas de proporcionalidad.

- Porcentajes.
- Problemas de porcentajes.

1) Si mi habitación tiene las siguientes medidas: 6 m de largo, 3 m de ancho y 2 m de alto, halla:

   a) La razón entre el largo y el ancho.
   b) La razón entre el largo y el alto.

2) Marta encesta 6 de cada 10 tiros libres. Encuentra la razón entre el número de tiros y el de aciertos. ¿Es la misma que entre el número de aciertos y el de tiros? Averigua qué relación hay entre ambas razones.

3) Averigua si los números 2 y 3 guardan proporción con 8 y 12, respectivamente.

4) De los siguientes pares de magnitudes, indica cuáles son directamente proporcionales.

   a) Longitud del lado de un cuadrado y su perímetro.
   b) Número de grifos y tiempo de llenado de un depósito.
   c) Número de ovejas y pienso que comen.
   d) Velocidad de una motocicleta y tiempo en recorrer una distancia.

5) El agua de un pozo se saca en 210 veces utilizando un cubo de 15 l de capacidad. Si empleamos un cubo de 25 l, ¿cuántas veces necesitaremos introducir el cubo en el pozo para sacar la misma cantidad de agua?

6) Un coche tarda 6 horas en recorrer un trayecto a una velocidad de 90 km/h. ¿Cuánto tardaría en recorrer ese mismo trayecto si circula a una velocidad de 60 km/h?

7) Los ingredientes necesarios para realizar un pastel son directamente proporcionales al tamaño del pastel. Para hacer un pastel para 4 personas, se precisan 2 huevos, 6 cucharadas de azúcar y un cuarto de litro de leche, entre otros ingredientes. Calcula la cantidad necesaria de estos ingredientes para hacer un pastel para 2, 6 y 8 personas.

8) Por ingresar un cheque de 644 euros me han cobrado un 2 % de comisión. ¿Qué cantidad he tenido que pagar al banco?

9) ¿Cuánto tendrá que pagar el dueño de un restaurante por la compra de 492 vasos a 3,25 € la docena, si pagando al contado le hacen un 8 % de descuento?

10) Decidimos hacer una excursión escolar. El 20 % de los alumnos de la clase quiere ir al Museo de la Ciencia, mientras que el 60 % quiere ir al Planetario, ¿cuántos alumnos han elegido otra excursión? ¿Cuántos alumnos habrá en clase?

11) Antonio se ha comprado dos camisas y ha pagado por ellas 72,50 €. Si al pagar le han hecho un 12 % de descuento, y las dos camisas tenían el mismo precio, ¿cuánto costaba cada camisa antes de la rebaja?

10. EVALUACIÓN

La evaluación de esta unidad se llevará a cabo siguiendo las directrices explicadas en la programación didáctica que la engloba.

Se realizará al comienzo de la unidad, a lo largo del proceso y a su finalización (donde se realizará una prueba escrita).

Los instrumentos que habitualmente se utilizarán para obtener información sobre el progreso de nuestros alumnos serán:
- La observación diaria.
- La revisión y corrección de las tareas realizadas por el alumno en casa.
- Seguimiento del cuaderno del alumno valorando su contenido (apuntes, actividades...), estructura, orden, limpieza y claridad.
- Intervenciones en la pizarra.
- Control de faltas y conducta.
- Realización de una prueba individual escrita al finalizar la unidad.

Para determinar las calificaciones de nuestros alumnos, se aplicarán los criterios de calificación reflejados en la programación, a saber:

a) Pruebas escritas. Supone el 60 % de la nota final.

b) Cuaderno de clase del alumno, trabajo diario e intervenciones en la pizarra. Su valoración es un 20 % de la nota final.

c) Puntualidad, comportamiento, interés y participación. A este apartado se le aplica el 20 % restante de la nota final.

Por último, hay que indicar que también se evaluará nuestra <u>práctica docente</u>, valorando, después de la experiencia, el nivel de adecuación de la unidad a los objetivos propuestos inicialmente, para proponernos posibles modificaciones.

Esta evaluación considerará los siguientes aspectos:

- Sesiones programadas y sesiones empleadas.
- Metodología aplicada.
- Adecuación de los recursos utilizados y de las actividades desarrolladas.
- Objetivos propuestos y objetivos conseguidos.
- Resultados académicos de nuestros alumnos.

11. TEMAS TRANSVERSALES Y EDUCACIÓN EN VALORES

Mediante la traducción de enunciados de problemas a razones y proporciones, y sobre todo el de porcentajes, podríamos tratar algunos temas transversales, como:

<u>Educación para la salud</u>: problemas relacionados con el peso ideal de hombres y mujeres, nos llevan a analizar la importancia que tiene llevar a cabo una alimentación correcta y adecuada y la necesidad de seguir hábitos de nutrición saludables.

<u>Educación del consumidor</u>: problemas relativos a depósitos en entidades bancarias, beneficios de empresas, facturas de compañías eléctricas, descuentos en épocas de rebajas... son ejemplos de situaciones relacionadas con la sociedad de consumo, que ponen de manifiesto la importancia que tiene llevar a cabo un consumo crítico y responsable.

<u>Valor</u>: Justicia

UNIDAD DIDÁCTICA 8: INICIACIÓN AL ÁLGEBRA

1. INTRODUCCIÓN

Esta es la única unidad didáctica que se corresponde con el bloque de Álgebra del currículo de 1.º de ESO del área de Matemáticas.

Se imparte a continuación de la unidad referida a proporcionalidad numérica, que pertenece al bloque de Números, y precede a la unidad que estudia ángulos y rectas, perteneciente esta última al bloque de Geometría.

En ella se comienza introduciendo por primera vez situaciones en las que se aplican de forma directa este tipo de expresiones, aunque el alumnado ya ha estudiado el lenguaje numérico. Este hecho va a suponer un esfuerzo significativo en el razonamiento abstracto de los alumnos, por lo que se introducirá gradualmente el uso de letras por números, y se aproximará a estos conceptos con ejemplos sencillos y correspondientes a la vida cotidiana hasta que se produzca una generalización del procedimiento.

Será preciso que el alumno realice con agilidad las operaciones aritméticas con números naturales y enteros para que les sirva de apoyo a la hora de sumar, restar, multiplicar y dividir monomios. Las operaciones con monomios se reforzarán con métodos tales como los de ensayo-error y el cálculo mental.

Finalmente, se resolverán ecuaciones de primer grado. Primero se resolverán ecuaciones sencillas por tanteo, y posteriormente, se utilizarán las reglas básicas para la resolución de ecuaciones más complejas.

2. CONOCIMIENTOS PREVIOS

Para poder desarrollar satisfactoriamente esta unidad, resulta conveniente que el alumno domine las siguientes cuestiones:

1) Saber operar con números enteros.
2) Saber manejar con soltura las propiedades de los números enteros, en especial la propiedad distributiva del producto respecto de la suma.
3) Saber sacar factor común de un conjunto de operaciones.

4) Saber operar con potencias de exponente natural, en especial el producto y el cociente de potencias de la misma base.

5) Conocer los conceptos de simplificación de fracciones y en concreto saber calcular la fracción irreducible.

3. OBJETIVOS DIDÁCTICOS

En este punto se presentan los objetivos didácticos que deberán alcanzar los alumnos al finalizar la unidad, así como su relación con los objetivos generales de etapa y de área.

Objetivos didácticos	Objetivos de etapa	Objetivos de área
1) Distinguir entre lenguaje numérico y algebraico.	b, f, g, h	2, 3
2) Obtener el valor numérico de una expresión algebraica.	b, f	2, 3, 8, 9
3) Sumar y restar monomios semejantes.	b, f	2, 3
4) Diferenciar entre igualdad numérica e igualdad algebraica.	b, f	2, 3, 7, 8, 9
5) Reconocer la diferencia entre identidades y ecuaciones.	b, f, g	2, 3, 7, 8, 9
6) Distinguir los miembros de una ecuación.	b, f	2, 7, 8, 9
7) Obtener la solución de una ecuación de primer grado con una incógnita.	b, f	2, 3, 7
8) Resolver problemas reales mediante la resolución de ecuaciones de primer grado.	b, f, g, h	7, 8, 9, 10

4. CONTENIDOS

4.1. Conceptos

1) Lenguaje numérico y algebraico.
2) Expresión algebraica. Valor numérico.
3) Monomios. Coeficiente y parte literal.
4) Monomios semejantes. Suma y resta.
5) Igualdades algebraicas: identidad y ecuación.
6) Resolución de una ecuación.

7) Ecuaciones equivalentes.
8) Método general de resolución de ecuaciones.
9) Resolución de problemas mediante ecuaciones.

4.2. Procedimientos

1) Expresión de enunciados dados en lenguaje usual en lenguaje algebraico, y viceversa.
2) Cálculo del valor numérico de una expresión algebraica.
3) Suma y resta de monomios semejantes.
4) Distinción entre ecuaciones e identidades algebraicas.
5) Comprobación de la solución de una ecuación.
6) Aplicación del método general de resolución de ecuaciones de primer grado con una incógnita.
7) Planteamiento y resolución de ecuaciones para encontrar la solución de problemas sencillos de la vida real.

4.3. Actitudes

1) Valoración del lenguaje algebraico como un lenguaje claro, conciso y útil para resolver situaciones problemáticas de la vida cotidiana.
2) Adquisición de hábitos de trabajo adecuados (orden, claridad, precisión, limpieza) en la realización de actividades algebraicas.
3) Respeto y valoración de las soluciones aportadas por los demás.

5. CRITERIOS DE EVALUACIÓN

1) Distinguir entre lenguaje numérico y algebraico, y pasar de uno al otro.
2) Obtener el valor numérico de una expresión algebraica.
3) Suma y resta de monomios semejantes.
4) Diferenciar entre identidades y ecuaciones.
5) Distinguir los miembros y los términos de una ecuación.
6) Aplicar el método general de resolución de una ecuación de primer grado con una incógnita.
7) Resolver problemas reales mediante ecuaciones de primer grado.

6. SECUENCIACIÓN Y DISTRIBUCIÓN TEMPORAL

La secuenciación de los conceptos en esta unidad se ha hecho en relación con su grado de dificultad de forma que el alumno conocerá en primer lugar los conceptos más elementales, para pasar posteriormente a otros que se basen en los anteriores, y así sucesivamente. Además, estos se van introduciendo siguiendo un orden lógico y natural.

Creo que es conveniente dedicarle a esta unidad didáctica un total de 10 sesiones, que se impartirán a lo largo del segundo trimestre.

Estas sesiones se desarrollarán en función del nivel de conocimientos de que parten los alumnos y del trabajo que realicen por ellos mismos.

7. METODOLOGÍA Y SECUENCIA DE ACTIVIDADES

7.1. Consideraciones generales

Al inicio de la unidad se realizará una prueba para evaluar el nivel de conocimientos previos. Al final de la misma se dedicará una sesión para la realización de una prueba objetiva sobre la unidad con objeto de comprobar si se han alcanzado los objetivos.

El desarrollo de la unidad se llevará a cabo en el aula, dejando abierta la posibilidad, si las circunstancias lo permitieran, de impartir una sesión en el aula de informática, para que los alumnos conozcan y se introduzcan en el manejo del asistente matemático Derive.

Todas las sesiones, excepto la primera dedicada a evaluar los conocimientos previos de los alumnos, se iniciarán con la corrección de las actividades que se hayan realizado en casa o en clase la sesión anterior. Con esto, se aclaran las dudas y se sigue el avance o estancamiento del alumnado. En función de lo que se observe en la corrección se tomarán las medidas pertinentes. A continuación, en un segundo tercio de la sesión, se introducirán nuevos conceptos con la explicación correspondiente. Por último, en el tercer tercio de la clase se plantearán nuevas actividades con objeto de aclarar posibles dudas y cimentar lo explicado. De esta forma las clases tendrán una estructura fija que el alumno conocerá desde el principio.

7.2. Desarrollo de la unidad

Con objeto de evaluar el nivel de conocimientos previos, en la 1.ª mitad de la sesión inicial de la unidad, se propondrán actividades de motivación que plantearán nuevos problemas y al mismo tiempo pondrán de manifiesto la necesidad de adquirir nuevos conocimientos para resolverlos. Estas actividades iniciales serán de los tipos siguientes:

a) Diferenciar entre lenguaje numérico y algebraico.

b) Obtener el valor numérico de una expresión algebraica.

c) Identificar monomios.

d) Realizar operaciones sencillas con monomios.

El resultado de esta prueba nos dará el nivel inicial de conocimientos del alumnado.

1. Lenguaje algebraico. (2.ª sesión)

En esta sesión se introducirán las nociones de lenguaje numérico y lenguaje algebraico. Tal introducción se realizará a partir de las siguientes actividades motivadoras:

Act.1 Expresa en lenguaje numérico:

   a) La suma de cuatro más tres es siete.
   b) Diez menos ocho es igual a dos.
   c) El cuadrado de tres es nueve.
   d) El triple de cinco es quince.
   e) La mitad de dieciocho es nueve.

Act.2 Expresa en lenguaje algebraico:

   a) La suma de dos números.
   b) Un número aumentado en tres unidades.
   c) El cuadrado de un número.
   d) El triple de un número.
   e) La mitad de un número.

Con ello se pretende que el alumnado vea la necesidad de utilizar letras cuando algún elemento sea desconocido.

A continuación se mostrarán en la pizarra más ejemplos para que sirvan de consolidación en esta primera toma de contacto con el álgebra.

Finalizadas y entendidas las anteriores actividades se define formalmente el lenguaje numérico como el lenguaje que expresa la información matemática solo mediante números, mientras que el lenguaje algebraico expresa esa información matemática con números y letras.

Por último, se propondrán las siguientes actividades de consolidación:

<u>Act.1</u> Expresa en lenguaje numérico.

a) El doble de cinco.
b) La mitad de ocho más tres.
c) La tercera parte de ochenta y siete.

<u>Act.2</u> Expresa en lenguaje algebraico.

a) El doble de un número.
b La tercera parte de un número.
c) El triple de un número menos su cuadrado.

<u>Act.3</u> Utiliza una expresión algebraica para expresar el perímetro y el área de un rectángulo cuyo largo mide *2a* y el ancho vale *a*.

<u>Act.4</u> En un corral hay *x* gallinas. ¿Cuántas patas suman en total?

<u>Act.5</u> En un establo hay *n* vacas. ¿Cuántas patas tienen en total?

<u>2. Expresiones algebraicas.</u> (3.ª sesión)

Corregidas las actividades de la sesión anterior y aclaradas las dudas, se introduce el concepto de expresión algebraica, teniendo en cuenta que está formado por un conjunto de números y letras que se combinan con los signos de las operaciones matemáticas.

Como actividad introductoria de motivación puede servir la siguiente:

Act.3 Traduce estos enunciados a expresiones algebraicas:

a) El triple de la suma de dos números.
b) La suma de dos números consecutivos.
c) El opuesto de un número.

Pretendiendo que el alumno vea la necesidad de utilizar distintas letras para traducir enunciados.

Se continuará con una exposición de otras diversas situaciones en donde la traducción de enunciados se convierta en una expresión algebraica.

Seguidamente, se dará una definición más formal, remarcando en todo momento que las expresiones algebraicas surgen al traducir al lenguaje matemático situaciones o enunciados en los que aparecen datos desconocidos o indeterminados y que se representan por medio de letras.

El siguiente concepto que se introducirá corresponde con el valor numérico de una expresión algebraica. Han de ver los alumnos que para una determinada expresión algebraica el valor numérico varía en función de los valores que tomen las letras.

Como actividad motivadora se puede utilizar la siguiente:

Act.4 Calcula el valor numérico que toma la expresión algebraica $2 \cdot x + 3$, para los distintos valores que se indican:

a) $x = 0$ b) $x = -1$ c) $x = 2$ d) $x = 3$ e) $x = -4$

Con ella se pretende que el alumno se dé cuenta de que para distintos valores de las letras se obtienen diferentes valores numéricos.

Seguidamente, se mostrarán más expresiones algebraicas para diferentes valores de las letras. Se incluirán expresiones con dos o tres letras.

A continuación, se proponen las siguientes actividades sobre los distintos conceptos:

169

Act.6 Calcula el valor numérico que toma cada expresión algebraica para los diferentes valores que se indican:

a) $\dfrac{3}{4}x$ *para* $x = 8$

b) $2x + 3y$ *para* $x = 5,\ y = -4$

c) $a + a^2 + a^3$ *para* $a = 2$

d) $3ab - \dfrac{1}{3}a^2$ *para* $a = -3,\ b = 2$

3. Monomios. (4.ª sesión)

En esta cuarta sesión se introducirán las expresiones algebraicas más sencillas, los monomios, que están formados por productos de letras y números.

Para ello se realizará una actividad de motivación como la siguiente:

Act.5 De las siguientes expresiones algebraicas, indica cuáles son monomios:

a) $3x + 5y$ b) $2x - 4$ c) $2x^3$ d) $-3x^2 y$ e) $-\dfrac{5}{7}xy$

Se pretende que los alumnos sean capaces de diferenciar un monomio de cualquier otra expresión algebraica.

Se continuará con la descripción de los elementos de un monomio, es decir, se definirá el concepto de coeficiente, parte literal y grado de un monomio. Se hará uso de los monomios que aparecen en la actividad 5 para indicar cada uno de su elementos.

A continuación, se definirá el concepto de monomio semejante, colocando suficientes ejemplos para que los alumnos comprendan que se obtienen al variar el coeficiente, permaneciendo invariante la parte literal.

Una vez que se ha entendido el concepto de monomio semejante, todo alumno y alumna está en disposición de afrontar la suma o resta de varios monomios. Se expondrán, en primer lugar, varias sumas o diferencias de monomios semejantes, los cuales se colocarán uno debajo de otro, como en sumas y restas de números enteros, para aprender que la operación solo afecta a los coeficientes de los distintos monomios. Finalmente, se mostrará la operación con monomios no semejantes, donde los alumnos apreciarán que la operación no se puede realizar y se han de colocar como resultado los distintos monomios afectados de los signos correspondientes.

Para finalizar se propondrán las siguientes actividades de consolidación:

a) Monomios.

Act.7 Indica en los siguientes monomios, mediante una tabla, el coeficiente, la parte literal y su grado.

a) $2x^3$ b) $-3x^2y$ c) $6ac^3$ d) $-\dfrac{5}{7}xy$

b) Suma y resta de monomios.

Act.8 Calcula:

a) $x+3x$ b) $8ab-7ab$ c) $2x^2-x^2$ d) xy^2+3x^2y

Act.9 Efectúa.

a) $x+x+x$ b) $5a-4a+10a-a$

c) $6a^2b^3+9a^2b^3-a^2b^3$ d) $-2x^2+x^2+x^2$

4. Ecuaciones. (5.ª sesión)

Una vez corregidas las actividades de la sesión anterior, en la quinta sesión se estudia la igualdad algebraica, la identidad y la ecuación.

En primer lugar se verán las igualdades, empezando por las igualdades numéricas, que resultan ser las más sencillas y fáciles de entender por parte de los alumnos y las alumnas, para continuar con las igualdades algebraicas, que ya no resultarán tan abstractas de comprender al ser comparadas con las anteriores.

Como actividad motivadora se puede utilizar la siguiente:

Act.6 Identifica las siguientes igualdades.

a) $3 + 4 = 2 + 5$ b) $10 - 4 \neq 3 \cdot 3$ c) $3x + x = 4x$

Se pretende con esta actividad que el alumno y la alumna sean capaces de distinguir entre igualdad, numérica o algebraica, y no igualdad.

Se expondrán más ejemplos en la pizarra para que no quede duda alguna, y se acabará dando una definición más precisa tanto de igualdad numérica, que es en la que solo intervienen números, como de la algebraica, donde intervienen tanto números como letras.

En segundo lugar se verán las nociones de identidad y ecuación, donde los alumnos han de tener bien clara cuál es su diferencia:

a) Una identidad es una igualdad algebraica que es cierta para cualquier valor de las letras.

b) Una ecuación es una igualdad algebraica que solo es cierta para algunos valores de las letras.

Como actividad motivadora se pude utilizar la siguiente:

Act.7 Di si estas expresiones son igualdades o ecuaciones:

a) $3x + x = 4x$ b) $10 + x = 16$

Pretendiendo que el alumnado sea capaz de diferenciar las ecuaciones de las expresiones que no sean ecuaciones, que es el fin principal de esta unidad.

Acto seguido se potenciarán estos conceptos con la realización de más ejercicios en la pizarra realizados por el alumnado, ayudados en todo momento por el profesor.

Para finalizar la sesión se propondrán las actividades siguientes que servirán para consolidar los conceptos estudiados:

c) Igualdad algebraica.

Act.10 Di si es identidad o ecuación.

a) $x + 3 = 9$ b) $x \cdot x = x^2$ c) $x + 5 = 2x$ d) $2x - x = x$

d) Identidad y ecuación.

Act.11 Comprueba si el valor $x = -1$ verifica la ecuación $3 - x = -24$.

Act.12 En las igualdades algebraicas:

a) $(a + b) \cdot (a - b) = a^2 - b^2$ b) $(a + b) \cdot (a - b) = a^2 + b^2$

sustituye a y b por dos números enteros.
¿Se cumplen siempre las igualdades? ¿Son identidades o ecuaciones?

5. Elementos de una ecuación. (1.ª mitad de la 6.ª sesión)

Una vez que los alumnos ya dominan los conceptos y procedimientos tratados en las sesiones anteriores, en esta primera mitad de la sexta sesión se introducirán los elementos de una ecuación.

Los conceptos que se mostrarán a los alumnos serán los siguientes:

- **Miembros** de una ecuación: cada una de las expresiones algebraicas que hay a cada lado de la igualdad.

- **Términos** de una ecuación: corresponde con los sumandos que forman los miembros.

- **Incógnitas** de una ecuación son las letras que aparecen en los términos, cuyos valores son desconocidos.

- **Grado** de una ecuación es el término de mayor grado.

- **Solución** de una ecuación son los distintos valores numéricos de las incógnitas que hacen cierta la igualdad.

Como actividad introductoria se puede utilizar la siguiente, donde se resolverá elaborando una tabla con los elementos que nos solicitan:

Act.8 Indica cuáles son los miembros, términos, grado e incógnitas:

a) $6x + 5 = 23$ b) $2ab - a = 2a + 1$

Cuyo fin es conseguir que todo el alumnado sea capaz de distinguir cada una de las partes de que consta una ecuación, que será necesario para su uso posterior en la resolución de ecuaciones.

<u>6. Ecuaciones equivalentes.</u> (2.ª mitad de la 6.ª sesión)

En esta segunda mitad de la sexta sesión y hasta final de la unidad se trabajará con las ecuaciones de primer grado con una incógnita, y será el momento de introducir el concepto de ecuación equivalente.

Como actividad motivadora se puede utilizar la siguiente:

Act.9 En un plato de una balanza colocamos tres pesas iguales, y en el otro plato de la balanza colocamos doce dátiles y una pesa como la del otro platillo, para mantener el equilibrio en la balanza. Por otro lado, en otra balanza igual, colocamos en un platillo dos pesas iguales, mientras que en el otro platillo, para que se mantenga el equilibrio, colocamos solo doce dátiles.

Con esta actividad se pretende que el alumno vea cómo se pueden calcular ecuaciones equivalentes, ya que estas serán el punto de partida a la hora de la resolución de ecuaciones, pues, en su definición matemática, nos indica que son ecuaciones que tienen la misma solución.

Seguidamente se definirá el significado de resolver una ecuación, siendo este los valores que deben tomar las incógnitas para que la igualdad se cumpla.

Como actividad motivadora se propondrá la siguiente:

Act.10 Con los conocimientos que se saben, calcula las siguientes ecuaciones:

a) $x + 5 = 8$ b) $x - 6 = 5$ c) $4x = 80$

d) $\dfrac{x}{4} = 5$ e) $x^2 = 16$ f) $x^2 - 1 = 15$

g) $x^2 + 3 = 19$ h) $\sqrt{x} = 3$

El propósito de esta actividad es, de una manera intuitiva, el cálculo de la incógnita x, para que se cumpla la igualdad, siendo un paso previo a los métodos de resolución de ecuaciones de primer grado con una incógnita.

Se continuará con la transposición de términos, siendo un primer método para resolución de ecuaciones, y dando a los alumnos las siguientes pautas para obtener ecuaciones equivalentes:

a) Si a los dos miembros de una ecuación se les suma o se les resta un mismo número o expresión algebraica, se obtiene otra ecuación equivalente.

b) Si los dos miembros de una ecuación se multiplican o dividen por un mismo número distinto de cero, se obtiene otra ecuación equivalente.

Como actividad de introducción y motivación pude servirnos la siguiente:

Act.11   a) La ecuación $x + 5 = 12$ tiene como única solución $x = 7$.

b) La ecuación $2x = 12$ tiene como única solución $x = 6$.

Con esta actividad se pretende que los alumnos y las alumnas apliquen el método antes citado y vean con claridad y maestría qué números son los que han de utilizar para sumar, restar, multiplicar o dividir para calcular la ecuación equivalente que represente la solución de la ecuación.

Acto seguido se mostrarán en la pizarra más ecuaciones con este grado de dificultad para que el alumno, con la guía del profesor, intente su resolución.

Para finalizar la sesión se propondrán las siguientes actividades de consolidación de los conceptos estudiados:

e) Elementos de una ecuación.

Act.13 Indica, en las siguientes ecuaciones, sus miembros, términos, grado e incógnitas.

a) $x + 5 = 8$

b) $2xy - 3 = x + 1$

c) $x^2 - 4 = -x^3 + 6$

d) $5ab - 10 = 0$

e) $4a^2b + 4 = 2a^2 - 8$

f) $-4 + 2xyz = -3z + 1$

f) Ecuaciones equivalentes. Transposición de términos.

Act.14 Transpón términos y halla el valor de la incógnita.

a) $x + 7 = 12$

b) $x - 3 = 11$

c) $\dfrac{x}{4} = 6$

d) $3x = 24$

Act.15 Halla el valor de la incógnita.

a) $10 = x - 3$

b) $35 = 5x$

Act.16 Escribe una ecuación equivalente a $x + 2 = 3$.

7. Resolución de ecuaciones de primer grado. (sesiones 7.ª y 8.ª)

Corregidas las actividades propuestas en la sesión anterior y aclaradas las dudas, se introducen, en estas dos sesiones, los distintos métodos de resolución de ecuaciones de primer grado con una incógnita, según el grado de dificultad de la ecuación.

La noción básica que ha de conocer cualquier alumno o alumna a la hora de enfrentarse a la resolución de una ecuación es la siguiente:

- Se agrupan en un miembro todos los términos con la incógnita, y los números en el otro.

Se ha de tener en cuenta que:

- Si un término está sumando en un miembro, pasa restando al otro. Y si está restando, pasa sumando.

- Si un término está multiplicando en un miembro, pasa dividiendo al otro. Y si está dividiendo, pasa multiplicando.

Estas últimas reglas son muy básicas y su deducción es muy simple, pues fácilmente se comprueba que se obtienen del concepto de transposición de términos que se estudió en la sesión anterior.

Como actividad introductoria nos puede servir la siguiente:

Act.12 Resuelve las siguientes ecuaciones:

$$a) \, x + 2 = 4 \qquad\qquad b) \, 3x - 1 = x + 3$$

Con esta actividad se pretende que los alumnos y las alumnas, que ya conocen el método utilizado en la sesión anterior, asimilen en la práctica las reglas que se han dictado al comienzo de esta sesión.

A continuación se mostrarán más ecuaciones en la pizarra con un grado de similar dificultad, incitando a que el alumno participe activamente en su resolución, y siempre guiado por el profesor.

El siguiente paso en dificultad en resolución de ecuaciones que nos vamos a encontrar es la aparición de paréntesis en uno o en los dos miembros de la ecuación. En estos casos los pasos que se les indicarán al alumnado para la resolución de la ecuación serán los siguientes:

1.º Eliminación de los paréntesis.

2.º Reducir los términos semejantes, si los hubiera.

3.º Agrupar los términos con la incógnita en un miembro y los términos numéricos en el otro.

4.º Despejar la incógnita y hallar su valor numérico.

Como actividad motivadora que introduzca estos conceptos puede servirnos la siguiente:

Act.13 Resuelve estas ecuaciones:

$$\text{a) } 4\,(x-3) + 40 = 64 - 3\,(x-2) \qquad\qquad \text{b) } x - 2\,(x-1) = 3$$

Con esta actividad se pretende que el alumno comprenda que la operativa de eliminación de paréntesis es idéntica a la que aprendió cuando se trabajaba con los números enteros.

Seguidamente se animará a cada uno de los alumnos a que participen en la resolución de los distintos ejercicios que el profesor irá colocando en la pizarra, a fin de que el procedimiento resolutivo sea completamente entendido.

El último grado de dificultad que se encontrarán los alumnos en esta unidad corresponderá con la incorporación de denominadores en las ecuaciones. Para su resolución se marcarán los siguientes pasos a seguir:

1.º Se eliminarán los denominadores: multiplicando los dos miembros de la ecuación por el m.c.m. de los denominadores.

2.º Se eliminarán los paréntesis.

3.º Se reducirán los términos semejantes, si los hubiere.

4.º Se agruparán los términos con la incógnita en un miembro y los términos numéricos en el otro.

5.º Se despeja la incógnita y se halla el valor numérico.

Una vez establecidos los pasos a seguir se propondrá una actividad introductoria como puede ser la siguiente:

Act 14 Resuelve la ecuación: $\dfrac{x-3}{4} - \dfrac{x-5}{6} = \dfrac{2x-13}{9}$

Con esta actividad se quiere reflejar que la primera operación que se ha de realizar es semejante a la operación que se realizaba en sumas o diferencias de fracciones, el cálculo del mínimo común múltiplo. Seguidamente se eliminarían los denominadores y se convertiría en una ecuación con paréntesis, las cuales son conocidas por todos los alumnos y ya conocen cómo se ha de resolver.

Seguidamente se plantearían diversas ecuaciones con denominadores y se animaría a que todo alumno participe en su resolución, estando siempre guiados por el profesor.

Para finalizar se propondrían las siguientes actividades de consolidación de los conceptos estudiados:

g) Ecuaciones de primer grado.

Act.17 Resuelve estas ecuaciones.

a) $x + 4 = 15$ b) $x - 8 = 9$ c) $2x + 3 = 7$

d) $5x - 3 = 17$ e) $8x + 3 = 11$ f) $2x - 5 = x + 1$

g) $3x - 4 = 2x + 2$ h) $5x = x + 4$

Act.18 Halla la solución de las ecuaciones.

a) $-2x + 4 = x + 1$ b) $x - 8 = 2x - 6$ c) $8x - 2 = 10x$

d) $2x - 1 = x - 1$

Act.19 Resuelve.

a) $\dfrac{x}{2} = 4$ b) $\dfrac{x}{3} - 1 = -2$ c) $\dfrac{x}{5} - 2 = x - 10$

d) $6 - \dfrac{x}{2} = 4$ e) $10 - \dfrac{x}{3} = 14 - x$ f) $\dfrac{x}{4} + 3x = 2x - 5$

h) Ecuaciones con paréntesis.

Act.20 Halla la solución de las ecuaciones.

a) $2(x–5) = 3(x + 1) - 3$ b) $2(x - 3) = 4x + 14$

c) $5(x + 3) = 4(x - 2)$ d) $x + 4 = 3(x + 12)$

e) $5(x - 2) = 3(x - 1) + 1$ f) $5(x - 1) - 6x = 3x - 9$

g) $2(x - 1) + (x + 3) = 5(x + 1)$ h) $3(x + 1) - 4(x - 1) + 1 = 0$

i) Ecuaciones con denominadores.

<u>Act.21</u> Resuelve las siguientes ecuaciones.

a) $\dfrac{2x+7}{3} = 9$

b) $\dfrac{x-5}{3} = \dfrac{2x-6}{2}$

c) $\dfrac{x-1}{2} = \dfrac{x-2}{3} + \dfrac{x-3}{4}$

d) $\dfrac{6-x}{4} - \dfrac{4-x}{2} = \dfrac{x+6}{12}$

<u>Act.22</u> Halla la solución de las ecuaciones.

a) $-\dfrac{x}{3} + 5 = \dfrac{2x}{4} - 5$

b) $\dfrac{x}{2} + \dfrac{x}{3} + \dfrac{x}{4} = 30 - \dfrac{x}{6}$

<u>8. Resolución de problemas.</u> (9.ª sesión)

Corregidas las actividades de la sesión anterior y aclaradas las dudas, se pasará a la resolución de problemas.

Para la resolución de problemas se seguirán los siguientes pasos:

1.º Se leerá atentamente el enunciado y se identificará la incógnita.

2.º Se planteará la ecuación.

3.º Se resolverá la ecuación.

4.º Se interpretará la solución y se comprobará que es válida.

Para que el alumno se enfrente a actividades de resolución de problemas, que siempre producen una menor disposición a no realizarlos, se propone la siguiente actividad motivadora:

Act.15 Un cuaderno cuesta 1,20 € más que un bolígrafo. Jorge ha comprado 3 bolígrafos y dos cuadernos por 6,40 €. ¿Cuánto vale un bolígrafo?

Con esta actividad se pretende, en primer lugar, que ese primer rechazo hacia los problemas se minimice, y que posteriormente mediante la lectura del problema se recojan los distintos datos para realizar el planteamiento, que es la parte de mayor dificultad que se les presenta a los alumnos, y continuar con el resto de los pasos que se han marcado con anterioridad. Esto último no suele presentar mayor dificultad.

Acto seguido se plantearán otros problemas de igual dificultad para su realización en la pizarra, solicitando la colaboración de los alumnos y siendo orientados en todo momento por el profesor.

Para finalizar, se propondrán las siguientes actividades de consolidación:

Act.23 Una caja de manzanas pesa 3 kg más que una caja de naranjas. Pesamos 2 cajas de manzanas y 4 de naranjas, y la báscula marca 42 kg. ¿Cuánto pesa la caja de naranjas?

Act.24 Un número y su anterior suman 63. ¿De qué número se trata?

Act.25 ¿Cuántas gallinas hay en un gallinero sabiendo que entre picos, patas y crestas hay 144?

Act.26 La valla que rodea una parcela rectangular mide 80 m. La parcela mide 10 m más de largo que de ancho. ¿Cuáles son sus medidas?

La última sesión de la unidad se dedicará a la realización de la prueba objetiva.

8. RECURSOS DIDÁCTICOS Y MATERIALES

- Pizarra y útiles para pizarra.

- Libro de texto, cuaderno de clase y fichas de ejercicios prácticos.

- Libros de consulta de la biblioteca del instituto y propios. Especialmente recomendables son:

  - *Ideas y actividades para enseñar álgebra.* Grupo Azarquiel, colección Matemáticas: Cultura y Aprendizaje, n.º 33. Ed. Síntesis, Madrid.

- *Pasatiempos y juegos en la clase de Matemáticas*. García Azcárate, A. Colección Cuadernos del ICE, n.º 20. UAM ediciones.

- Calculadora científica.

- Ordenadores del aula de informática.

- Asistente matemático Derive. Aula de informática.

9. ATENCIÓN A LA DIVERSIDAD

La atención a la diversidad se justifica a través de las actividades de refuerzo y ampliación. Se utilizarán según las necesidades de los alumnos. Habrá veces en que toda la clase necesite algún apoyo para reforzar conceptos no asimilados en su totalidad. Por el contrario nos encontraremos con casos en que la mayoría de la clase profundice con las actividades de ampliación. Lo más habitual será detectar qué necesidades tiene cada alumno para incidir con las actividades más idóneas en sus carencias o inquietudes intelectuales.

En el caso de que en el grupo haya algún alumno con necesidades educativas especiales, se realizarán adaptaciones curriculares significativas según lo establecido en la programación.

9.1. Actividades de refuerzo

Están destinadas a aquellos alumnos que precisan corregir y consolidar los contenidos de la unidad.

Los alumnos resolverán actividades relacionadas con:

- Diferenciar entre lenguaje numérico y algebraico.
- Obtener el valor numérico de una expresión algebraica.
- Identificar monomios. Realizar operaciones con monomios.
- Comprender el significado de igualdad, identidad y ecuación.
- Resolver ecuaciones sencillas de primer grado.

1) Completa la siguiente tabla.

LENGUAJE USUAL	LENGUAJE ALGEBRAICO
El doble de un número	
Un número disminuido en 3 unidades	
La mitad de un número	
El cuadrado de un número	
El triple de un número	
Un número aumentado en 5 unidades	

2) Utiliza expresiones algebraicas para expresar las siguientes informaciones.

EXPRESIÓN ESCRITA	EXPRESIÓN ALGEBRAICA
El doble de la suma de dos números	$2 \cdot (x + y)$
El área de un cuadrado de lado 2	
El cuadrado de un número más 4 unidades	
El perímetro de un campo de baloncesto (largo b y ancho a)	
El producto de tres números cualquiera	
La mitad de un número	
El doble de un número más 3 unidades	

3) Halla el valor numérico de la expresión $3 \cdot x - 5$ cuando x toma los valores:

    a) $x = 0$ b) $x = 2$ c) $x = 1$ d) $x = -2$

    e) $x = -1$ f) $x = -3$

4) Completa las siguiente tabla

MONOMIO	COEFICIENTE	PARTE LITERAL
$-5ab$		
x^3		
$4xyz$		
$-3ab^2c$		

5) Completa la siguiente tabla:

POLINOMIO	TÉRMINOS	T. INDEPENDIENTE	GRADO POLINOMIO
$-2x^2 + 3x - 1$			
$4ab - 2a^2b$			
$6x^3 - 5x^2 + 2x - 4$			
$7xy + 2y$			

6) Reduce las siguientes expresiones:

a) $x^2 + 4x + 5 x^2 + x$ b) $6x^2 - 7x + 2x^2 - x$

c) $3x^3 - 2x + 5x^2 - x^3 + 4x^2$ d) $7ab + 5ab - ab + 6$

e) $3xy - xy + 2xy + 5x - 2y + y + x$ f) $2a - 5a + 4a - a + 10a - 6a$

7) Realiza las siguientes operaciones:

a) $2x \cdot 3x \cdot 4x$ b) $(-4x) \cdot (3x^2)$ c) $2 \cdot (x - 2)$

d) $-4 \cdot (x^2 - x) - 2x$

8) Indica si las siguientes igualdades son verdaderas o falsas. Razona.

a) $(3 \cdot 7) + 21 = 15 + 10$ b) $22 - 10 = 8 \cdot 2$

c) $(6 \cdot 4) - 5 = (7 \cdot 2) + 7$ d) $25 : 2 = (10 \cdot 5) - (9 \cdot 5)$

9) Completa la siguiente tabla:

ECUACIÓN	1.er Miembro	2.º Miembro	Términos	Incógnita	Grado
$7 + x = 20$					
$18 = 2x$					
$5x = 12 + x$					
$14 - 3x = 8 + x$					

10) Resuelve las siguientes ecuaciones:

a) $x + 10 = 16$ b) $12 = 6 + x$ c) $x - 7 = 3$

d) $4x - 7 = 3 - x$ e) $3x + 2 + x = 8 + 2x$ f) $x + 8 = 3x - 6$

g) $5x - 3x = 20 + x$

9.2. Actividades de ampliación

Apropiadas para los alumnos que pueden avanzar con rapidez y que pueden profundizar en los contenidos de la unidad mediante un trabajo más autónomo.

Los alumnos resolverán actividades relacionadas con:

- Lenguaje algebraico.
- Expresiones algebraicas.
- Monomios.
- Ecuaciones.
- Resolución de ecuaciones.
- Problemas con ecuaciones.

1) Escribe en lenguaje algebraico las siguientes expresiones:

    a) El cuadrado de un número.
    b) Un número menos tres.
    c) El doble de un número más tres.
    d) La mitad de un número menos cinco.
    e) El triple de un número más el doble del mismo número.
    f) La cuarta parte de la suma de un número menos tres.
    g) La quinta parte de un número menos el triple de dicho número.
    h) La suma de dos números cualesquiera.
    i) El triple de la suma de dos números cualesquiera.
    j) La sexta parte de un número más seis.

2) Halla el valor de las expresiones cuando toman el valor indicado:

Valor de x	$3x - 4$	$x^2 + 1$
$x = 1$		
$x = 2$		
$x = -1$		
$x = 0$		
$x = -2$		
$x = -4$		
$x = 7$		
$x = -5$		

3) Efectúa estas sumas y restas de monomios:

a) $2x + 3x$ b) $-4ab + 2ab$ c) $17x^2 - 4x^2$

d) $4a^2b + 6a^2b$ e) $-5x^2y^2z - (-x^2y^2z)$ f) $7a + 5a + 3a$

g) $5x^4 - 2x^2 - 3x^2$ h) $2xy + 4xy - 8xy$ i) $2xy - 2x + 2y$

4) Comprueba si las siguientes igualdades son ciertas para los valores de la variable que se indican:

a) $4x - 7 = 2$, para $x = 3$ b) $3 (x - 2) = 6$, para $x = 4$

c) $\dfrac{x}{3} + 5 = 8$, para $x = 8$ d) $\dfrac{x + 8}{3} + 2(x - 1) = 3$, para $x = 1$

5) Halla la solución de las ecuaciones:

a) $5(x - 8) = 3(x - 6)$ b) $3(x - 3) - 4(x - 5) = 6$

c) $\dfrac{x}{3} + 2x = 1 + 2x$ d) $\dfrac{4x + 4}{3} = \dfrac{x + 6}{2}$

e) $3(x - 2) - \dfrac{2x}{2} = 4(x + 3)$

f) $\dfrac{2(x + 1)}{2} + \dfrac{3(x - 1)}{3} + \dfrac{8(x + 2)}{4} = 5x - 1$

6) Si el doble de un número menos cinco es igual a once, escribe la ecuación y resuélvela.

7) Si al triple de un número le restamos dicho número, el resultado es diez. Di cuál es el número.

8) Ana dice: La mitad de mis años, más la tercera parte, más la cuarta parte, más la sexta parte de mis años, suman los años que tengo más 6. ¿Cuántos años tiene Ana?

9) Las gallinas y conejos de una granja suman en total 30 cabezas y 90 patas. ¿Cuántas gallinas y conejos hay?

10) En un colegio hay dos grupos de 1.º ESO con 24 alumnos cada uno.

   a) Si las chicas de 1.º A son el doble que los chicos, ¿cuántas chicas hay en clase?
   b) Si el número de chicas de 1.º B supera en cuatro al número de chicos, ¿cuántos chicos hay?

10. EVALUACIÓN

La evaluación de esta unidad se llevará a cabo siguiendo las directrices explicadas en la programación didáctica que la engloba.

Se realizará al comienzo de la unidad, a lo largo del proceso y a su finalización (donde se realizará una prueba escrita).

Los instrumentos que habitualmente se utilizarán para obtener información sobre el progreso de nuestros alumnos serán:

- La observación diaria.
- La revisión y corrección de las tareas realizadas por el alumno en casa.
- Seguimiento del cuaderno del alumno valorando su contenido (apuntes, actividades...),estructura, orden, limpieza y claridad.
- Intervenciones en la pizarra.
- Control de faltas y conducta.
- Realización de una prueba individual escrita al finalizar la unidad.

Para determinar las calificaciones de nuestros alumnos, se aplicarán los criterios de calificación reflejados en la programación, a saber:

a) Pruebas escritas. Supone el 60 % de la nota final.
b) Cuaderno de clase del alumno, trabajo diario e intervenciones en la pizarra. Su valoración es un 20 % de la nota final.
c) Puntualidad, comportamiento, interés y participación. A este apartado se le aplica el 20 % restante de la nota final.

Por último indicar que también se evaluará nuestra <u>práctica docente</u>, valorando, después de la experiencia, el nivel de adecuación de la unidad a los objetivos propuestos inicialmente, para proponernos posibles modificaciones.

Esta evaluación considerará los siguientes aspectos:

- Sesiones programadas y sesiones empleadas.
- Metodología aplicada.
- Adecuación de los recursos utilizados y de las actividades desarrolladas.
- Objetivos propuestos y objetivos conseguidos.
- Resultados académicos de nuestros alumnos.

11. TEMAS TRANSVERSALES Y EDUCACIÓN EN VALORES

Mediante la traducción de enunciados de problemas a algunos tipos de polinomios o expresiones algebraicas, podríamos tratar algunos temas transversales, como:

<u>Educación para la salud</u>: problemas relacionados con el peso ideal de hombres y mujeres, tablas de alimentos para el desayuno, la comida y la cena, nos llevan a analizar la importancia que tiene llevar a cabo una alimentación correcta y adecuada y la necesidad de seguir hábitos de nutrición saludables.

<u>Educación del consumidor</u>: problemas relativos a la compra semanal de una familia, depósitos en entidades bancarias, facturas de compañías eléctricas o telefónicas... son ejemplos de situaciones relacionadas con la sociedad de consumo, que ponen de manifiesto la importancia que tiene llevar a cabo un consumo crítico y responsable.

<u>Valor</u>: Justicia.

UNIDAD DIDÁCTICA 9: ÁNGULOS Y RECTAS

1. INTRODUCCIÓN

Esta unidad didáctica corresponde al bloque de Geometría del currículo de 1.º de ESO del área de Matemáticas.

Se imparte a continuación de la unidad referida a iniciación al álgebra, que es la primera, de otras cuatro más de este bloque, y precede a la unidad que estudia los triángulos, perteneciente esta última al bloque de Geometría.

En ella se comienza introduciendo, de una forma práctica, los ángulos y rectas que se encuentran a nuestro alrededor y que influyen en nuestros movimientos, como son las calles, las avenidas, los planos, etc.

Se continuará con el conocimiento de los instrumentos de trazado y medida lineal, la abertura y los tipos de ángulos que existen, para poder permitir a los alumnos trasladar dichos conceptos y sus aplicaciones tanto al ámbito profesional como al personal.

Será fundamental que los alumnos aprendan a manejar con soltura los diferentes instrumentos de medida y ejerciten con su empleo hasta que dominen las construcciones gráficas.

Para la valoración del tiempo en la vida cotidiana será necesario el conocimiento y la aplicación de la medida del tiempo en distintas situaciones cotidianas, y las equivalencias correspondientes entre sus unidades.

Finalmente, los alumnos aprenderán a estimar los diferentes tiempos respecto a su cantidad y duración, y a poder aplicar la suma y la resta de tiempos para resolver distintos problemas y situaciones cotidianas.

2. CONOCIMIENTOS PREVIOS

Para poder desarrollar satisfactoriamente esta unidad, resulta conveniente que el alumno domine las siguientes cuestiones:

1) Saber usar correctamente el transportador de ángulos.
2) Saber utilizar los distintos instrumentos de dibujo: regla, compás, escuadra y cartabón.
3) Conocer y utilizar las nociones de paralelismo y perpendicularidad.
4) Saber utilizar los diferentes instrumentos de medida de tiempo.
5) Conocer las unidades y períodos de tiempo.

3. OBJETIVOS DIDÁCTICOS

En este punto se presentan los objetivos didácticos que deberán alcanzar los alumnos al finalizar la unidad, así como su relación con los objetivos generales de etapa y de área.

Objetivos didácticos	Objetivos de etapa	Objetivos de área
1) Distinguir entre recta, semirrecta y segmento.	b, f	2, 3, 5
2) Reconocer las distintas posiciones que pueden tener dos rectas en el plano.	b, f, g	2, 3
3) Distinguir los tipos de ángulos y establecer diferentes relaciones entre ellos.	b, f, g	2, 9, 10
4) Sumar y restar ángulos, multiplicar un ángulo por un número y dividir un ángulo en dos ángulos iguales.	b, f	2, 3, 9
5) Sumar y restar amplitudes de ángulos y tiempos en el sistema sexagesimal.	b, f	2, 3, 8, 9
6) Resolver problemas de la vida real que impliquen operaciones con ángulos y tiempos.	b, f, g, h	2, 7, 8, 9, 10

4. CONTENIDOS

4.1. Conceptos

1) Recta, semirrecta y segmento. Posiciones de dos rectas en el plano.
2) Tipos de ángulos y relaciones entre ellos.
3) Unidades de medida de ángulos y tiempos.
4) Operaciones con ángulos.

5) Ángulos complementarios, suplementarios, consecutivos, adyacentes y opuestos por el vértice.

6) Suma y resta en el sistema sexagesimal.

4.2. Procedimientos

1) Suma y resta de dos o más ángulos.

2) Multiplicación por un número y cálculo de la bisectriz de un ángulo cualquiera.

3) Expresión de la medida de un ángulo en el sistema sexagesimal.

4) Paso de unas unidades de medida de ángulos y tiempo a otras.

5) Suma y resta de medidas de ángulos y tiempos en el sistema sexagesimal.

6) Cálculo del valor de distintos ángulos en contextos geométricos, conocidos los valores de otros ángulos.

4.3. Actitudes

1) Reconocimiento y valoración de la utilidad de la geometría y de la utilidad de la medida de ángulos y de tiempos para conocer y resolver diferentes situaciones del entorno.

2) Reconocimiento y valoración de las relaciones y medida entre diferentes conceptos y entre los métodos y lenguajes matemáticos que permiten tratarlos.

3) Sensibilidad ante las cualidades estéticas de las configuraciones geométricas, reconociendo su presencia en la naturaleza, en el arte y la técnica.

4) Disposición favorable a realizar, estimar o calcular medidas de espacios y tiempos, de acuerdo con la precisión y las unidades en que se expresen.

5) Curiosidad e interés por investigar sobre relaciones geométricas.

6) Confianza en las propias capacidades para resolver problemas geométricos.

7) Perseverancia en la búsqueda de soluciones a los problemas geométricos y en la mejora de las ya halladas.

8) Flexibilidad para enfrentarse a situaciones geométricas desde distintos puntos de vista.

9) Interés y respeto por las estrategias y soluciones a problemas geométricos distintas de las propias.

10) Sensibilidad y gusto por la realización sistemática y la presentación ordenada de trabajos geométricos.

5. CRITERIOS DE EVALUACIÓN

1) Utilizar la terminología y notación adecuadas para describir ángulos, posiciones de rectas y situaciones geométricas.
2) Emplear el transportador en la medida y construcción de ángulos.
3) Comparar ángulos por superposición y mediante el transportador.
4) Realizar gráficamente operaciones sencillas con ángulos.
5) Utilizar las operaciones con medidas de ángulos y tiempos en la resolución de problemas.
6) Reconocer y buscar relaciones de paralelismo y perpendicularidad de ángulos.

6. SECUENCIACIÓN Y DISTRIBUCIÓN TEMPORAL

La secuenciación de los conceptos en esta unidad se ha hecho en relación con su grado de dificultad de forma que el alumno conocerá en primer lugar los conceptos más elementales, para pasar posteriormente a otros que se basen en los anteriores, y así sucesivamente. Además, estos se van introduciendo siguiendo un orden lógico y natural.

Creo que es conveniente dedicarle a esta unidad didáctica un total de 8 sesiones, que se impartirán a lo largo del segundo trimestre.

Estas sesiones se desarrollarán en función del nivel de conocimientos de que parten los alumnos y del trabajo que realicen por ellos mismos.

7. METODOLOGÍA Y SECUENCIA DE ACTIVIDADES

7.1. Consideraciones generales

Al inicio de la unidad se realizará una prueba para evaluar el nivel de conocimientos previos. Al final de la misma se dedicará una sesión para la realización de una prueba objetiva sobre la unidad con objeto de comprobar si se han alcanzado los objetivos.

El desarrollo de la unidad se llevará a cabo en el aula, dejando abierta la posibilidad, si las circunstancias lo permitieran, de impartir una sesión en el aula de informática, para que los alumnos conozcan y se introduzcan en el manejo del asistente matemático Derive.

Todas las sesiones, excepto la primera dedicada a evaluar los conocimientos previos de los alumnos, se iniciarán con la corrección de las actividades que se hayan realizado en casa o en clase la sesión anterior. Con esto, se aclaran las dudas y se sigue el avance o estancamiento del alumnado. En función de lo que se observe en la corrección se tomarán las medidas pertinentes. A continuación, en un segundo tercio de la sesión, se introducirán nuevos conceptos con la explicación correspondiente. Por último, en el tercer tercio de la clase se plantearán nuevas actividades con objeto de aclarar posibles dudas y cimentar lo explicado. De esta forma las clases tendrán una estructura fija que el alumno conocerá desde el principio.

7.2. Desarrollo de la unidad

Con objeto de evaluar el nivel de conocimientos previos, en la sesión inicial de la unidad, se propondrán actividades de motivación que plantearán nuevos problemas y al mismo tiempo pondrán de manifiesto la necesidad de adquirir nuevos conocimientos para resolverlos. Estas actividades iniciales serán de los tipos siguientes:

a) Semirrecta y segmento.

b) Diferenciar los tipos de rectas.

c) Entender el concepto de ángulo. Distinguir los tipos de ángulos.

d) Conceptos lineales. Mediatriz de un segmento. Bisectriz de un ángulo.

1. Rectas. Semirrectas y segmentos. (1.ª mitad de la 2.ª sesión)

Corregida la prueba inicial propuesta, supongamos que nuestros alumnos poseen los conocimientos suficientes para poder seguir el desarrollo de la unidad, entonces en la primera parte de la segunda sesión se introducirán los conceptos de recta, semirrecta y segmentos, cuya existencia el alumno ya pudo intuir en el curso anterior o en la asignatura de dibujo.

En primer lugar se dará una definición de recta, que es una línea sin principio ni final y formada por infinitos puntos. Las rectas se nombran mediante una letra minúscula: a, b, c …; mientras que los puntos se indican mediante letras mayúsculas: A, B, C …

Se les pintará un punto en la pizarra y se les preguntará por el número de rectas que pasan por ese punto. Después se dibujarán dos puntos y se realizará la misma pregunta.

Se continuará con la definición de la semirrecta, donde se les informará que es una recta que tiene principio, formado por un punto, pero no tiene fin.

Por último nos encontramos con un segmento, siendo la porción o parte de una recta delimitada por dos puntos. Tiene principio y fin. Los extremos del segmento se denominan por letras mayúsculas. Y un segmento se denomina por sus extremos.

Para finalizar la primera parte de la segunda sesión, se expondrá una tabla donde aparecen las posiciones relativas de dos rectas en el plano, siendo esta de la siguiente forma:

Dos rectas son:

a) <u>Secantes</u>: cuando se cortan en un punto.

b) <u>Paralelas</u>: si no tienen ningún punto en común.

c) <u>Coincidentes</u>: cuando todos sus puntos son comunes.

d) <u>Perpendiculares</u>: si dividen el plano en cuatro partes iguales.

Se mostrará a los alumnos, de manera gráfica, cada una de las posiciones de las rectas enumeradas en la tabla.

<u>2. Trazado de rectas paralelas y perpendiculares.</u> (2.ª mitad de la 2.ª sesión)

En primer lugar se trazarán rectas paralelas y perpendiculares utilizando la escuadra y el cartabón o una regla.

Líneas paralelas:

a) Mediante regla y escuadra. Se procederá así: se mantiene la recta fija, sobre ella se coloca un lado corto de la escuadra y por el otro lado corto se traza una recta, se desliza la escuadra y se dibuja sobre el mismo lado. Las rectas obtenidas son paralelas.

b) Con la escuadra y el cartabón. Deslizando la escuadra sobre el cartabón.

Líneas perpendiculares:

a) Utilizando los bordes perpendiculares de la escuadra o el cartabón.

b) Mediante escuadra y cartabón. Se mantiene inmóvil el cartabón, se coloca un lado corto de la escuadra sobre el cartabón y se traza una recta por el lado mayor. Se gira la escuadra de forma que el otro lado corto permanezca sobre el cartabón y se trazan rectas por el lado mayor de la escuadra.

Otras situaciones que pueden presentarse pueden ser:

• Dibujar una recta paralela a la recta r y que pase por el punto P.

   Se resuelve colocando el lado mayor de la escuadra sobre la recta r. Se coloca una regla o un cartabón en cualquiera de los lados cortos de la escuadra, y se desliza esta hasta llegar al punto, donde se dibuja la recta.

• Dibujar una recta perpendicular a la recta r que pase por el punto P.

   La posición inicial de escuadra y cartabón es idéntica al caso anterior. Ahora, en vez de deslizar la escuadra, se gira y se apoya el otro lado corto sobre la escuadra, y se desplaza hasta que el lado largo encuentre el punto. Se traza la recta.

El siguiente concepto que se estudia es la mediatriz de un segmento, cuya definición corresponde con la recta perpendicular al segmento en su punto medio.

La construcción gráfica de la mediatriz, mediante escuadra y cartabón, correspondería con dibujar una recta perpendicular a la recta r que pase por el punto P. Este punto P corresponde con el punto medio del segmento.

En el caso de no conocer el punto medio, se ha de hacer uso del compás y proceder de la siguiente manera:

Se dibuja el segmento $\overline{AB}$. Se toma una abertura de compás algo mayor que la mitad del segmento. Se trazan dos arcos. Uno con centro en A y otro con centro en B. Los dos puntos de corte de los arcos pertenecen a la recta mediatriz, si se unen mediante una recta, esta corresponderá con la mediatriz del segmento $\overline{AB}$.

Al final de la sesión se propondrán las siguientes actividades:

Act.1 Dibuja un punto en tu cuaderno y traza tres líneas rectas que lo contengan.

Act.2 Traza una recta, marca tres puntos y señala cuántas semirrectas y segmentos se forman. Márcalos con distintos colores y nómbralos.

Act.3 Estudia la posición relativa de las rectas que se determinan en estos casos:

  a) Las vías del tren.
  b) Las calles que convergen en una rotonda.
  c) Los bordes de los peldaños de una escalera.
  d) El largo y el ancho de una ventana.
  e) Los radios de una bicicleta.
  f) Las huellas de un trineo en la nieve.

Act.4 Traza un segmento de 5 cm y halla la mediatriz por dos métodos diferentes.

3. Ángulos. (3.ª sesión)

Corregidas las actividades de la sesión anterior y aclaradas las posibles dudas, se procede en esta tercera sesión al estudio de los ángulos, de cuya existencia el alumno ya posee conocimientos de cursos anteriores.

En primer lugar se definirá el concepto de ángulo, como la abertura formada por dos semirrectas que parten de un mismo punto. A cada semirrecta se le denomina lado y el punto se llama vértice. Y se realizará el dibujo correspondiente, donde $\hat{A}$ corresponde con el vértice.

Seguidamente se realizará una clasificación de los ángulos, colocando un ejemplo en cada caso:

- Atendiendo a la posición de sus lados: siendo un ángulo nulo, un ángulo recto o un ángulo llano.

- Atendiendo a su abertura: ángulo agudo u obtuso.

Dependiendo de la posición relativa de dos ángulos, se establecerá la siguiente clasificación:

- Ángulos opuestos por el vértice: son ángulos que tienen en común el vértice y sus lados están sobre la misma recta.

- Ángulos consecutivos: tienen en común el vértice y un lado.

- Ángulos adyacentes: son ángulos que tienen un lado común y forman entre los dos un ángulo llano.

- Ángulos complementarios: son dos ángulos que, al hacerlos consecutivos, forman un ángulo recto.

- Ángulos suplementarios: son dos ángulos que, al hacerlos consecutivos, forman un ángulo llano.

En cada uno de los casos se mostrará un ejemplo gráfico que aclare la definición.

Para finalizar la sesión se propondrán las siguientes actividades para consolidar los conceptos aprendidos:

Act.5 Las esquinas de tu clase forman ángulos. ¿De qué tipo son? Pon otro ejemplo con los diferentes tipos de ángulos.

Act.6 Observa la figura:

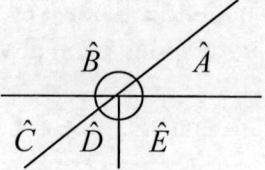

a) Indica qué ángulos son opuestos por los vértices

b) Señala los ángulos adyacentes

Act.6 ¿Cómo tienen que ser los lados de dos ángulos adyacentes para que sean iguales?

4. Construcción de ángulos. (4.ª sesión)

En esta cuarta sesión, los alumnos conocen los distintos tipos de ángulos y poseen ciertas habilidades en el manejo con el material de dibujo, incluso, algunos de ellos pueden haber realizado construcciones de ángulos en cursos anteriores o en alguna otra asignatura.

Las primeras actividades que se realizarán formarán parte del bloque de construcción y medición de ángulos, usando como material el transportador de ángulos. Por un lado, se repartirán unas fotocopias donde aparecen unos ángulos que se han de medir con el transportador. Por otro lado, se expondrán unas actividades en la pizarra donde se expresa el ángulo que se ha de construir en una hoja de papel.

Finalizadas estas primeras actividades el alumno habrá obtenido gran habilidad con el transportador de ángulos.

El siguiente paso consiste en la construcción de ángulos mediante el uso del compás. Esta técnica resulta bastante sencilla, pero requiere llevarla a cabo con bastante cuidado y precisión, pues el resultado puede llevar a errores más o menos grandes.

En primer lugar, y usando las fotocopias que se han repartido a principio de la sesión, se tomará nota de los pasos a seguir:

- Desde el vértice del ángulo y con una abertura determinada se traza un arco que corte los dos lados del ángulo.

- Con esa misma abertura y sobre una semirrecta, en el punto inicial, se pincha el compás y se traza un arco de circunferencia cortando la semirrecta.

- A continuación, volvemos al ángulo inicial, y se mide la abertura del ángulo de la siguiente manera: con centro en uno de los puntos de corte del arco trazado, se abre el compás hasta el otro punto de corte.

- Con esa medida se lleva al punto de corte del arco de circunferencia con la semirrecta que se trazó anteriormente, y se traza otro arco que corte al arco anterior. El punto de corte se une con el punto inicial de la semirrecta, y ya tenemos el ángulo dibujado.

El alumno realizará distintas actividades similares que se adjuntan en la fotocopia para que consiga la suficiente precisión en el dibujo.

Se continuará con la bisectriz de un ángulo, que como definición corresponde a la semirrecta que divide al ángulo en otros dos ángulos iguales. Y como propiedad muy relevante nos encontramos que los puntos de la bisectriz equidistan, que están a igual distancia, de los lados del ángulo.

La construcción de la bisectriz la podemos realizar de dos formas:

- Si existe la posibilidad de recortar el ángulo, la bisectriz se señala simplemente plegándolo por la mitad de modo que los lados coincidan.

- Sin recortar ni doblar nada, se puede realizar con regla y compás.

En el ángulo de partida, y con una abertura cualquiera, se traza un arco que corte a ambos lados del ángulo.

Con centros en los puntos de corte hallados, se trazan dos nuevos arcos que se cortan en un punto interior del ángulo en estudio.

Con la regla se une este último punto hallado y el vértice del ángulo. Esta recta corresponde con la bisectriz del ángulo.

En la fotocopia que se entregó al inicio de la sesión, el alumno se encontrará con más actividades de similar dificultad. Todos los ejercicios se han de realizar con suficiente precisión para conseguir un resultado óptimo.

Para finalizar la sesión y consolidar los conceptos aprendidos se realizarán las siguientes actividades:

<u>Act.7</u> Construye los siguientes ángulos con un transportador:

a) 25°   b) 37°   c) 128°   d) 169°   e) 90°   f) 45°   g) 180°

<u>Act.8</u> Construye los siguientes ángulos con regla y compás:

a)   b)   c)   d)

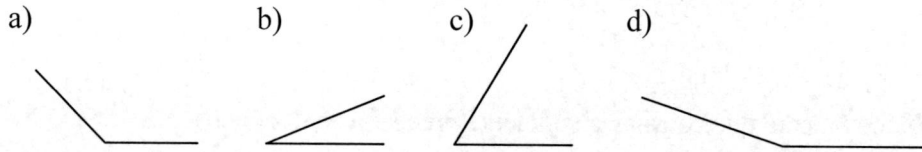

<u>Act.9</u> Halla la bisectriz de los ángulos de las actividades 7 y 8.

<u>5. Operaciones con ángulos.</u> (5.ª sesión)

Una vez resueltas las actividades de la sesión anterior y resueltas todas las posibles dudas, el alumno, en esta quinta sesión, se encuentra en condiciones de realizar operaciones con ángulos de forma gráfica.

En esta sesión también se repartirá una fotocopia que contendrá un conjunto de ángulos para realizar distintas operaciones.

La primera operación es la suma de ángulos, que consiste en dibujarlos de forma que sean consecutivos.

Se partirá de una semirrecta, donde se colocará con regla y compás el primer sumando de los ángulos, tal y como se aprendió en la sesión anterior. Acto seguido, la semirrecta será el punto de partida para la colocación del siguiente sumando de los ángulos. El ángulo suma estará formado por los lados de la semirrecta inicial y la final.

La siguiente operación corresponderá con la resta de ángulos, que dibujaremos uno sobre el otro, de modo que coincidan los vértices y uno de los lados. El ángulo diferencia es el comprendido entre los lados no comunes.

Se partirá de una semirrecta, donde se colocará con regla y compás el minuendo de la diferencia de ángulos. A continuación, sobre la semirrecta inicial se colocará el sustraendo. La resta de los ángulos estará formada por los lados que se acaban de construir.

La última operación que se trabajará será el producto de un ángulo por un número natural, de modo que sumamos el mismo ángulo tantas veces como nos indique el número.

Gráficamente consiste en colocar el ángulo, como ya se ha visto anteriormente en la suma o resta, y a continuación colocar consecutivamente tantos ángulos como indique el número natural. Los lados del ángulo pedido estarán formados por la semirrecta inicial y la última semirrecta calculada.

En la fotocopia entregada al inicio de la sesión el alumno encontrará más actividades que refuerzan estos conceptos y serán de puesta en común en clase.

Para la total asimilación de estos conceptos, al final de la sesión se propondrán las siguientes actividades:

Act.10 Dibuja estos ángulos en tu cuaderno y realiza las operaciones que se indican:

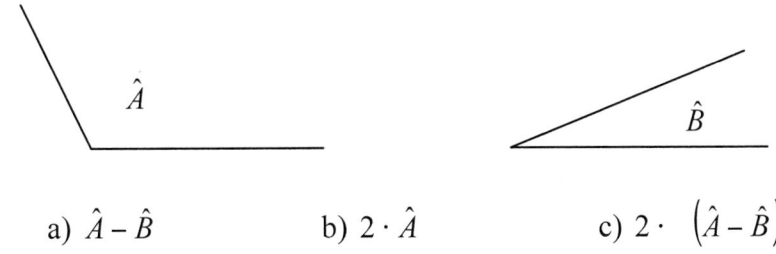

a) $\hat{A} - \hat{B}$ b) $2 \cdot \hat{A}$ c) $2 \cdot \left(\hat{A} - \hat{B} \right)$

Act.11 Dibuja dos ángulos $\hat{A}$ y $\hat{B}$, tales que $\hat{A} - \hat{B}$ sea un ángulo recto.

6. Sistema sexagesimal. (6.ª sesión)

Corregidas y aclaradas las posibles dudas de las actividades propuestas, en esta sexta sesión se introducirá el sistema sexagesimal, del cual los alumnos tienen conocimientos de cursos anteriores.

A los alumnos se les indica que este sistema se utiliza para medir amplitudes de ángulos y medidas de tiempo menores que el día. También se les dice que las operaciones básicas que estamos acostumbrados a realizar, suma, resta, etc., son en el sistema decimal, cuya base es 10, en este nuevo sistema la base es 60.

Acto seguido se enunciarán las unidades de medidas de ángulos. Estas corresponden con el grado, °, minuto, ′, y segundo, ″. La relación que existe entre ellos es: $1° = 60′$ y $1′ = 60″$. Operativamente, para pasar de grados a minutos y de minutos a segundos se ha de multiplicar por 60. Por el contrario, para pasar de segundos a minutos y de minutos a grados el proceso será dividir por 60.

De la misma forma las unidades de medida de tiempo se corresponden con la hora, h, minuto, min, y segundo, s. La relación que existe entre ellas es de todos conocidas, pero se recordará: 1 h = 60 min y 1 min = 60 s. Operativamente es idéntica a las medidas de ángulos.

Debido al uso diario de las unidades de medida de tiempo, se trabajará primero con estas y a continuación se trabajará con las medidas de ángulos. Las primeras actividades serán del siguiente estilo:

- Conversión de minutos y horas a segundos.
Expresa en segundos:　　a) 260 min　　　　　b) 2 h

- De minutos y segundos a horas.
Expresa en horas:　　a) 1.380 min　　　　b) 10.800 s

- Combinación de unidades.　Expresa en segundos:　2 h 4 min 55 s

En las siguientes actividades se trabajará con ángulos, siendo del siguiente tipo:

- Transformar grados en minutos. Expresa en minutos: 34″

- Pasar de grados a segundos. Expresa en segundos: 3,4°

- De segundos a grados. Expresa en grados: 340″

Una vez que se ha tomado cierta habilidad en la conversión de unidades, se realizará el paso de varias unidades (forma compleja) a una única unidad (forma incompleja), tanto para ángulos como para tiempos. Se realizarán actividades como:

- ¿Cuántos segundos son 73° 13′ 48″?

Para cuya realización solo hay que tener en cuenta el pasar cada una de las unidades a segundos y sumar cada uno de los resultados.

Seguidamente, el último caso será pasar de la forma incompleja a la forma compleja, con actividades como esta:

- Pasar 263.628″ a grados, minutos y segundos.

Realizándose de la siguiente manera:

a) Se divide por 60, siendo el resto los segundos que buscamos y el cociente expresa minutos.

b) Los minutos obtenidos se vuelven a dividir por 60 y se obtiene como resto minutos, mientras que el cociente representa grados.

Al final de la sesión, se propondrán actividades de consolidación relativas al sistema sexagesimal como:

Act.12 Expresa en minutos:

a) 140°   b) 45°   c) 150°   d) 75°   e) 280°   f) 90°

¿Cuántos segundos son?

Act.13 Expresa las siguientes medidas en horas:

a) 300 min   b) 14.000 s   c) 375 min

Act.14 Expresa en segundos: a) 2 h 3 min 40 s   b) 3 h 15 min 25 s
c) 2,5 h 42 s

Act.15 Un taxi estuvo parado durante 2.710 s, y otro, durante 1.506 s. ¿Cuántos minutos y segundos estuvo parado el primer taxi más que el segundo?

Act.16 Pasa a segundos: a) 53° 45 min 13 s   b) 81° 37 min   c) 26° 11 min

Act.17 Pasa a forma compleja: a) 32.220 s   b) 59.233 s   c) 9.123 s

7. Operaciones en el sitema sexagesinal. (7.ª sesión)

Corregidas las actividades de la sesión anterior y aclaradas las dudas, se pasará a desarrollar las distintas operaciones en el sistema sexagesimal.

La primera operación que se realzará será la suma de ángulos y tiempos. Se procede así:

1) Se colocan los sumandos agrupados: grados u horas con grados u horas, minutos con minutos y segundos con segundos.

2) Si los segundos sobrepasan 60, se transforman en minutos.

3) Si los minutos sobrepasan 60, se transforman en grados u horas.

Como actividades de motivación servirán estas:

Act.1 Calcula: 2 h 32 min 29 s + 1h 43 min 34 s

Act.2 Calcula: 1° 42″ + 3° 23′ 54″

Con estas actividades se pretende que el alumno sepa realizar sumas en el sistema sexagesimal y se acostumbre a transformar a una unidad superior cuando los segundos o los minutos sobrepasan de 60.

La siguiente operación corresponde con la resta en sistema sexagesimal. Se procede de la siguiente forma:

1) Para restar medidas de ángulos y tiempos se colocan el minuendo y el sustraendo coincidiendo grados u horas con grados u horas, minutos con minutos y segundos con segundos.

2) Cuando los minutos o segundos son mayores en el sustraendo que en el minuendo, transformamos, en el minuendo, una unidad de orden superior para poder efectuar la resta.

Las actividades de introducción de la resta en el sistema sexagesimal serán las siguientes:

Act.3 Calcula: 30 h 55 min 53 s – 27 h 19 min 20 s

Act.4 Calcula: 30° 15 min 3 s – 28° 39 min 50 s

Con estas actividades se pretende que el alumno se familiarice con la sustracción y sea capaz de transformar unidades de orden superior a inferior de forma que se pueda realizar la operación.

Otra operación es el producto de un ángulo o un tiempo por un número entero. Esta operación se realiza de la siguiente forma:

1) Se calculan los productos de los segundos, minutos y grados u horas por el número natural.

2) Si los segundos sobrepasan 60, se transforman en minutos.

3) Si los minutos sobrepasan 60, se transforman en grados u horas.

Como actividad introductoria se realiza la siguiente:

Act.5 Realiza el siguiente producto: $(35° \, 46' \, 11'') \cdot 7$

En esta actividad se refleja que después de realizar el producto, los segundos sobrepasan una sola vez 60, pero los minutos lo hacen en cinco veces, teniéndose que realizar las distintas transformaciones.

La última operación que se estudiará será la división de un ángulo o tiempo entre un número natural.

Esta operación resulta muy sencilla, intuitiva y fácil de realizar para los alumnos. Se procede de así:

1) Se dividen los grados, el resto se pasa a minutos, que se añaden a los que ya había.

2) Se procede del mismo modo con los minutos.

3) Finalmente se dividen los segundos, teniendo en cuenta que el resto representa segundos.

Como actividad clarificadora se propondrá la siguiente:

Act.6 Calcula: (123 h 45 min 26 s) : 7

Como actividades de consolidación de estos últimos conceptos, se proponen las siguientes:

Act.18 Calcula la suma: $(30° 40') + (15' 18'') + (38° 45'')$

Act.19 Calcula y simplifica: $(45° 30' 49'') - (12' 57'') - (56'')$

Act. 20 Una fotocopiadora estuvo funcionando durante 8h 15 min 12 s el lunes; 3 h 40 min, el martes y 8 h 15 min 40 s, el miércoles. ¿Cuánto tiempo estuvo funcionando en total?

Act.21 Marcos ha estado conectado a Internet desde las 8 h 25 min hasta las 10 h 15 min 12 s. Determina el tiempo total que ha estado conectado a Internet.

Act.22 Efectúa: (37 min 11 s) · 13

Act. 23 Divide 151 h 6 min 17 s entre 7.

La última sesión de la unidad se dedicará a la realización de la prueba objetiva.

8. RECURSOS DIDÁCTICOS Y MATERIALES

- Pizarra y útiles para pizarra.

- Libro de texto, cuaderno de clase y fichas de ejercicios prácticos.

- Libros de consulta de la biblioteca del instituto y propios. Especialmente recomendables son:

  - *Invitación a la didáctica de la geometría.* Alsina, C. y otros. Ed.: Síntesis. Madrid.
  - *Materiales para construir la geometría.* Ed.: Síntesis. Madrid.

- Calculadora científica.

- Ordenadores del aula de informática.

- Uso del Proyecto Descartes. Aula de informática.

- Asistente matemático Derive. Aula de informática.

9. ATENCIÓN A LA DIVERSIDAD

La atención a la diversidad se justifica a través de las actividades de refuerzo y ampliación. Se utilizarán según las necesidades de los alumnos. Habrá veces en que toda la clase necesite algún apoyo para reforzar conceptos no asimilados en su totalidad. Por el contrario nos encontraremos con casos en que la mayoría de la clase profundice con las actividades de ampliación. Lo más habitual será detectar qué necesidades tiene cada alumno para incidir con las actividades más idóneas en sus carencias o inquietudes intelectuales.

En el caso de que en el grupo haya algún alumno con necesidades educativas especiales, se realizarán adaptaciones curriculares significativas según lo establecido en la programación.

9.1. Actividades de refuerzo

Están destinadas a aquellos alumnos que precisan corregir y consolidar los contenidos de la unidad.

Los alumnos resolverán actividades relacionadas con:

- Dibujar rectas, semirrectas y segmentos. Diferenciar los tipos de rectas.
- Comprender el concepto de ángulo. Distinguir los tipos de ángulos.
- Utilizar los instrumentos de medida.
- Expresar la medida de tiempo y ángulo mediante sus unidades.

1) Señala dos puntos, M y N, y traza una recta t que pase por ellos.

2) Dibuja los siguientes segmentos: a) AB = 3 cm   b) MN = 7 cm.

3) Señala un punto P y dibuja dos semirrectas, a y b, que pasen por P.

4) Dibuja una recta cualquiera m y traza:

   a) Dos rectas perpendiculares a m
   b) Dos rectas paralelas a m.
   c) Una recta paralela a m y otra perpendicular.
   d) Dos rectas secantes a m.

5) Con ayuda del transportador, dibuja estos ángulos:

   a) 60°   b) 45°   c) 150°   d) 90°   e) 180°

6) Indica, según la abertura, el tipo de ángulos del ejercicio 5.

7) Dibuja un segmento $\overline{AB}$ de 6 cm y divídelo en 6 partes iguales. Señala en la mitad del segmento el punto O. Con el compás fija el brazo de la aguja en O y el radio en el punto A, y traza el arco correspondiente:

   a) ¿En dónde corta el arco al segmento?
   b) ¿Qué tipo de ángulo se ha formado?
   c) ¿Cuál es su abertura?

8) Traza un segmento $\overline{MN}$ de 5 cm de longitud. Dibuja su mediatriz.

9) Dibuja un ángulo recto, uno agudo y otro obtuso. Traza sus bisectrices, y comprueba la medida de los ángulos con el transportador.

10) Un ciclista entrenó 3 h 45 min 5 s por la mañana y 1 h 50 min 15 s por la tarde.

   a) ¿Qué diferencia de tiempo hay entre el entrenamiento de la mañana y el de la tarde?
   b) ¿Cuánto duró en total su entrenamiento?

11) Efectúa las siguientes operaciones:

   a) $(37° \, 42' \, 19'') \cdot 4$ b) $(143° \, 11' \, 56'') : 11$

9.2. Actividades de ampliación

Apropiadas para los alumnos que pueden avanzar con rapidez y que pueden profundizar en los contenidos de la unidad mediante un trabajo más autónomo.

Los alumnos resolverán actividades relacionadas con:

- Rectas, semirrectas y segmentos.
- Ángulos.
- Sistema sexagesimal.
- Operaciones en el sistema sexagesimal.
- Problemas con medidas de ángulos y tiempo.

1) Dibuja dos segmentos, $\overline{AB}$ y $\overline{CD}$, paralelos entre sí, de 8 cm y 10 cm, Traza con la escuadra sus mediatrices. ¿Cómo son entre sí las mediatrices?

2) Dibuja en tu cuaderno un ángulo $\hat{A}$ que sea menor que un ángulo recto, y un ángulo $\hat{B}$ que sea menor que uno llano y mayor que uno recto. Dibuja los ángulos indicados:

a) $\hat{A} + \hat{B}$ b) $\hat{B} - \hat{A}$ c) $3 \cdot \hat{A}$ d) $2 \cdot \hat{B}$

3) Dibuja un ángulo de 60° con el transportador. Traza su adyacente. ¿Cuánto mide? Dibuja las bisectrices de los dos ángulos. ¿Qué ángulos forman?

4) Indica en segundos:

a) 35° 54′ 55″   b) 65° 53′ 12″   c) 18° 23′ 4″
d) 4h 27 min 56 s   e) 7h 33 min 49 s   f) 11h 3 min 2 s

5) Realiza las siguientes operaciones:

a) 23° 45′ 10″ + 54° 7′ 32″   b) 21° 45′ 19″ + 54° 7′ 42″
c) 63° 25′ 10″ − 32° 7′ 2″   d) 8° 2″ − 7° 42′ 23″
e) (11° 23′ 41″) · 3   f) (187° 41′ 46″) : 9

6) ¿Cuánto tiene que medir un ángulo para que sea igual a su suplementario? ¿Y para que sea igual a su complementario?

7) Un reloj se adelanta 3 minutos y 30 segundos al día. ¿Cuánto se adelantará en una semana?

8) Un tren salió a las 20 h 30 min: se paró después de una hora en la primera estación; en la segunda estación paró a las 22 h 36 min, y llegó a su destino a las 23 h 50 min:

a) ¿Cuánto duró el trayecto?
b) ¿Cuánto tiempo transcurrió desde la primera parada hasta la segunda?

9) Diariamente un atleta se entrena durante 3 h 45 min:

a) ¿Cuánto tiempo habrá entrenado al cabo de quince días?
b) ¿Y en un mes?

10) Luís ha estado conectado a Internet 2 h 25 min 32 s y ha visitado 4 sitios web. ¿Cuánto tiempo ha empleado en cada sitio si ha estado el mismo tiempo en cada uno?

10. EVALUACIÓN

La evaluación de esta unidad se llevará a cabo siguiendo las directrices explicadas en la programación didáctica que la engloba.

Se realizará al comienzo de la unidad, a lo largo del proceso y a su finalización (donde se realizará una prueba escrita).

Los instrumentos que habitualmente se utilizarán para obtener información sobre el progreso de nuestros alumnos serán:

- La observación diaria.
- La revisión y corrección de las tareas realizadas por el alumno en casa.
- Seguimiento del cuaderno del alumno valorando su contenido (apuntes, actividades...),estructura, orden, limpieza y claridad.
- Intervenciones en la pizarra.
- Control de faltas y conducta.
- Realización de una prueba individual escrita al finalizar la unidad.

Para determinar las calificaciones de nuestros alumnos, se aplicarán los criterios de calificación reflejados en la programación, a saber:

a) Pruebas escritas. Supone el 60 % de la nota final.
b) Cuaderno de clase del alumno, trabajo diario e intervenciones en la pizarra. Su valoración es un 20 % de la nota final.
c) Puntualidad, comportamiento, interés y participación. A este apartado se le aplica el 20 % restante de la nota final.

Por último, hay que indicar que también se evaluará nuestra práctica docente, valorando, después de la experiencia, el nivel de adecuación de la unidad a los objetivos propuestos inicialmente, para proponernos posibles modificaciones.

Esta evaluación considerará los siguientes aspectos:

- Sesiones programadas y sesiones empleadas.
- Metodología aplicada.
- Adecuación de los recursos utilizados y de las actividades desarrolladas.
- Objetivos propuestos y objetivos conseguidos.

- Resultados académicos de nuestros alumnos.

11. TEMAS TRANSVERSALES Y EDUCACIÓN EN VALORES

Se pueden plantear y resolver problemas que aparecen en distintas situaciones. Por ejemplo: tiempo de espera y recorrido de determinados medios de transporte, estudio de los resultados electorales que se han producido recientemente, velocidad media en una carrera de motos o coches, etc.

Dado el perfil de las actividades de la unidad, la educación del consumidor y la educación vial son quizás los contenidos transversales más tratados.

Además, las distintas posibilidades de planteamiento y resolución de los problemas que ofrece la geometría debe servir para llamar la atención de los alumnos sobre la importancia de respetar a sus compañeros y a sus formas de trabajo (educación para la convivencia).

UNIDAD DIDÁCTICA 10: TRIÁNGULOS

1. INTRODUCCIÓN

Esta unidad didáctica corresponde al bloque de Geometría del currículo de 1.º de ESO del área de Matemáticas.

Se imparte a continuación de la unidad referida a ángulos y rectas, y precede a la unidad que estudia los cuadriláteros, pertenecientes ambas al bloque de Geometría.

Ella se dedicará al estudio del triángulo como polígono de menor número de lados, donde se ha de destacar, que el conocimiento de las características del triángulo, sus propiedades y sus relaciones métricas es muy importante para toda la geometría, debido a la omnipresencia de triángulos en las más diversas figuras planas o espaciales.

Se continuará con los conceptos básicos del triángulo, su clasificación, construcción, nomenclatura y las respectivas relaciones métricas. Será fundamental conocer, a continuación, las rectas, puntos y circunferencias asociadas a todo triángulo como son las medianas, los baricentros, las alturas, el ortocentro, las mediatrices, el circunscentro, la circunferencia circunscrita, las bisectrices, el incentro y la circunferencia inscrita.

En la parte final de la unidad se ilustrará el teorema de Pitágoras, viendo, por un lado, la relación entre las áreas de los cuadrados construidos sobre los lados de un triángulo rectángulo, y por otro lado, la relación algebraica entre las longitudes de los lados que permiten calcular la longitud de uno de ellos conociendo la longitud de los otros dos. De esta manera se tendrá la posibilidad de reconocer si un triángulo es o no rectángulo al recurrir a la citada relación algebraica.

2. CONOCIMIENTOS PREVIOS

Para poder desarrollar satisfactoriamente esta unidad, resulta conveniente que el alumno domine las siguientes cuestiones:

1) Utilizar aceptablemente el compás, la escuadra y el cartabón.
2) Conocer y utilizar las nociones de paralelismo y perpendicularidad.
3) Reconocer las formas poligonales en general.
4) Conocer algún criterio de clasificación de figuras planas, especialmente los triángulos.

3. OBJETIVOS DIDÁCTICOS

En este punto se presentan los objetivos didácticos que deberán alcanzar los alumnos al finalizar la unidad, así como su relación con los objetivos generales de etapa y de área.

Objetivos didácticos	Objetivos de etapa	Objetivos de área
1) Conocer los triángulos, sus propiedades y su clasificación.	b, f, g	2, 3, 6
2) Construir y describir los triángulos a partir de algunos de sus elementos.	b, f, g	2, 7, 8, 9, 10
3) Utilizar la nomenclatura adecuada.	b, e, g, h	2, 8, 9
4) Conocer y nombrar los elementos notables del triángulo.	b, f	7, 8, 9
5) Conocer y aplicar el teorema de Pitágoras.	b, f, g, h	2, 8, 9, 10

4. CONTENIDOS

4.1. Conceptos

1) Triángulos: propiedad de rigidez, elementos y relaciones.
2) Criterios de igualdad de triángulos.
3) Rectas y puntos notables: Mediatrices y circunscentro, bisectrices e incentro. Medianas y baricentro o centro de gravedad, alturas y ortocentro. Propiedades.
4) Circunferencias asociadas a un triángulo.
5) Teorema de Pitágoras: formulación geométrica y formulación aritmética.
6) Problemas geométricos.

4.2. Procedimientos

1) Identificación de la rigidez de los triángulos frente a otros polígonos. Triangularización de un polígono como medio para lograr su rigidez.
2) Clasificación de triángulos por distintos criterios.
3) Justificación de la igualdad de dos triángulos atendiendo a algunos de sus elementos.
4) Aplicación de los criterios de igualdad de triángulos para analizar figuras planas.
5) Construcción de triángulos: conociendo los tres lados, conociendo dos lados y el ángulo complementario, conociendo un lado y los dos ángulos contiguos.
6) Identificación de los distintos puntos y rectas notables de un triángulo así como de algunas de sus propiedades.
7) Construcción por distintos métodos de los puntos y rectas notables de un triángulo.
8) Construcción de las circunferencias inscrita y circunscrita a un triángulo.
9) Justificación, por distintos métodos, del teorema de Pitágoras.
10) Cálculo de uno de los lados de un triángulo rectángulo, conocidos los otros dos lados.
11) Identificación de triángulos rectángulos a partir de las medidas de sus lados.
12) Resolución de problemas geométricos en torno a los triángulos y sus propiedades.

4.3. Actitudes

1) Valoración de los métodos manipulativos (construcción, dibujo, plegado…) como recurso para la investigación y el descubrimiento de propiedades y relaciones geométricas.
2) Precisión y exactitud en el uso de los instrumentos de dibujo.
3) Hábito de presentación clara de procesos y resultados en las construcciones y problemas geométricos.
4) Sensibilidad para apreciar la belleza de las formas geométricas presentes en la naturaleza.
5) Valoración de la terminología geométrica como medio para precisar y transmitir información relativa al entorno.

6) Valoración del teorema de Pitágoras como herramienta potente para la obtención de medidas indirectas y para la resolución de muchos problemas geométricos.

5. CRITERIOS DE EVALUACIÓN

1) Dibuja un triángulo de una clase determinada (por ejemplo, obtusángulo e isósceles).
2) Construye un triángulo dados los tres lados, dos lados y el ángulo comprendido, o un lado y los ángulos contiguos.
3) Comparar ángulos por superposición y mediante el transportador.
4) Reconoce la imposibilidad de construir un triángulo en casos concretos y explica la propiedad que no cumplen sus elementos.
5) Identifica las mediatrices, bisectrices, medianas y alturas de un triángulo y conoce algunas de sus propiedades.
6) Construye las circunferencias inscrita y circunscrita a un triángulo y conoce su relación con las bisectrices y mediatrices.
7) Dadas las longitudes de los tres lados de un triángulo, reconoce si es o no rectángulo.
8) Calcula el lado desconocido de un triángulo rectángulo conocidos los otros dos lados.
9) Aplica el teorema de Pitágoras en la resolución de problemas geométricos sencillos.
10) Aplica el teorema de Pitágoras en el espacio.

6. SECUENCIACIÓN Y DISTRIBUCIÓN TEMPORAL

La secuenciación de los conceptos en esta unidad se ha hecho en relación con su grado de dificultad de forma que el alumno conocerá en primer lugar los conceptos más elementales, para pasar posteriormente a otros que se basen en los anteriores, y así sucesivamente. Además, estos se van introduciendo siguiendo un orden lógico y natural.

Creo que es conveniente dedicarle a esta unidad didáctica un total de 7 sesiones, que se impartirán a lo largo del segundo trimestre.

Estas sesiones se desarrollarán en función del nivel de conocimientos de que parten los alumnos y del trabajo que realicen por ellos mismos.

7. METODOLOGÍA Y SECUENCIA DE ACTIVIDADES

7.1. Consideraciones generales

Al inicio de la unidad se realizará una prueba para evaluar el nivel de conocimientos previos. Al final de la misma se dedicará una sesión para la realización de una prueba objetiva sobre la unidad con objeto de comprobar si se han alcanzado los objetivos.

El desarrollo de la unidad se llevará a cabo en el aula, dejando abierta la posibilidad, si las circunstancias lo permitieran, de impartir una sesión en el aula de informática, para que los alumnos conozcan y se introduzcan en el manejo del asistente matemático Derive.

Todas las sesiones, excepto la primera dedicada a evaluar los conocimientos previos de los alumnos, se iniciarán con la corrección de las actividades que se hayan realizado en casa o en clase la sesión anterior. Con esto, se aclaran las dudas y se sigue el avance o estancamiento del alumnado. En función de lo que se observe en la corrección se tomarán las medidas pertinentes. A continuación, en un segundo tercio de la sesión, se introducirán nuevos conceptos con la explicación correspondiente. Por último, en el tercer tercio de la clase se plantearán nuevas actividades con objeto de aclarar posibles dudas y cimentar lo explicado. De esta forma las clases tendrán una estructura fija que el alumno conocerá desde el principio.

7.2. Desarrollo de la unidad

Con objeto de evaluar el nivel de conocimientos previos, en la 1.ª mitad de la sesión inicial de la unidad, se propondrán actividades de motivación que plantearán nuevos problemas y al mismo tiempo pondrán de manifiesto la necesidad de adquirir nuevos conocimientos para resolverlos. Estas actividades iniciales serán de los tipos siguientes:

a) Clasificar triángulos según sus ángulos.

b) Clasificar triángulos según sus lados.

c) Dibujar triángulos dados los tres lados.

d) Cálculo de la altura.

Una vez corregidas, en la 2.ª mitad de esta primera sesión, se desarrollará el primer concepto de la unidad: 1. Clasificación de los triángulos.

Una vez corregida la prueba inicial propuesta, supongamos que los alumnos poseen los conocimientos suficientes para poder seguir el desarrollo de la unidad con normalidad, entonces se procederá en esta segunda mitad de la primera sesión a la clasificación de los triángulos.

La primera clasificación de los triángulos se hará con referencia a sus lados, indicando a su vez qué le sucede a los ángulos. En esta nos encontraremos con:

- Triángulo equilátero: que tiene los tres lados y los tres ángulos iguales.
- Triángulo isósceles: que tiene dos lados y dos ángulos iguales.
- Triángulo escaleno: que tiene los tres lados y los tres ángulos desiguales.

A continuación se hará referencia a la clasificación de triángulos con relación a sus ángulos. Y nos encontraremos con la siguiente tabla:

- Triángulo rectángulo: que tiene un ángulo recto.
- Triángulo acutángulo: que tiene los tres ángulos agudos.
- Triángulo obtusángulo: que tiene un ángulo obtuso.

Una vez hecha la clasificación de los triángulos según los lados y los ángulos, se pasará a mostrar la relación que existe entre los lados y los ángulos, siendo esta la siguiente:

1. Cualquier lado es menor que la suma de los otros dos.
2. Cualquier lado es mayor que la diferencia de los otros dos.
3. La suma de los tres ángulos de un triángulo es igual a 180°.

Como actividad de motivación e introducción se propone la siguiente:

Act.1 Comprueba las relaciones entre los lados y los ángulos de este triángulo.

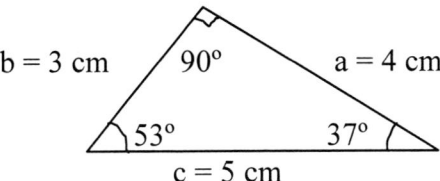

Con esta actividad se pueden comprobar las tres relaciones que acabamos de ver sobre los triángulos.

Para finalizar esta primera sesión y afianzar los conceptos mostrados, se proponen las siguientes actividades de consolidación:

<u>Act.1</u> Indica si existe un triángulo cuyos lados miden:

    a) 15, 8 y 20 cm.   b) 2, 4 y 14 cm.

<u>Act.2</u> En un triángulo rectángulo, un ángulo mide 30°. ¿Cuánto miden los otros dos ángulos?

<u>Act.3</u> El ángulo obtuso de un triángulo isósceles obtusángulo mide 120°. ¿Cuánto miden los otros ángulos del triángulo isósceles?

<u>Act.4</u> Calcula el ángulo obtuso de un triángulo isósceles, si uno de sus ángulos agudos mide 40°.

<u>2.Construcción de triángulos. (2.ª sesión)</u>

Corregidas las actividades de la sesión anterior y aclaradas las dudas, se continúa esta segunda sesión recordando el nombre de los distintos elementos de dibujo, el compás, la regla, la escuadra y el compás. Se pasará a una rápida descripción sobre el uso de los mismos, principalmente en la realización, con la escuadra y el cartabón, de rectas paralelas y perpendiculares.

El paso siguiente será la construcción de un triángulo cuando conocemos sus tres lados. Para introducir este concepto se utilizará la actividad introductoria siguiente:

Act.2 Construye un triángulo cuyos lados miden: a = 6 cm, b = 5 cm y c = 9 cm.

La resolución no debe plantear grandes problemas, aunque se ha de tener cierta soltura y sobre todo precisión a la hora del manejo de los materiales de dibujo. Se iniciará colocando el segmento "a" de seis centímetros. Luego se pincha con el compás sobre un extremo del segmento "a" y con una abertura de compás igual al segmento "b", se traza un arco de circunferencia, en la parte superior o en la parte inferior del segmento "a". A continuación se procede de igual forma sobre el otro extremo del segmento "a", pero con la medida del segmento "c". Donde se cortan ambos arcos de circunferencia será el tercer vértice del triángulo. Se unen los puntos y se obtiene el resultado esperado.

Como conclusión se puede extraer que para la construcción de un triángulo del que se conocen sus tres lados, el mayor debe medir menos que la suma de los otros dos, es decir, si "a" corresponde con el lado mayor, cuando se realizan los arcos correspondientes sobre los extremos de este de las medidas de los otros dos lados, "b" y "c", y no se produce ningún corte, al ser su suma menor que el primero, no se obtiene ningún triángulo.

El siguiente caso que se nos puede presentar es el conocer dos lados y el ángulo que forman. En esta ocasión se utilizará la siguiente actividad de introducción:

Act.3 Dados los lados "a" y "b" de 6 y 5 cm, respectivamente, y el ángulo: Ĉ ∠ construye el triángulo correspondiente.

Para resolver el siguiente problema se empezaría recordando cómo se dibuja un ángulo dado, luego se colocarían los lados "a" y "b" sobre los lados del ángulo, bien con el compás, o con la regla, que nos proporcionan los otros dos vértices, y se terminaría uniendo estos dos puntos calculados.

La conclusión que se puede extraer es que siempre se puede construir un triángulo conociendo dos de sus lados y el ángulo que forman.

El último caso que nos vamos a encontrar para la construcción de triángulos será cuando nos den un lado y los dos ángulos contiguos. La actividad motivadora que se utilizará para introducirlo puede ser la siguiente:

Act.4 Dado el lado a = 7 cm y los ángulos B $\angle$ y C $\angle$ calcula el triángulo correspondiente.

Para su resolución se procederá de la siguiente manera: se coloca el lado dado, y en cada uno de los extremos se coloca cada uno de los ángulos que nos da el problema. A continuación se alargan los lados de los ángulos que no pertenecen al lado común y donde se cortan encontramos el otro vértice del triángulo.

Para este caso, las conclusiones que se obtienen vienen relacionadas con los ángulos, y es que para construir un triángulo del que se conocen uno de los lados, "a", y los dos ángulos, B y C, que se encuentra junto a él, es necesario que la suma de los ángulos B + C sea menos que 180°.

Seguidamente, se propondrán en la pizarra distintas situaciones de construcción de triángulos donde encontremos los tres casos mencionados y el alumno pueda diferenciar cada caso rápidamente.

El último concepto que se tratará en esta primera sesión será la igualdad de triángulos, donde se mencionará que para poder asegurarnos de que dos triángulos sean iguales se ha de cumplir una de las siguientes propiedades:

1. Tienen los tres lados respectivamente iguales: a = a', b = b' y c = c'

2. Tienen iguales, respectivamente, dos lados y el ángulo que forman:

$$a = a', \ b = b' \ y \ C = C'$$

3. Tienen iguales, respectivamente, un lado y sus dos ángulos contiguos:

$$A = a', \ B = B' \ y \ C = C'$$

Si se observan los criterios de igualdad de triángulos estos coinciden con los casos que se dan para construir triángulos.

Por último, se propondrán las siguientes actividades de consolidación de los conceptos estudiados:

Act.5 Construye un triángulo cuyos lados midan: a = 7 cm, b = 5 cm y c = 8 cm. Mide los ángulos con el transportador.

Act.6 Intenta construir un triángulo cuyos lados midan: 10 cm, 5 cm y 3 cm. Razona por qué es imposible.

Act.7 Construye un triángulo del que se conocen dos de sus lados: a = 6 cm y b = 3 cm, y el ángulo comprendido entre ellos, C = 110°.

Act.8 Construye un triángulo con los siguientes datos: a = 8 cm, B = 70° y C = 50°. Una vez construido, mide sus restantes elementos: b, c y A.

Act.9 Dos triángulos rectángulos tienen los catetos respectivamente iguales. ¿Podemos asegurar que los triángulos son iguales?

3.Medianas de un triángulo. Baricentro. (1.ª parte de la 3.ª sesión)

En esta primera parte de la tercera sesión, una vez que se han corregido las actividades de la sesión anterior y aclaradas las dudas, se introducirá el concepto de mediana en un triángulo. Su definición corresponde con el segmento que une un vértice con el punto medio del lado opuesto. En todo triángulo tendremos tres medianas, y el punto de corte de estas se corresponde con el baricentro. Este punto siempre es interior en cualquier triángulo.

En primer lugar se recordará el concepto de mediatriz y su cálculo y construcción mediante materiales de dibujo. A continuación, en la pizarra se dibujarán varios triángulos, y con la participación activa de los alumnos se dibujarán las distintas medianas. Se obtendrán, en cada uno, el baricentro, comprobando que en cualquiera de ellos el baricentro se encuentra en el interior del triángulo.

Como actividad de aula y para entender el significado del baricentro, se procederá a recortar un triángulo de un cierto tamaño en una cartulina, del que previamente se ha calculado el baricentro. Después, colocado sobre una pequeña base de madera o metálico y terminado en punta, se coloca el baricentro y se comprueba que corresponde con el punto de equilibrio del triángulo.

También se comprobará que el baricentro corresponde con el punto que divide a cada una de las medianas en dos segmentos, siendo uno el doble del otro. El mayor es el que se dirige hacia el vértice.

4. Alturas de un triángulo. Ortocentro. (2.ª parte de la 3.ª sesión)

En esta segunda parte de la segunda sesión empezamos introduciendo el concepto de altura de un triángulo.

Se parte de la idea intuitiva que poseen los alumnos, dibujando un triángulo escaleno con un lado en el plano horizontal, que se considerará como base. Se pasará a dibujar un segundo triángulo, con un lado también en el plano horizontal, pero en este caso obtusángulo. De esta forma el alumno se encuentra que la altura se encuentra en la prolongación de la base.

El siguiente grado de dificultad a superar pasará por calcular la altura del primer triángulo considerando como base cualquiera de los otros lados. Una vez conseguido superar esta dificultad el alumno será capaz de continuar el grado de abstracción y poder calcular la altura de cualquier triángulo independientemente de su colocación en el plano.

Por último se trazarán las tres alturas del triángulo, dependiendo del lado que se tome como base, que se cortan en un punto, denominándose este ortocentro, que dependiendo del triángulo en estudio, podrá encontrarse en el interior, si es acutángulo, en el vértice del ángulo recto, si es rectángulo, o en el exterrior, si es un triángulo obtusángulo.

Para consolidar los conceptos aprendidos se propondrán las siguientes actividades:

Act.10 En un triángulo isósceles de lados 5 cm, 5 cm y 8 cm, ¿a qué distancia del lado mayor se encuentra el baricentro?

Act.11 Dibuja con regla y compás un triángulo de lados 6 cm, 8 cm y 12 cm. Traza sus medianas y señala su baricentro.
Comprueba, midiendo, que divide a cada mediana en dos segmentos, uno el doble que el otro.

Act.12 Dibuja un triángulo de lados 8 cm, 10 cm y 12 cm. Observa que es acutángulo. Traza sus tres alturas y señala el ortocentro.

<u>Act.13</u> El triángulo de lados a = 10 cm, b = 8 cm y c = 6 cm es rectángulo. Señala su ortocentro. Traza la altura sobre la hipotenusa, h_a, mídela y comprueba que $a \cdot h_a = b \cdot c$.

5. Circunferencias asociadas a un triángulo. (4.ª sesión)

Corregidas las actividades de la sesión anterior y aclaradas las dudas, se continúa en esta tercera sesión definiendo las circunferencias asociadas a un triángulo.

En primer lugar se recordará el concepto de mediatriz y su realización con los útiles de dibujo. Seguidamente se procederá al cálculo de las tres mediatrices del triángulo, para concluir que estas se cortan en un punto que se denomina circuncentro. Dicho punto equidista de los tres vértices del triángulo, a una distancia R, pudiéndose construir una circunferencia con centro en el circuncentro y radio R, denominada circunferencia circunscrita.

Dependiendo del triángulo a estudiar el circuncentro se encontrará en el interior o en el exterior del triángulo.

Por otro lado se recordará el concepto de bisectriz realizándolo con distintos ángulos. Acto seguido se trabajará con los ángulos del triángulo. Se irá calculando la bisectriz de cada uno de ellos, que se cortarán en un punto, denominado incentro. Este siempre se encontrará en el interior de cualquier triángulo.

Este punto calculado se encuentra a la misma distancia, r, de los tres lados del triángulo. Para el cálculo de r simplemente se ha de trazar la perpendicular a cada lado que pase por el incentro. La circunferencia de radio r, y centro el incentro, se denomina circunferencia inscrita.

Se ha de tener en cuenta que para el cálculo de los distintos elementos estudiados en esta sesión la precisión es un tema muy importante, de ahí que se dé una especial atención tanto al trabajo minucioso como a disponer de un material en condiciones adecuadas.

Para consolidar los conceptos que se acaban de estudiar se proponen las siguientes actividades:

Act.14 Dibuja un triángulo de lados 5 cm, 7 cm y 8 cm. Localiza el circuncentro y traza la circunferencia circunscrita. Observa que el triángulo es acutángulo y que el circuncentro está en su interior.

Act.15 Dibuja un triángulo de lados 3 cm, 4 cm y 5 cm. Localiza su circuncentro y traza la circunferencia circunscrita. Observa que el triángulo es rectángulo y que el circuncentro está en uno de los lados, la hipotenusa.

Act.16 Dibuja un triángulo cuyos lados miden 3 cm, 5 cm y 7 cm. Localiza su circuncentro y traza la circunferencia circunscrita. Observa que el triángulo es obtusángulo y que el circuncentro está fuera de él.

Act.17 Dibuja un triángulo de lados 5 cm, 7 cm y 8 cm. Localiza el incentro y traza la circunferencia inscrita.

6. Teorema de Pitágoras. Aplicaciones. (5.ª y 6.ª sesión)

Corregidas las actividades de la sesión anterior y aclaradas las posibles dudas que pueden haber surgido en estas dos últimas sesiones se verá el teorema de Pitágoras y sus aplicaciones.

Se partirá de un triángulo rectángulo, como el de la figura, donde los lados menores son los que forman ángulo recto y se llaman catetos. El lado mayor se llama hipotenusa.

b y c son los catetos

a es la hipotenusa

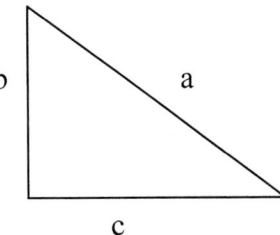

El teorema de Pitágoras dice:

$$a^2 = b^2 + c^2$$

Es decir, el área del cuadrado construido sobre la hipotenusa es igual a la suma de las áreas de los cuadrados construidos sobre los catetos.

Para su demostración utilizaremos el siguiente material: una hoja de papel en blanco, unas tijeras y una regla.

En primer lugar dibujaremos dos cuadrados iguales de lado $b + c$ y los recortamos.

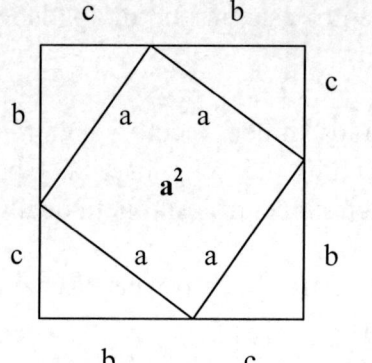 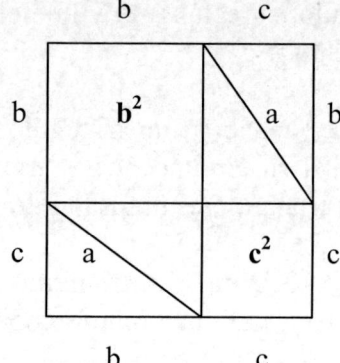

Dibujaremos cuatro triangulitos rectángulos iguales, de lados a, b y c. Y los recortamos. Situando los triangulitos sobre el cuadrado de la forma (I) o (II) se reproducirán las composiciones de arriba, demostrando de esta forma el teorema de Pitágoras.

Durante la segunda mitad de la quinta sesión y la sexta se desarrollarán las aplicaciones del teorema de Pitágoras.

El primer caso a estudio corresponderá con el cálculo de la hipotenusa conociendo los dos catetos. Para ello se ha de tener en cuenta que a partir de la expresión del teorema se despejará la hipotenusa:

$$a^2 = b^2 + c^2 \quad donde \quad a = \sqrt{b^2 + c^2}$$

Como actividad motivadora se utilizará la siguiente:

Act.5 Para sostener un poste de 3 m de alto, lo sujetamos con una cuerda situada a 4 m de la base del poste. ¿Cuál es la longitud, l, de la cuerda?

Con esta actividad se consigue que el alumno se familiarice con el teorema de Pitágoras y sea capaz de calcular la hipotenusa de un triángulo rectángulo. El procedimiento resulta muy sencillo:

- Primero se calcula el cuadrado de cada cateto.
- Segundo se suman los cuadrados.
- Tercero se calcula la raíz cuadrada.

Una vez bien asimilada esta aplicación, se pasará a la siguiente, cuyo propósito está en el cálculo de uno cualquiera de los catetos, conociendo de antemano el otro cateto y la hipotenusa. En esta ocasión la actividad introductoria puede ser la siguiente:

Act.6 En un triángulo rectángulo, un cateto mide 6 cm y la hipotenusa 10 cm. ¿Cuánto mide el otro cateto?

Con esta actividad se consigue que el alumno aplique el teorema de Pitágoras a la vez que realizamos la operación de transponer términos, que aunque ya se estudió en el tema de iniciación al álgebra, sigue resultando algo dificultosa para el alumno.

$$a^2 = b^2 + c^2 \quad donde \quad b^2 = a^2 - c^2 \quad por\ tanto \quad b = \sqrt{a^2 - c^2}$$

Como podemos comprobar los pasos a seguir para la resolución son los siguientes:

- Se calcula el cuadrado de la hipotenusa y del cateto que nos dan.
- Se transpone el cateto y se realiza la resta.
- Se calcula la raíz cuadrada.

Por último, la siguiente aplicación hace referencia a reconocer si dados tres lados de un triángulo este es rectángulo. Es un procedimiento por el cual no es necesario construirlo para luego medir sus ángulos.

Para ello comprobaremos si el cuadrado del lado mayor es o no igual a la suma de los cuadrados de los dos menores. El proceso a seguir viene estructurado en los siguientes pasos:

- De los tres lados, el mayor corresponde a la hipotenusa, los otros dos son catetos.
- Se calcula el cuadrado de la hipotenusa.

- Se calcula el cuadrado de cada cateto y se suman.
- Si las dos operaciones anteriores dan el mismo resultado, se concluye que es rectángulo, en caso contrario la respuesta es negativa.

Como actividad introductoria puede utilizarse la siguiente:

Act.7 Verifica si son rectángulos los triángulos de lados:

a) 17, 11 y 20 cm   b) 10, 26 y 24 cm

Con esta actividad se pretende que el alumno tome consciencia de que la hipotenusa de un triángulo rectángulo es mayor que cada uno de los catetos y que el teorema de Pitágoras proporciona soluciones rápidas y exactas frente a posibles errores de precisión en construcciones gráficas.

Se finalizará la sesión proponiendo las siguientes actividades:

<u>Act.18</u> En un triángulo rectángulo, los catetos miden 5 y 12 cm, respectivamente. ¿Cuánto medirá la hipotenusa?

<u>Act.19</u> En un triángulo rectángulo un cateto mide 7 cm y la hipotenusa 25 cm. ¿Cuánto mide el otro cateto?

<u>Act.20</u> Dibuja un triángulo rectángulo cuyos catetos midan 8 cm y 15 cm. Mide con la regla la hipotenusa y, después, aplica el teorema de Pitágoras para comprobar el resultado.

<u>Act.21</u> ¿Se puede dibujar un triángulo con dos ángulos rectos? ¿Por qué?

La última sesión de la unidad se dedicará a la realización de la prueba objetiva.

8. RECURSOS DIDÁCTICOS Y MATERIALES

- Pizarra y útiles para pizarra.

- Libro de texto, cuaderno de clase y fichas de ejercicios prácticos.

- Libros de consulta de la biblioteca del instituto y propios. Especialmente recomendables son:

  - *Invitación a la didáctica de la geometría.* Alsina, C. y otros. Ed. Síntesis. Madrid.
  - *Geoplanos y mecanos.* Bas, M. y Brihuega, J. MEC. Madrid.

- Calculadora científica.

- Ordenadores del aula de informática.

- Uso del Proyecto Descartes. Aula de informática.

- Asistente matemático Derive. Aula de informática.

9. ATENCIÓN A LA DIVERSIDAD

La atención a la diversidad se justifica a través de las actividades de refuerzo y ampliación. Se utilizarán según las necesidades de los alumnos. Habrá veces en que toda la clase necesite algún apoyo para reforzar conceptos no asimilados en su totalidad. Por el contrario nos encontraremos con casos en que la mayoría de la clase profundice con las actividades de ampliación. Lo más habitual será detectar qué necesidades tiene cada alumno para incidir con las actividades más idóneas en sus carencias o inquietudes intelectuales.

En el caso de que en el grupo haya algún alumno con necesidades educativas especiales, se realizarán adaptaciones curriculares significativas según lo establecido en la programación.

9.1. Actividades de refuerzo

Están destinadas a aquellos alumnos que precisan corregir y consolidar los contenidos de la unidad.

Los alumnos resolverán actividades relacionadas con:

- Clasificar triángulos.
- Dibujar triángulos.

- Reconocer sus principales rectas y puntos.
- Comprender el teorema de Pitágoras.

1) Clasifica cada uno de estos triángulos según sus lados y sus ángulos:

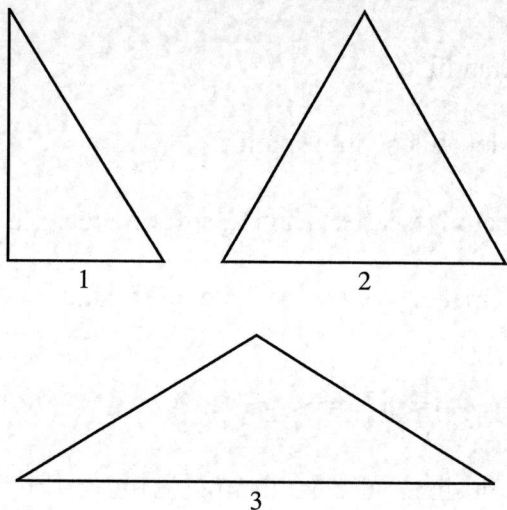

	SEGÚN SUS ÁNGULOS	SEGÚN SUS LADOS
TRIÁNGULO 1		
TRIÁNGULO 2		
TRIÁNGULO 3		

2) Dibuja un triángulo rectángulo e isósceles.

3) Los lados de un triángulo miden, respectivamente, 9 cm, 12 cm y 15 cm. Averigua si el triángulo es rectángulo.

4) Construye un triángulo de lados 6 cm, 4,5 cm y 3 cm

5) El lado mayor de un triángulo rectángulo mide 15 cm y uno de los dos lados menores mide 9 cm. ¿Cuánto mide el tercer lado?

6) Clasifica, según sus lados y según sus ángulos, un triángulo cuyos lados miden $a = 8$ cm, $b = 8$ cm y $c = 15$ cm. (Ayúdate con un dibujo).

7) Los lados de un triángulo miden, respectivamente, 3 cm, 4 cm y 5 cm. ¿Es ese triángulo rectángulo?

8) Los dos lados menores de un triángulo rectángulo miden 6 cm y 8 cm. ¿Cuánto mide el tercer lado?

9.2. Actividades de ampliación

Apropiadas para los alumnos que pueden avanzar con rapidez y que pueden profundizar en los contenidos de la unidad mediante un trabajo más autónomo.

Los alumnos resolverán actividades relacionadas con:

- Construcción de triángulos.
- Relación entre los lados y los ángulos de un triángulo.
- Puntos y rectas notables.
- Teorema de Pitágoras.

1) Clasifica los siguientes triángulos atendiendo a sus lados y sus ángulos:

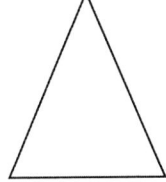 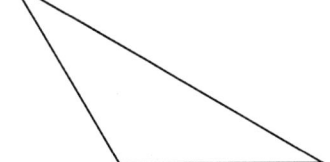 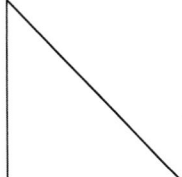

2) Construye, con ayuda de regla y compás, un triángulo cuyos lados midan, respectivamente, 4 cm, 5 cm y 6 cm.

3) Traza las tres medianas de este triángulo y señala su baricentro.

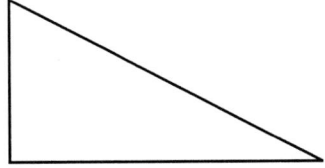

4) Los lados de un triángulo miden, respectivamente, 9 cm, 12 cm y 15 cm. Averigua si el triángulo es rectángulo.

5) ¿Cuál es la distancia mínima que debe recorrer una hormiga para subir desde la base hasta el vértice del cono?

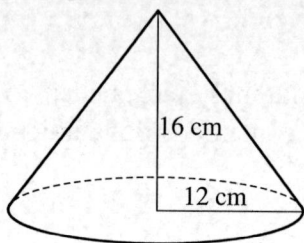

6) Construye cuatro triángulos cuyos lados midan: a = 6 cm, b = 7 cm y c = 8 cm.

a) En uno de ellos, traza sus medianas y localiza el baricentro.

b) En otro, traza las alturas y localiza el ortocentro.

c) En el tercero, localiza su circuncentro y traza la circunferencia circunscrita.

d) En el último, localiza su incentro y traza la circunferencia inscrita.

7) Indica si los siguientes triángulos son rectángulos o no. Si no lo son, calcula el valor de la hipotenusa para que lo sean:

a) Lados: 12, 16 y 20 cm. b) Lados: 5, 6 y 13 cm. c) Lados: 18, 24 y 32 cm

8) Todas las aristas de esta pirámide miden 4 cm. Calcula la distancia de A a B (apotema de la pirámide). ¿Qué altura tiene la pirámide?

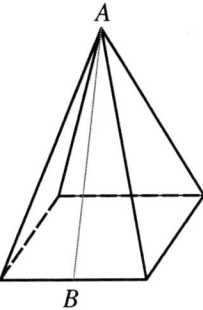

10. EVALUACIÓN

La evaluación de esta unidad se llevará a cabo siguiendo las directrices explicadas en la programación didáctica que la engloba.

Se realizará <u>al comienzo de la unidad</u>, <u>a lo largo del proceso</u> y <u>a su finalización</u> (donde se realizará una prueba escrita).

Los instrumentos que habitualmente se utilizarán para obtener información sobre el progreso de nuestros alumnos serán:

- La observación diaria.
- La revisión y corrección de las tareas realizadas por el alumno en casa.
- Seguimiento del cuaderno del alumno valorando su contenido (apuntes, actividades...),estructura, orden, limpieza y claridad.
- Intervenciones en la pizarra.
- Control de faltas y conducta.
- Realización de una prueba individual escrita al finalizar la unidad.

Para determinar las calificaciones de nuestros alumnos, se aplicarán los criterios de calificación reflejados en la programación, a saber:

a) Pruebas escritas. Supone el 60 % de la nota final.
b) Cuaderno de clase del alumno, trabajo diario e intervenciones en la pizarra. Su valoración es un 20 % de la nota final.
c) Puntualidad, comportamiento, interés y participación. A este apartado se le aplica el 20 % restante de la nota final.

Por último, hay que indicar que también se evaluará nuestra <u>práctica docente</u>, valorando, después de la experiencia, el nivel de adecuación de la unidad a los objetivos propuestos inicialmente, para proponernos posibles modificaciones.

Esta evaluación considerará los siguientes aspectos:

- Sesiones programadas y sesiones empleadas.
- Metodología aplicada.
- Adecuación de los recursos utilizados y de las actividades desarrolladas.
- Objetivos propuestos y objetivos conseguidos.
- Resultados académicos de nuestros alumnos.

11. TEMAS TRANSVERSALES Y EDUCACIÓN EN VALORES

Se pueden plantear y resolver problemas que aparecen en distintas situaciones. Por ejemplo: colocación de cables para sujetar elementos verticales, como son postes de luz o torres de telecomunicaciones, diseño de estructuras indeformables en andamios que se utilizan en construcción o en grúas, etc.

La educación para el consumidor y para la salud viene establecida por el famoso triángulo de alimentos para una dieta saludable y el uso de determinados productos químicos que son más o menos tóxicos.

La educación vial viene representada por triángulos cuyo significado es peligro, tanto en los automóviles con cargas peligrosas como en señalización en carretera.

Además, las distintas posibilidades de planteamiento y resolución de los problemas que ofrece la geometría debe servir para llamar la atención de los alumnos sobre la importancia de respetar a sus compañeros y a sus formas de trabajo (educación para la convivencia).

UNIDAD DIDÁCTICA 11:
MEDICIONES: LONGITUDES Y ÁREAS

1. INTRODUCCIÓN

Esta unidad didáctica corresponde al bloque IV: Geometría del currículo de 1.º de ESO del área de Matemáticas.

Se imparte a continuación de la unidad referida a polígonos regulares y circunferencia, y precede a la unidad que estudia funciones y gráficas, perteneciente esta al bloque de Funciones y gráficas.

Ella se dedicará al estudio de mediciones de longitudes y áreas de las principales figuras planas. Se iniciará con la propuesta de que los alumnos y las alumnas realicen mediciones directas de áreas por procedimientos intuitivos, componiendo y descomponiendo figuras y contando cuadraditos. Se trata de una primera estimación como paso previo al cálculo de perímetros y áreas.

Se continuará con una exposición de las fórmulas conocidas de áreas y perímetros, realizándose ejercicios tanto de cálculo directo como de razonamiento geométrico, siendo necesario para ello la aplicación del teorema de Pitágoras estudiado con anterioridad.

Para la obtención razonada de áreas se aplicará la descomposición en figuras planas cuyas fórmulas son por todos los alumnos conocidas.

2. CONOCIMIENTOS PREVIOS

Para poder desarrollar satisfactoriamente esta unidad, resulta conveniente que el alumno domine las siguientes cuestiones:

1) Saber realizar mediciones directas de longitudes.
2) Conocer las unidades del Sistema Métrico Decimal.
3) Saber expresar mediciones en diferentes unidades.
4) Conocer instrumentos para medir longitudes.

3. OBJETIVOS DIDÁCTICOS

En este punto se presentan los objetivos didácticos que deberán alcanzar los alumnos al finalizar la unidad, así como su relación con los objetivos generales de etapa y de área.

Objetivos didácticos	Objetivos de etapa	Objetivos de área
1) Determinar el perímetro de un polígono.	b, f, g	2, 3, 6
2) Calcular la longitud de una circunferencia.	b, f	2, 7, 8, 9
3) Hallar la longitud de un arco de circunferencia cuya amplitud viene expresada en grados.	b, f	2, 8, 9
4) Obtener el área de un cuadrado, rectángulo, rombo, trapecio y de cualquier polígono regular.	b, f	2, 7, 8, 9, 10
5) Calcular el área de cualquier triángulo.	b, f, g	2, 7, 8, 9, 10
6) Hallar el área de un círculo.	b, f, g	2, 7, 8, 9
7) Obtener el área de un sector circular expresado en grados.	b, f	2, 7, 8, 9

4. CONTENIDOS

4.1. Conceptos

1) La medida como información cuantitativa de tamaños.
2) Medidas directas e indirectas. El teorema de Pitágoras para mediciones indirectas.
3) Medidas en rectángulos, cuadrados, triángulos, paralelogramos y polígonos regulares. Perímetros y áreas. Deducción de las fórmulas.
4) Medidas en rectángulos, cuadrados, triángulos, paralelogramos y polígonos regulares. Perímetros y áreas. Deducción de las fórmulas.
5) Medidas en polígonos irregulares.
6) Medidas en un círculo: perímetro y área.
7) Longitud de un arco de circunferencia y superficie del sector circular. Deducción de las fórmulas.

4.2. Procedimientos

1) Utilización de un vocabulario adecuado para transmitir informaciones sobre medidas.
2) Estimación como paso previo a las diversas mediciones (para tener una primera idea del resultado y, después, poder juzgar lo razonable de las mismas).
3) Medición de longitudes con segmentos y de superficies con cuadrículas.
4) Utilización diestra de los instrumentos de medida.
5) Cálculo de áreas y perímetros:
   - Por aplicación de la fórmula.
   - Por descomposición y composición.
6) Aplicación de la técnica de triangulación para calcular la superficie de polígonos irregulares.
7) Cálculo de:
   - Área de un círculo.
   - Longitud de una circunferencia.
   - Longitud de un arco de circunferencia.
   - Área de un sector circular.
8) Resolución de problemas geométricos relacionados con el cálculo de áreas y perímetros.

4.3. Actitudes

1) Hábito de expresar las mediciones indicando siempre la unidad de medida.
2) Disposición favorable para estimar o calcular, según convenga, medidas de superficie.
3) Reconocimiento del teorema de Pitágoras como recurso valioso para la obtención indirecta de medidas.
4) Cuidado en el uso de diferentes instrumentos de medida.
5) Revisión sistemática del resultado de las medidas obtenidas mediante la aplicación de fórmulas, aceptándolas o rechazándolas según se adecuen o no a los valores esperados.
6) Gusto por la limpieza y precisión en la construcción de figuras geométricas.
7) Capacidad de crítica ante errores geométricos en construcciones o representaciones.

8) Flexibilidad para enfrentarse a las situaciones de cálculo de áreas de diferentes figuras considerando varios puntos de vista.

5. CRITERIOS DE EVALUACIÓN

1) Calcula el área y el perímetro de una figura plana (dibujada) dándole todos los elementos que necesita.
   - Un triángulo, con los tres lados y una altura.
   - Un paralelogramo, con los dos lados y la altura.
   - Un rectángulo, con sus dos lados.
   - Un rombo, con los lados y las diagonales.
   - Un trapecio, con sus lados y la altura.
   - Un círculo, con su radio.
   - Un polígono regular, con el lado y la apotema.

2) Calcula el área y el perímetro de un triángulo rectángulo, dándole dos de sus lados (sin la figura).
3) Calcula el área y el perímetro de un sector circular dándole el radio y el ángulo.
4) Calcula el área y el perímetro de un rombo, dándole sus dos diagonales o una diagonal y el lado.
5) Calcula el área y el perímetro de un trapecio rectángulo o isósceles cuando no se le da la altura o uno de los lados.
6) Calcula el área y el perímetro de un segmento circular (dibujado) dándole el radio, el ángulo y la distancia del centro a la base.
7) Calcula el área y el perímetro de un triángulo equilátero o de un hexágono regular dándole el lado.
8) Calcula el área de figuras en las que debe descomponer y recomponer para identificar otra figura conocida.
9) Resuelve situaciones problemáticas en las que intervengan las áreas y los perímetros.

6. SECUENCIACIÓN Y DISTRIBUCIÓN TEMPORAL

La secuenciación de los conceptos en esta unidad se ha hecho en relación con su grado de dificultad de forma que el alumno conocerá en primer lugar los conceptos más elementales, para pasar posteriormente a otros que se basen en los anteriores, y así sucesivamente. Además, estos se van introduciendo siguiendo un orden lógico y natural.

Creo que es conveniente dedicarle a esta unidad didáctica un total de 8 sesiones, que se impartirán a lo largo del tercer trimestre.

Estas sesiones se desarrollarán en función del nivel de conocimientos de que parten los alumnos y del trabajo que realicen por ellos mismos.

7. METODOLOGÍA Y SECUENCIA DE ACTIVIDADES

7.1. Consideraciones generales

Al inicio de la unidad se realizará una prueba para evalvar el nivel de conocimientos previos. Al final de la misma se dedicará una sesión para la realización de una prueba objetiva sobre la unidad con objeto de comprobar si se han alcanzado los objetivos.

El desarrollo de la unidad se llevará a cabo en el aula, dejando abierta la posibilidad, si las circunstancias lo permitieran, de impartir una sesión en el aula de informática, para que los alumnos conozcan y se introduzcan en el manejo del asistente matemático Derive.

Todas las sesiones, excepto la primera dedicada a evaluar los conocimientos previos de los alumnos, se iniciarán con la corrección de las actividades que se hayan realizado en casa o en clase la sesión anterior. Con esto, se aclaran las dudas y se sigue el avance o estancamiento del alumnado. En función de lo que se observe en la corrección se tomarán las medidas pertinentes. A continuación, en un segundo tercio de la sesión, se introducirán nuevos conceptos con la explicación correspondiente. Por último, en el tercer tercio de la clase se plantearán nuevas actividades con objeto de aclarar posibles dudas y cimentar lo explicado. De esta forma las clases tendrán una estructura fija que el alumno conocerá desde el principio.

7.2. Desarrollo de la unidad

Con objeto de evaluar el nivel de conocimientos previos, en la 1.ª mitad de la sesión inicial de la unidad, se propondrán actividades de motivación

que plantearán nuevos problemas y al mismo tiempo pondrán de manifiesto la necesidad de adquirir nuevos conocimientos para resolverlos. Estas actividades iniciales serán de los tipos siguientes:

a) Unidades de longitud y superficie.

b) Realizar cambios de unidades.

c) Cálculo de perímetros de polígonos.

d) Cálculo de áreas de figuras realizadas sobre papel cuadriculado.

Una vez corregidas, en la 2.ª mitad de esta primera sesión, se desarrollará el primer concepto de la unidad: 1. Perímetro.

Al inicio de la segunda mitad de esta primera sesión, se repartirá una fotocopia con figuras regulares e irregulares, unas acotadas y otras a escala para utilizar la regla. A continuación se introducirá el concepto de perímetro en polígonos irregulares, siendo este la suma de las longitudes de los lados. Seguidamente se verá el concepto de perímetro en polígonos regulares, donde nos aparecerá la siguiente fórmula: $P = n \cdot l$. Donde P es el perímetro, n es el número de lados y l es la longitud de un lado.

En la fotocopia que se entregó, el alumno dispondrá de unas figuras planas, regulares e irregulares, para poder iniciarse en los conceptos que se acaban de estudiar.

Por último, se propondrán las siguientes actividades de consolidación.

Act.1: Halla el perímetro de:

a) Un rombo cuyo lado mide 10 cm.
b) Un trapecio isósceles con bases de 4 y 8 cm y los otros lados de 5 cm.

Act.2: ¿Cuánto mide cada uno de los lados de un pentágono regular si su perímetro es de 25 cm?

Act.3: Obtén el perímetro de un rectángulo, si su diagonal mide 17 cm y uno de sus lados es de 15 cm.

Act.4: Calcula el perímetro y la longitud de una habitación rectangular de dimensiones 8,3 m y 4,6 m.

2. Área de paralelogramos. (2.ª sesión)

Corregidas las actividades de la sesión anterior y aclaradas las dudas, se recuerda en esta segunda sesión, el concepto área de paralelogramos, empezando por el área del rectángulo, que corresponde con el producto del largo por el ancho o base por altura.

Se continúa con el área del cuadrado, que, en este caso, al ser la anchura y la altura de iguales dimensiones, es simplemente el producto del lado por sí mismo, o el lado al cuadrado, conceptos estos estudiados ya en el curso anterior.

A continuación, se proponen las siguientes actividades sobre el particular:

Act.5 Halla el área de un rectángulo de 30 cm de base y 12 cm de altura.

Act.6 Calcula el área de un cuadrado cuya diagonal mide 6 cm.

El siguiente paralelogramo que se estudiará corresponde al rombo. Como de todos es conocido, el rombo tiene dos diagonales, D (diagonal mayor), y d (diagonal menor), siendo el área correspondiente a la mitad del rectángulo cuya base es d y altura D. Para su demostración, en la pizarra se dibujará el rombo inscrito en el rectángulo, y se apreciará rápidamente la fórmula expresada anteriormente.

A continuación, se dibujará un romboide en la pizarra y se deducirá, gráficamente, la fórmula que nos proporciona su área, que será igual al producto de su base por la altura.

Como actividades introductorias se propondrán las siguientes:

Act.7 Halla el área de un rombo de diagonales 6 y 8 cm, respectivamente.

Act.8 Calcula el área de un romboide cuya base es de 6 cm y la altura 4 cm.

Corregidas estas actividades en la pizarra y solicitando el profesor la colaboración del alumnado para su resolución, se propondrán las siguientes actividades de consolidación:

Act.9 Obtén el área y el perímetro del suelo de una habitación rectangular de lados 3 m y 7 m.

Act.10 Calcula el área y el perímetro de un rectángulo de altura 48 cm y diagonal 50 cm.

Act.11 Un terreno de forma rectangular mide 4,5 km de largo y 3.000 m de ancho:

a) Halla el área del terreno en metros cuadrados y en hectáreas.

b) Calcula su precio si se vende a 3,60 €/m².

Act.12 Obtén el área de un rombo cuyo perímetro es 20 cm y su diagonal menor mide 6 cm.

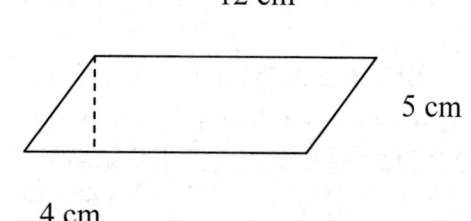

12 cm

Act.13   Calcula el área y el perímetro de esta figura.

5 cm

4 cm

3. Área de un triángulo. (3.ª sesión)

En esta tercera sesión, previamente corregidas las actividades de la sesión anterior, se repasarán y reforzarán los conceptos de área de un triángulo.

Se dibujará en la pizarra un triángulo cualquiera, colocándose otro igual sobre uno de los lados del primero, con lo que se obtendrá el dibujo de un romboide. Esto nos permite descubrir que el área de un triángulo es la mitad del romboide obtenido.

Antes de proponer distintas actividades, se recordará la importancia de realizar el correspondiente dibujo y colocación de datos de partida del problema antes de intentar resolver cualquier cuestión.

Acto seguido, se propondrán las siguientes actividades:

Act.14 Obtén el área de un triángulo con altura 3 cm y base 4 cm.

Act.15 Calcula el área de este triángulo:

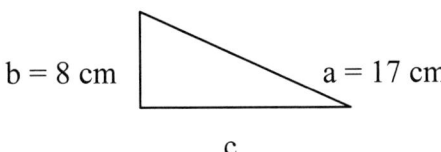

b = 8 cm   a = 17 cm

c

Act.16 Determina el área de un triángulo equilátero de lado 8 cm.

Con estas actividades se persigue que el alumno tenga suficiente habilidad y destreza para el cálculo del área del triángulo, así como que perciba que en muchas ocasiones es necesario el uso del teorema de Pitágoras, que ha aprendido en unidades anteriores.

Finalizadas las actividades propuestas y para que consoliden los conceptos que acaban de estudiar se proponen las siguientes actividades:

Act.17 Determina el área de un triángulo de base 4 cm y altura 7 cm.

Act.18 Calcula el área de un triángulo rectángulo de catetos 6 cm y 7 cm.

Act.19 Obtén el área de un triángulo equilátero de 18 cm de perímetro.

Act.20 Calcula el área de esta figura:

6 cm

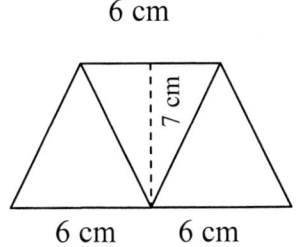

7 cm

6 cm   6 cm

4. Área de un trapecio. (4.ª sesión)

Una vez corregidas las actividades de la sesión anterior y aclaradas todas las dudas, en la cuarta sesión se estudia el área de un trapecio, de la que algunos alumnos pueden tener cierto conocimiento de cursos anteriores.

En la pizarra se dibujará un trapecio de base mayor, B, base menor, b, y altura, h. Se colocará otro de las mismas dimensiones sobre los lados que no forman bases, y se obtendrá la figura de un romboide, de forma que la base B se encuentra a continuación de b, y viceversa.

De esta forma, y recordando que el área de un romboide es el producto de la base por la altura, se deduce inmediatamente que el área de un trapecio es el producto de la suma de las dos bases por la altura dividido por dos.

Debido a que en la definición puede no haber quedado todo claro, se realizará la siguiente actividad introductoria:

Act.21 Obtén el área de este trapecio isósceles:

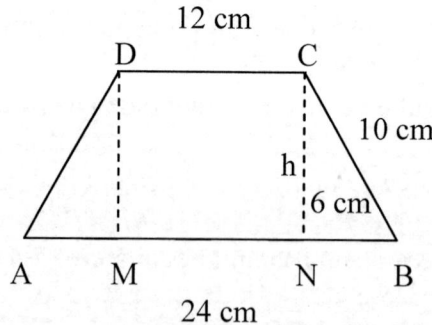

Para resolver la siguiente actividad se empezará observando que el dato que nos falta para el cálculo del área del trapecio es h, la altura. Para resolverlo, se ha de tener en cuenta que el triángulo formado por los vértices BCN es rectángulo, siendo 6 cm un cateto, 10 cm la hipotenusa y h el otro cateto. Se aplicará el teorema de Pitágoras y se tendrá el dato que nos hacía falta.

Con esta actividad volvemos a ver que el teorema de Pitágoras se utiliza frecuentemente en esta clase de problemas y, por tanto, se ha de tener presente. Así como la necesidad de realizar los correspondientes dibujos aclaratorios antes de proceder a realizar cálculo alguno.

Finalmente, para su total asimilación de los conceptos estudiados se proponen las siguientes actividades:

Act.22 Calcula el área de un trapecio de altura 7 cm y bases de 3 cm y 5 cm.

Act.23 En un trapecio rectángulo, las bases miden 4 cm y 7 cm y la altura, 4 cm. Determina el valor del otro lado y su área.

Act.24 Obtén el área de la siguiente figura:

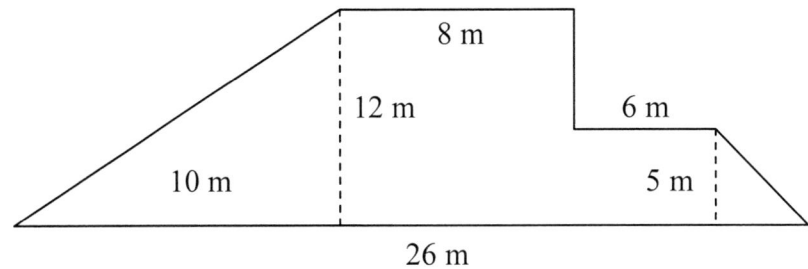

5. Área de un polígono regular. (5.ª sesión)

En esta quinta sesión se introduce el concepto de área de un polígono regular. Este concepto es necesario cuando tenemos que realizar el cálculo de figuras planas poligonales.

Se partirá del dibujo de un hexágono en la pizarra. Del centro de la circunferencia circunscrita, se dibujarán los distintos radios a los vértices correspondientes, y se obtendrán seis triángulos equiláteros iguales. La conclusión que inmediatamente se obtiene es que el área del polígono será el área de uno de esos triángulos multiplicado por el número de lados del polígono, que en nuestro caso resulta ser seis.

Por otra parte, para el cálculo del área del triángulo son necesarios dos datos, la longitud de la base, que coincide con la del lado del polígono a estudio, y la altura, que se denomina apotema.

Por tanto, la expresión final que se obtiene para el cálculo del área de un polígono regular, recordando que el perímetro corresponde a la longitud de un lado multiplicado por el número de lados, es igual al producto del perímetro por la apotema dividido por dos.

Para la deducción de la apotema se ha de recurrir al ya utilizado en varias ocasiones teorema de Pitágoras. Se ha de tener presente que a cada triángulo, uno de los catetos corresponde con la mitad del lado, l, del polígono regular, mientras que la hipotenusa es el radio de la circunferencia circunscrita, r. Con estos datos se demuestra rápidamente que la expresión de la apotema, a, es:

$$a = \sqrt{r^2 - \left(\frac{l}{2}\right)^2}$$

Para aclarar mejor los conceptos acabados de estudiar se propondrán las siguientes actividades:

Act.25 Calcula el área de un pentágono regular de 6 cm de lado y 4,1 cm de apotema.

Act.26 Calcula la mitad del área de un hexágono regular si el lado mide 5 cm.

Con estas actividades se pretende que el alumno aplique tanto las fórmulas establecidas con anterioridad como la aplicación del teorema de Pitágoras para encontrar el valor de la apotema.

Para finalizar se propondrán las siguientes actividades de consolidación de conceptos:

Act.27 Obtén el área de un hexágono regular de lado 6 cm y apotema 6,2 cm.

Act.28 Calcula la apotema de un hexágono regular de área 93,5 m^2 y lado 6 m.

Act.29 Halla el lado de un octógono regular de área 1,19 dm^2 y apotema 6 cm.

Act.30 Halla la apotema de un eneágono regular de lado 12 cm y radio 21,3 cm

Act.31 Calcula el radio de un pentágono regular, sabiendo que su área es de 30 cm² y su lado de 4,2 cm.

6. Área del círculo y longitud de la circunferencia. (6.ª sesión)

Se inicia la sexta sesión de la unidad aclarando todas las posibles dudas de las actividades propuestas en la sesión anterior, con ello los alumnos deben dominar tanto el área de polígonos regulares como el cálculo de la apotema.

Se continuará con la longitud de la circunferencia. Para ello se recortará en cartulina un círculo de un diámetro d. Se dibujará en una hoja una línea recta y se marcará tres veces el diámetro.

Acto seguido, se cogerá una pequeña cinta que bordeará la circunferencia que previamente se había recortado, y extendiéndola sobre la línea recta dibujada anteriormente, se marcará su longitud. Se apreciará que es un poco superior a la marca establecida que correspondía a tres diámetros.

Si se divide la longitud de la circunferencia entre su diámetro se obtiene el mismo número decimal, que se designa por la letra griega π, siendo sus cifras decimales ilimitadas. Su valor es $\pi = 3,141592\ldots$

Resumiendo lo que acabamos de aprender, nos aparece la definición de la longitud de una circunferencia, L, que es igual a: $L = 2 \cdot \pi \cdot r$.

El siguiente concepto que se estudia es el arco de circunferencia. Se ha de tener presente que la circunferencia tiene 360°, hecho que conocen todos los alumnos. Por lo que si queremos calcular la longitud de un arco de circunferencia de n grados, es de inmediata demostración que su longitud viene dada por la siguiente expresión:

$$L_{AB} = \frac{2 \cdot \pi \cdot r \cdot n}{360}$$

Para hacer constar que los conceptos han sido correctamente aprendidos, se proponen las siguientes actividades:

Act.32 Hallar la longitud de una circunferencia de radio 2 cm.

Act.33 Calcula la longitud de circunferencia de un ángulo de 30° y radio de 2 cm.

El siguiente concepto que estudiaremos corresponde con el área del círculo. Para saber cómo se obtiene la fórmula que los alumnos suelen conocer de cursos anteriores, se utilizarán medios audiovisuales, es decir, un cañón conectado a un portátil. En primer lugar se mostrará una circunferencia circunscrita a un hexágono. Seguidamente se doblará el número de lados del polígono y se mostrará el resultado. El proceso se repetirá varias veces hasta que se vea el siguiente resultado:

$$\text{Área del círculo} = \frac{per\acute{\imath}metro \cdot apotema}{2} = \frac{longitud \cdot radio}{2}$$

que se traduce en: área del círculo es: $A = \pi \cdot r^2$.

Por otra parte, si lo que se pretende es calcular el área de un sector circular, que se encuentra limitado por dos radios, nos encontramos con la siguiente expresión: $A = \dfrac{\pi \cdot r^2 \cdot n}{360}$, que tiene similitud con la longitud del arco de circunferencia.

Como actividades que engloban estos conceptos, podemos realizar las siguientes:

Act.34 Calcula el área de un círculo de radio 3 cm.

Act.35 Determina el área de un sector circular de 110° y radio 5 cm.

Para finalizar se indicará que la corona circular es la zona comprendida entre dos circunferencias que tienen el mismo centro y distinto radio.

Como actividades de consolidación de los conceptos estudiados podrían servir las siguientes:

Act. 36 Una circunferencia está inscrita en un cuadrado de 4 cm. Calcula su longitud.

Act.37 Si la longitud de la circunferencia es de 25 cm, ¿cuánto mide su radio?

Act.38 Halla el área de un círculo de 6 cm de diámetro.

Act.39 Obtén el área de una corona circular limitada por dos circunferencias de radios 4 y 8 cm, respectivamente.

7. Área de una figura plana. (7.ª sesión)

En la séptima sesión y viendo que los alumnos han asumido los conceptos anteriores de área de figuras regulares, se establece una regla práctica y sencilla para el cálculo del área de una figura plana.

Para el cálculo del área de una figura plana cualquiera se puede descomponer la figura en otras cuyas áreas sepamos calcular.

Se la repartirá a cada alumno una fotocopia con diversas figuras planas para el cálculo del área correspondiente, ya que la sesión será totalmente práctica y carecerá de conceptos nuevos.

Como actividad introductoria y de motivación se puede utilizar la siguiente actividad:

Act.40 Calcula el área de este polígono:

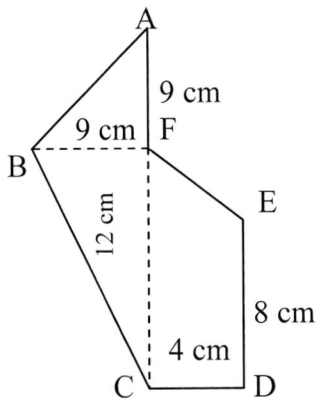

Con esta actividad se pretende, en primer lugar, que el alumno sea capaz de descomponer la figura inicial en figuras que se han estudiado en esta unidad. A continuación se calcularán las áreas correspondientes de cada trozo y finalmente se procederá a su suma. En este caso concreto de la actividad propuesta, se tienen que realizar los siguientes cálculos:

- Cálculo del área del triángulo ABF. Se conocen la base y la altura.
- Cálculo del área del triángulo BCF. Se conocen la base y la altura.
- Cálculo del área del trapecio CDEF. Se conocen las bases y la altura.
- Suma de las tres áreas calculadas.

Se continuará resolviendo los ejercicios propuestos en la fotocopia entregada a principio de la sesión.

Se finalizará la sesión proponiendo las siguientes actividades:

Act.41 Calcula el área de estas figuras:

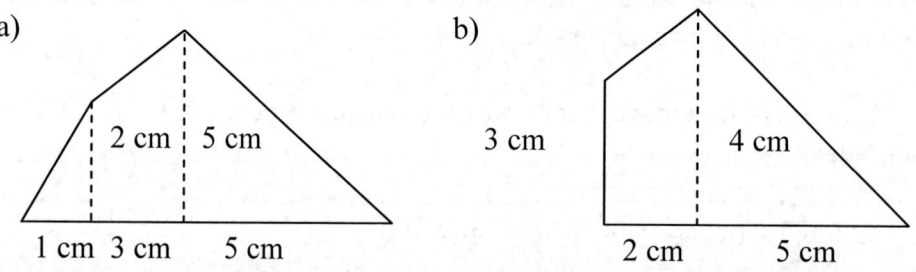

Act.42 Obtén el área de las zonas sombreadas:

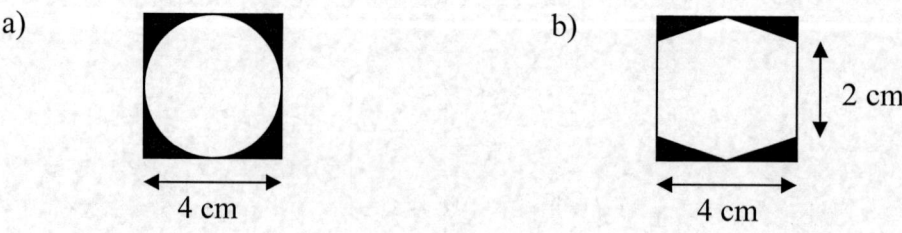

<u>Act.43</u> Calcula el área de la zona sombreada:

a

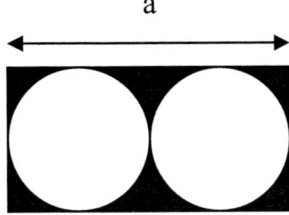

La última sesión de la unidad se dedicará a la realización de la prueba objetiva.

8. RECURSOS DIDÁCTICOS Y MATERIALES

- Pizarra y útiles para pizarra.

- Libro de texto, cuaderno de clase y fichas de ejercicios prácticos.

- Libros de consulta de la biblioteca del instituto y propios. Especialmente recomendables son:

  - *Geometría y experiencias*. García, J. y Beltrán, G. Ed.: Alhambra Longman, Madrid.
  - *Superficie y volumen. ¿Algo más que el trabajo con fórmulas?* Colección Matemáticas: Cultura y Aprendizaje, n.º 19. Ed.: Síntesis. Madrid.

- Papel milimetrado e isométrico.

- Instrumentos habituales de dibujo.

- Calculadora científica.

- Ordenadores del aula de informática.

- Uso del Proyecto Descartes. Aula de informática.

- Asistente matemático Derive. Aula de informática.

9. ATENCIÓN A LA DIVERSIDAD

La atención a la diversidad se justifica a través de las actividades de refuerzo y ampliación. Se utilizarán según las necesidades de los alumnos. Habrá veces en que toda la clase necesite algún apoyo para reforzar conceptos no asimilados en su totalidad. Por el contrario nos encontraremos con casos en que la mayoría de la clase profundice con las actividades de ampliación. Lo más habitual será detectar qué necesidades tiene cada alumno para incidir con las actividades más idóneas en sus carencias o inquietudes intelectuales.

En el caso de que en el grupo haya algún alumno con necesidades educativas especiales, se realizarán adaptaciones curriculares significativas según lo establecido en la programación.

9.1. Actividades de refuerzo

Están destinadas a aquellos alumnos que precisan corregir y consolidar los contenidos de la unidad.

Los alumnos resolverán actividades relacionadas con:

- Unidades de longitud y superficie.
- Realizar cambios de unidades.
- Cálculo de perímetros.
- Cálculo de áreas de paralelogramos.
- Cálculo de áreas de triángulos.
- Cálculo de áreas de un trapecio.
- Cálculo de áreas de un polígono regular.
- Cálculo de áreas del círculo.
- Cálculo de áreas de figuras planas.

1) Con tres segmentos de medidas: 30 mm, 0,5 dm y 7cm, forma estas figuras:

a) Un cuadrado de 3 cm de lado.
b) Un triángulo equilátero de 5 cm de lado.
c) Un rectángulo de 7 x 3 cm.

2) Expresa en cm y en mm las medidas del tablero de tu pupitre. ¿Qué tipo de polígono es? Calcula la medida de su diagonal. Exprésala en cm. Después, dibuja una figura representativa.

3) Halla el perímetro de las siguientes figuras y realiza un dibujo:

   a) Un triángulo equilátero de 5 cm de lado.
   b) Un cuadrado de 5 cm de lado.
   c) Un rectángulo de 10 cm y 4 cm de lado.
   d) Un pentágono de 4,5 cm de lado.

4) La banda y el fondo de un campo de fútbol miden 100 y 70 m, respectivamente. Si se quiere pintar su longitud, ¿cuántos metros de línea blanca se pintarán? Realiza un dibujo.

5) La rueda de la bicicleta de Luis tiene un diámetro de 44 cm:

   a) ¿Qué distancia recorre la bicicleta cada vez que la rueda da una vuelta?
   b) ¿Y si da tres vueltas?
   c) Determina cuántas vueltas dará la bicicleta en 10 m.

6) Calcula el área de la siguiente figura:

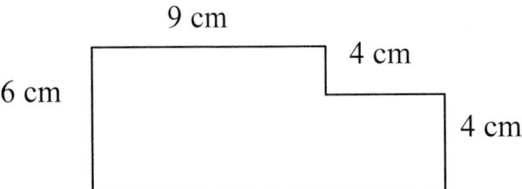

7) Calcula el área del siguiente rombo: diagonal mayor, 12 cm y la menor, 6 cm.

8) Calcula el área de un romboide de base 7 cm y altura 3 cm. Realiza un dibujo representativo.

9) Dibuja un rectángulo de base 6 cm y altura 3 cm:

   a) Obtén su área.

b) Traza las medianas de cada lado y dibuja sus diagonales.

c) Halla el área del rombo.

10) Calcula el área de un triángulo isósceles de 12 cm de base y 18 de altura.

11) ¿Cuál es la longitud de una circunferencia de diámetro 5 cm? Realiza un dibujo representativo y calcula el área del círculo.

9.2. Actividades de ampliación

Apropiadas para los alumnos que pueden avanzar con rapidez y que pueden profundizar en los contenidos de la unidad mediante un trabajo más autónomo.

Los alumnos resolverán actividades relacionadas con:

* Cálculo de perímetros.
* Áreas de paralelogramos.
* Áreas de triángulos.
* Áreas de un trapecio.
* Áreas de polígonos regulares.
* Áreas de un círculo.
* Áreas de figuras planas.
* Problemas de áreas.

1) Halla el perímetro de un rombo cuyas diagonales son 12 y 16 cm, respectivamente.

2) La diagonal del cuadrado inscrito en una circunferencia mide 4 cm. Halla la longitud de la circunferencia.

3) En un rectángulo de 320 cm² de superficie, uno de sus lados mide 20 cm. ¿Cuánto mide el otro?

4) Si un romboide tiene un área de 66 cm² y su altura mide 6 cm, ¿cuánto mide su base?

5) En un triángulo isósceles, los lados iguales AC y BC miden 20 cm y la base AB tiene 24 cm de longitud. Calcula su perímetro, su altura y su área.

6) En un trapecio rectángulo, las bases miden 7 y 12 cm, respectivamente, y su altura, 5 cm, halla sus diagonales.

7) Halla el lado de un hexágono regular de apotema 6 cm y área 124,7 cm².

8) Una circunferencia tiene 3,5 cm de radio.

   a) ¿Cuál es el perímetro del hexágono regular inscrito?
   b) ¿Y el cuadrado circunscrito?

9) Obtén el área de la zona coloreada, si el radio del primer objeto es 16 cm:

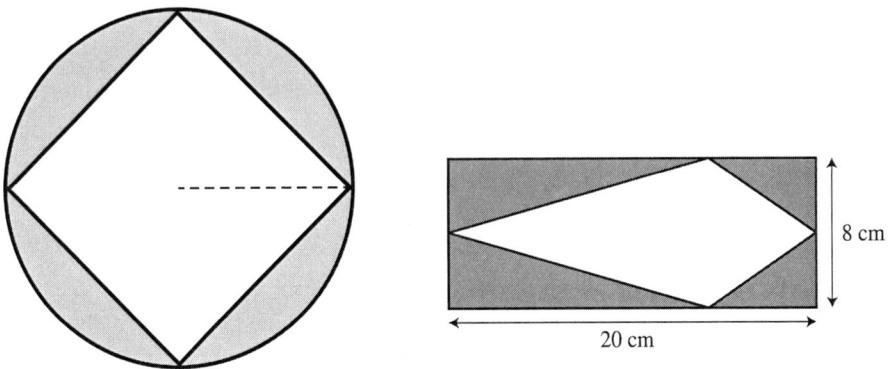

10) Calcula cuánto medirá el lado de una baldosa cuadrada que tiene de superficie 324 cm².

11) ¿Cuántos árboles podemos plantar en un terreno con forma de paralelogramo de 30 m de largo y 32 m de ancho, si cada árbol necesita una superficie de 4 m²?

12) ¿Cuál es el área de un tablero de ajedrez si cada casilla tiene 25 mm de lado?

10. EVALUACIÓN

La evaluación de esta unidad se llevará a cabo siguiendo las directrices explicadas en la programación didáctica que la engloba.

Se realizará al comienzo de la unidad, a lo largo del proceso y a su finalización (donde se realizará una prueba escrita).

Los instrumentos que habitualmente se utilizarán para obtener información sobre el progreso de nuestros alumnos serán:

- La observación diaria.
- La revisión y corrección de las tareas realizadas por el alumno en casa.
- Seguimiento del cuaderno del alumno valorando su contenido (apuntes, actividades...),estructura, orden, limpieza y claridad.
- Intervenciones en la pizarra.
- Control de faltas y conducta.
- Realización de una prueba individual escrita al finalizar la unidad.

Para determinar las calificaciones de nuestros alumnos, se aplicarán los criterios de calificación reflejados en la programación, a saber:

a) Pruebas escritas. Supone el 60 % de la nota final.
b) Cuaderno de clase del alumno, trabajo diario e intervenciones en la pizarra. Su valoración es un 20 % de la nota final.
c) Puntualidad, comportamiento, interés y participación. A este apartado se le aplica el 20 % restante de la nota final.

Por último, hay que indicar que también se evaluará nuestra práctica docente, valorando, después de la experiencia, el nivel de adecuación de la unidad a los objetivos propuestos inicialmente, para proponernos posibles modificaciones.

Esta evaluación considerará los siguientes aspectos:

- Sesiones programadas y sesiones empleadas.
- Metodología aplicada.
- Adecuación de los recursos utilizados y de las actividades desarrolladas.
- Objetivos propuestos y objetivos conseguidos.

- Resultados académicos de nuestros alumnos.

11. TEMAS TRANSVERSALES Y EDUCACIÓN EN VALORES

Se pueden plantear y resolver problemas que aparecen en distintas situaciones. Por ejemplo: calcular la superficie de las paredes de una habitación para pintarla o empapelarla, la distribución y superficie de una vivienda para valorar el precio de la misma, el cálculo de superficies altamente irregulares, el cálculo del presupuesto de reforma de un aseo o cocina, etc.

Dado el perfil de las actividades de la unidad, los relacionados con la educación del consumidor son quizás los contenidos transversales más tratados.

Además, las distintas posibilidades de planteamiento y resolución de los problemas y cuestiones que ofrece la geometría deben servir para llamar la atención de los alumnos sobre la importancia de respetar a sus compañeros y a sus formas de trabajo (educación para la convivencia).

UNIDAD DIDÁCTICA 12: FUNCIONES Y GRÁFICAS

1. INTRODUCCIÓN

Esta unidad didáctica corresponde al bloque de Funciones y gráficas del currículo de 1.º de ESO del área de Matemáticas.

Se imparte a continuación de la unidad referida a perímetros y áreas, del bloque de Geometría, y precede a la unidad que estudia probabilidad, perteneciente esta al bloque de Estadística y probabilidad.

En ella y partiendo de los contenidos ya estudiados, la relación entre dos magnitudes, se plantea como objetivo principal la introducción al alumno en los conceptos gráficos de las expresiones algebraicas, las funciones, como primer paso hacia el estudio del lenguaje de la información y la expresión visual.

Se requerirá por parte del alumno un esfuerzo importante para asimilar la nomenclatura que se emplea a lo largo de la presente unidad: eje, tabla de valores, coordenadas, abscisa, variable, función, etc. Siendo todos estos términos los que se aplican en situaciones cotidianas cuando se requiere expresar la relación entre dos magnitudes.

Es importante que el alumnado utilice correctamente los símbolos, el trazado de líneas y las representaciones gráficas en el plano. Algunas de las actividades representan el sistema de ejes para facilitar la resolución de ejercicios, pero en ocasiones el alumno deberá elaborar las tablas y realizar el trazado de los ejes cartesianos donde se representarán los pares de valores.

Será muy útil el empleo de transparencias y el uso de vídeos sobre funciones y gráficas para lograr una mejor comprensión de los conceptos que se tratan a lo largo de la unidad.

2. CONOCIMIENTOS PREVIOS

Para poder desarrollar satisfactoriamente esta unidad, no se requiere conocimiento específico sobre funciones; sin embargo, el alumno debe estar familiarizado con la lectura de tablas de valores y con la organización de datos en tablas. Además, los alumnos y las alumnas deben saber representar puntos en el plano dadas sus coordenadas cartesianas, sean estas números naturales, decimales sencillos o negativos.

Por otra parte, para la realización de algunas actividades, el alumno tiene que recordar ciertos conceptos que se han tratado en otras unidades como es el perímetro y el área de un triángulo y las operaciones con medidas de ángulos.

3. OBJETIVOS DIDÁCTICOS

En este punto se presentan los objetivos didácticos que deberán alcanzar los alumnos al finalizar la unidad, así como su relación con los objetivos generales de etapa y de área.

Objetivos didácticos	Objetivos de etapa	Objetivos de área
1) Representar y localizar puntos en un sistema de coordenadas cartesianas, utilizando el vocabulario y las técnicas adecuadas.	b, f, g	2, 3, 7
2) Interpretar gráficas de puntos y líneas en un sistema de coordenadas, analizando la información que contienen.	b, f, g	2, 3, 5
3) Trabajar con la expresión algebraica de una función, con una tabla o con un enunciado, y pasar de unas a otras en casos sencillos.	b, f, g	2, 7, 8, 9, 10
4) Realizar actividades en las que se describan e interpreten relaciones entre dos magnitudes, utilizando, cuando sea posible, valores organizados en tablas.	b, f, g, h	2, 3, 7, 8, 9
5) Conocer si dos variables están relacionadas, y distinguir entre la variable dependiente e independiente.	b, f, g	8, 9, 10
6) Investigar e interpretar relaciones funcionales sencillas, en las que se identifiquen las variables que aparecen y que correspondan a fenómenos de la vida cotidiana.	b, f, g, h	2, 7, 8, 9, 10

4. CONTENIDOS

4.1. Conceptos

1) Coordenadas cartesianas.
2) Interpretación de gráficas.
3) Tablas y expresiones algebraicas de una función.
4) Representación gráfica de funciones.
5) Comparación de gráficas.

4.2. Procedimientos

1) Determinación de un punto en el eje de coordenadas a partir de sus coordenadas cartesianas.
2) Localización de las coordenadas cartesianas de un punto en el plano.
3) Construcción de tablas de pares de valores ordenados.
4) Construcción e interpretación de gráficas a partir de tablas, fórmulas y descripciones verbales de un problema.
5) Interpretación y utilización de gráficas para resolver problemas.

4.3. Actitudes

1) Reconocimiento y valoración de las relaciones entre lenguaje gráfico, algebraico y numérico.
2) Confianza en las propias capacidades para afrontar problemas y realizar cálculos.
3) Valoración del lenguaje gráfico como instrumento para transmitir información.
4) Precisión y limpieza en la elaboración de gráficas.
5) Curiosidad por investigar relaciones entre magnitudes o fenómenos.

5. CRITERIOS DE EVALUACIÓN

1) Representar y localizar puntos en un sistema de coordenadas cartesianas.
2) Interpretar gráficas de puntos y líneas.
3) Analizar la información de una gráfica.
4) Trabajar con la expresión algebraica de una función, una tabla o un enunciado, y pasar de unas a otras en casos sencillos.

5) Resolver actividades donde se describan e interpreten relaciones entre dos magnitudes.

6) Distinguir si dos variables están o no relacionadas.

7) Investigar e interpretar con fluidez relaciones funcionales sencillas entre dos variables que reflejen fenómenos de la vida cotidiana.

6. SECUENCIACIÓN Y DISTRIBUCIÓN TEMPORAL

La secuenciación de los conceptos en esta unidad se ha hecho en relación con su grado de dificultad de forma que el alumno conocerá en primer lugar los conceptos más elementales, para pasar posteriormente a otros que se basen en los anteriores, y así sucesivamente. Además, estos se van introduciendo siguiendo un orden lógico y natural.

Creo que es conveniente dedicarle a esta unidad didáctica un total de 8 sesiones, que se impartirán a lo largo del tercer trimestre.

Estas sesiones se desarrollarán en función del nivel de conocimientos de que parten los alumnos y del trabajo que realicen por ellos mismos.

7. METODOLOGÍA Y SECUENCIA DE ACTIVIDADES

7.1. Consideraciones generales

Al inicio de la unidad se realizará una prueba para evaluar el nivel de conocimientos previos. Al final de la misma se dedicará una sesión para la realización de una prueba objetiva sobre la unidad con objeto de comprobar si se han alcanzado los objetivos.

El desarrollo de la unidad se llevará a cabo en el aula, dejando abierta la posibilidad, si las circunstancias lo permitieran, de impartir una sesión en el aula de informática, para que los alumnos conozcan y se introduzcan en el manejo del asistente matemático Derive.

Todas las sesiones, excepto la primera dedicada a evaluar los conocimientos previos de los alumnos, se iniciarán con la corrección de las actividades que se hayan realizado en casa o en clase la sesión anterior. Con esto, se aclaran las dudas y se sigue el avance o estancamiento del alumnado. En función de lo que se observe en la corrección se tomarán las medidas pertinentes. A continuación, en un segundo tercio de la sesión, se introducirán nuevos conceptos con la explicación correspondiente. Por último, en el tercer tercio de la clase se plantearán nuevas actividades con objeto de aclarar posibles dudas y cimentar lo explicado. De esta forma las clases tendrán una estructura fija que el alumno conocerá desde el principio.

7.2. Desarrollo de la unidad

Con objeto de evaluar el nivel de conocimientos previos, en la 1.ª mitad de la sesión inicial de la unidad, se propondrán actividades de motivación que plantearán nuevos problemas y al mismo tiempo pondrán de manifiesto la necesidad de adquirir nuevos conocimientos para resolverlos. Estas actividades iniciales serán de los tipos siguientes:

a) Representar y localizar puntos en la recta.

b) Saber nombrar los ejes de coordenadas y localizar los distintos cuadrantes.

c) Saber las coordenadas de un punto.

d) Conocer los signos de las coordenadas en cada cuadrante.

e) Saber relacionar una tabla de valores con los puntos en el plano.

Una vez corregidas, en la 2.ª mitad de esta primera sesión, se desarrollará el primer concepto de la unidad: 1. Rectas numéricas.

Se recordarán los pasos que se seguían cuando se representaron los números enteros en la recta real:

a) Se fija un punto origen, denominado 0, y se toman unidades de medida iguales hacia la derecha e izquierda del origen.

b) En la semirrecta de la derecha se representan los números naturales, siendo la primera división el 1.

c) En la semirrecta de la izquierda se representan los números enteros negativos.

Como la mayoría de los alumnos utilizan libretas de cuadros, se utilizarán estos cuadros para las divisiones en unidades, donde algunas veces cada unidad corresponderá con un cuadro y otras veces se utilizarán varios de esos cuadros.

También se indicará cómo se puede realizar la representación en la recta numérica de los números decimales, efectuando, primeramente, diez divisiones iguales en cada unidad. Como este proceso resulta bastante farragoso, cuando se tengan que representar estos números se utilizará papel milimetrado.

De igual forma se indicará que si la recta es vertical, se fijará el cero, y se colocarán unidades de igual medida hacia arriba y hacia abajo del cero. Los colocados encima del origen corresponden con números naturales, mientras que los que aparecen por debajo son los enteros negativos.

La representación de las rectas numéricas de forma vertical los alumnos la entienden perfectamente al visualizar un termómetro o la botonera de un ascensor donde existen distintos sótanos aparte de pisos.

Por último, se propondrán las siguientes actividades de consolidación

Act.1 Representa los siguientes puntos en una recta horizontal: $-1, 5, 7$ y -4

Act.2 Representa estos puntos en una recta vertical: $-8, 5, 7$ y -4

Act.3 Indica cómo representarías los siguientes números en una recta numérica: $-1, \dfrac{1}{2}$ y $-1,5$

2. Plano cartesiano. (1.ª mitad de la 2.ª sesión)

Corregidas las actividades de la sesión anterior y aclaradas las dudas, se introduce el concepto de plano cartesiano.

Se recuerda que en la sesión anterior se han representado valores en una dimensión, en la recta graduada, pero las representaciones que usualmente se realizan tienen dos dimensiones, es decir, se realizan en el plano.

De esta forma se colocarán dos rectas graduadas y perpendiculares que se corten en el cero, es decir, en el origen de coordenadas.

El paso siguiente será el dar nombre a estas rectas perpendiculares, ejes cartesianos, viendo que cortan al plano en cuatro partes y que cada una recibe el nombre de cuadrante, teniendo cada uno de ellos nombre propio. Se empieza nombrando al primer cuadrante, el que se localiza en la parte superior derecha, y los siguientes se irán nombrando según el sentido de las agujas del reloj.

Se continúa dando el nombre de los ejes, el eje horizontal, eje de abscisas, y el vertical, eje de ordenadas.

Un concepto que los alumnos han de tener claro es que las divisiones de cada eje han de ser iguales, pero pueden ser distintas entre ellos.

También se recordará cómo es la expresión de un punto, y de las coordenadas de que consta, para pasar a mostrar cómo se procede para su representación en el plano cartesiano. Para no producir confusión al principio, se colocará primero la coordenada x, para posteriormente subir o bajar, dependiendo del signo de la coordenada y, y colocar esta.

Después de haber definido todos estos elementos, se procederá a representar en un plano cartesiano un conjunto de puntos para que el alumno y la alumna adquieran suficiente destreza.

En estos momentos, todo alumno está en disposición de representar puntos comenzando con la coordenada y para posteriormente posicionar la coordenada x.

3. Puntos en los distintos cuadrantes. Puntos sobre los ejes de coordenadas.
(2.ª mitad de la segunda sesión)

En estos momentos, los alumnos se encuentran en total disposición de poder leer tanto un punto en cualquier cuadrante como el colocar un punto en el plano cartesiano. De todas formas las actividades que se propondrán en esta segunda mitad de la segunda sesión se centrarán en conseguir saber en qué cuadrante se encuentra un punto sin necesidad de dibujarlo.

Después de haber representado un conjunto importante de puntos, el alumno, dependiendo de los signos que muestren las coordenadas, sabrá claramente en qué cuadrante se encuentra.

Una vez que tienen los alumnos suficiente soltura en representación de puntos, se pasará a los que presentan una mayor dificultad, los que se encuentran sobre los ejes de coordenadas. Con un grupo de actividades prácticas en la pizarra, se hace que esta dificultad se minimice, teniendo en cuenta que el alumno no se confunda ya que sabe representar los puntos empezando tanto por la coordenada de la abscisa como de la ordenada.

Como actividades de consolidación se proponen las siguientes:

Act.4 Representa los siguientes puntos e indica en qué cuadrante se encuentran:

A(-2,5), B(3,5), C(7,2), D(-4,5), E(-1,5), F(-2,5), G(-7,-2), H(4,-5)

Act.5 Indica, sin representarlos, el cuadrante en el que se sitúa cada punto:

A(-8,3), B(5,10), C(-7,2), D(4,6), E(-8,3), F(8,-2), G(-7,-3), H(4,6)

Act.6 Representa los siguientes puntos en el plano:

A(-1,0), B(0,5), C(7,0), D(0,-3), E(0,-1), F(5,0), G(0,3), H(-10,0)

Act.7 Indica, sin representarlos, sobre qué eje se encuentra cada punto:

A(0,2), B(-1,0), C(0,-1), D(-7,0)

4. Gráficos de puntos. (3.ª sesión)

En esta tercera sesión, se reforzará el concepto de gráfico por puntos, previamente a la introducción de funciones.

En primer lugar, se dispondrá de dos conjuntos de información numérica, los cuales están relacionados entre sí, con lo que a cada uno de los conjuntos se le puede relacionar con un eje de coordenadas. Estos puntos en el plano reciben el nombre de gráfica.

Se continuará con las siguientes actividades:

a) Escalas diferentes en los ejes.

Act.8 Varios amigos hablan de sus libros de lectura preferidos y los comparan según el número de capítulos y de páginas que tienen.

Juan tiene un libro de 8 capítulos y 50 páginas. El de Maribel tiene 10 capítulos y 100 páginas. Pedro, al que no le gusta mucho leer, tiene un libro de 5 capítulos y 30 páginas. El de Rosa tiene 15 capítulos y 80 páginas. Teresa prefiere un libro con 12 capítulos y 120 páginas.

Evidentemente, para poder representar estos valores no podemos considerar en los dos ejes la misma escala, pues en los capítulos solo se llega hasta 15 mientras que las páginas se disparan a 120. Una división adecuada sería que en el eje horizontal se indicase que cada división corresponde a un capítulo, mientras que en el vertical, cada división correspondería a 10 páginas.

b) Valores grandes en los ejes.

Act.9 En un hipermercado quieren saber la ocupación de las cajas registradoras y, para ello, cada hora cuentan cuántas hay en ese momento atendiendo a algún cliente. Se obtienen los siguientes datos:

Horas del día	10	11	12	13	14	15	16	17	18	19	20	21	22
N.º de cajas	0	5	10	15	20	14	7	8	15	20	25	25	22

Para representar esta información, no interesa contar desde la hora cero, pues las cajas registradoras funcionan a partir de la apertura del establecimiento.

Una vez comentadas y resueltas estas actividades, se introducen las nociones de gráficas continuas y gráficas discontinuas.

Se les indicará a los alumnos y las alumnas que en algunas gráficas, aunque solo se conozcan unos cuantos puntos, tendrá sentido unirlos por líneas, pues la evolución del fenómeno que se está estudiando no es a saltos, sino de una forma continua. De ahí que se llamen continuas y puedan dibujarse sin levantar el lápiz del papel.

Se les indicará, por ejemplo, que en una gráfica donde se represente la temperatura que hay en el exterior y los valores que se han tomado a cada hora del día, se pueden unir, pues el cambio de temperatura no es brusco, sino que varía progresivamente, por eso se denominan *continuas*.

Por otro lado, cuando la variable representada en el eje de abscisas no puede tomar todos los valores numéricos posibles, por ejemplo cuando representamos el número de hermanos de un grupo de alumnos, carece de sentido unir los puntos, pues nadie puede tener entre 1 y 2 hermanos, por ejemplo, un hermano y medio. Este tipo de gráfica recibe el nombre de *discontinua*.

Por último, dentro de las gráficas discontinuas, existen las que pueden tomar todos los valores del eje de abscisas, pero aparecen saltos entre los valores del eje de ordenadas, como puede ser cuando representamos el peso de las cartas y el precio del franqueo. Por ejemplo, para un peso de las cartas mayor que 50 y menor de 100 gramos corresponde pagar 0,5 €, mientras que entre 100 y 200 gramos pagamos 0,8 €. Este tipo de gráfica recibe el nombre de *escalonada*.

5. Funciones. Funciones mediante una ecuación. (4.ª sesión)

Una vez vistos los distintos tipos de gráficas, en esta cuarta sesión, se pasa a definir el concepto de función, siendo esta la relación que asocia a cada valor de un conjunto inicial un único valor de un conjunto final. Si, por el contrario, a uno o varios valores del conjunto inicial le corresponde más de un valor final, entonces no sería una función sino una gráfica.

Se continuaría con la siguiente actividad:

c) Concepto de función.

Act.10 La relación que a cada número natural le hace corresponder su siguiente, ¿es una función?

Bajo esta actividad, el alumnado puede comprobar que a cada valor del conjunto inicial, que está formado por los números naturales, le corresponde un único elemento del conjunto final, que está formado por el siguiente del número inicial.

–A continuación, se definirá el concepto de función mediante una ecuación, es decir, la relación que existe entre dos magnitudes viene expresada mediante una expresión algebraica.

Las actividades que incluirán será las siguientes:

d) Expresión de una función mediante una ecuación.

Act.11 Dado el conjunto inicial $\{-11, -5, 2, 3, 7, 13\}$:

a) Asocia a cada número su opuesto y halla el conjunto final.

b) Encuentra la ecuación que expresa esta función.

Act.12 Considera la función $y = 4x$, que asocia a cada número 4 veces su valor. Calcula los valores de y para $x = 1$, $x = 2$, $x = -1$.

Con estas actividades se pretende que por un lado los alumnos vean cómo se pueden calcular valores en un conjunto inicial y en otro final cuando están relacionados mediante una función. Y por otro lado, cómo es posible, en algunos casos, establecer una relación algebraica entre dos conjuntos de números.

Para consolidar estos conceptos de la cuarta sesión se propondrán actividades de los tipos siguientes:

Act.13 Asocia a cada número natural del 1 al 9 su doble, y halla los pares de coordenadas que resultan.

Act.14 Dada la relación que asigna a cada número su opuesto, determina si es una función y representa gráficamente algunos de sus puntos.

Act.15 Dado el conjunto inicial: $\{0, 2, 4, 6, 8\}$, asocia a cada número su cuadrado más 2, e indica la ecuación que representa esta función.

Act.16 Considerando la función $y = x - 2$, halla los valores de y para $x = 0$ y para $x = 3$.

6. Funciones mediante una tabla. Funciones mediante una gráfica. (5.ª sesión)

Corregidas y aclaradas las posibles dudas surgidas de las actividades propuestas, en la sesión quinta se procede a estudiar las funciones que se dan mediante una tabla de valores y mediante la representación gráfica de la función.

En primer lugar se va a tener en cuenta que los pares de valores (x,y) que obtenemos de una función, los vamos a organizar en una *tabla de valores*.

Se continuará con la siguiente actividad:

e) Expresión de una función mediante una tabla de valores.

Act.17 En la tabla siguiente aparece el tanto por ciento de personas que sobreviven a distintas edades en los países pobres:

Años	0	10	20	30	40	50	60	70	80	90
Supervivientes (%)	100	68	64	57	51	45	35	20	8	1

En general, al trabajar con una tabla, se considera que el primer valor corresponde a la variable independiente y se representa en el eje de abscisas, el otro valor depende de él y se refleja en el eje de ordenadas.

A continuación, se pasará a exponer la expresión de una función mediante una gráfica, para lo cual se ha de formar una tabla con algunos de sus valores, después, tomando esos pares de valores como puntos, se representarán en unos ejes coordenados.

La actividad que se utilizará será la siguiente:

f) Expresión de una función mediante una gráfica.

Act. 18 Cristina está enferma. Su madre le ha estado tomando la temperatura cada dos horas y ha anotado los resultados en una tabla:

Variable x (hora)	10	12	14	16	18	20
Variable y (temperatura °C)	37	39	38	38	36	38

Se representarán los puntos y se unirán mediante rectas, pues tiene sentido porque en cualquier momento del día le corresponde una temperatura. Además, la gráfica aporta una información de forma clara y rápida. Se puede ver, por ejemplo, la temperatura máxima y la mínima de un vistazo, etc.

Para consolidar todos estos conceptos se propondrán las siguientes actividades:

<u>Act.19</u> Dada la función $f(x) = 4x + 8$, escribe una tabla con seis valores.

<u>Act. 20</u> Expresa en una tabla estas funciones, representando algunos de sus pares de valores:

a) Un número y su mitad.

b) El lado de un cuadrado y su perímetro.

c) Un número y su opuesto.

d) Un número par y el siguiente número par.

e) Un número y su inverso.

f) El perímetro de un triángulo equilátero y su lado.

g) El radio de un círculo y su área.

Escribe la expresión general de cada una de ellas.

<u>Act.21</u> La siguiente tabla relaciona la altura de Marta con su edad:

Edad (años)	0	1	2	3	4	5	6	7	8	9
Altura (m)	0,48	0,65	0,75	0,84	0,95	1,02	1,05	1,08	1,12	1,16

Construye un gráfico de puntos con los valores de la tabla anterior.

<u>Act.22</u> El alquiler de una película de vídeo cuesta 1,80 € por día.

a) Haz una tabla que relacione el número de días de alquiler con su precio.

b) Dibuja la gráfica correspondiente.

c) Indica cuáles son las variables independiente y dependiente.

7. Interpretación de gráficas. (7.ª sesión)

Una vez corregidas las actividades de la sesión anterior y resueltas las posibles dudas, se procede a la interpretación de gráficas, es decir, extraer información de ellas a través de su estudio, realizado de izquierda a derecha.

Acto seguido, se realizarán las siguientes actividades:

Act.23 Interpreta esta gráfica que representa las reservas de agua de un pantano durante el último año.

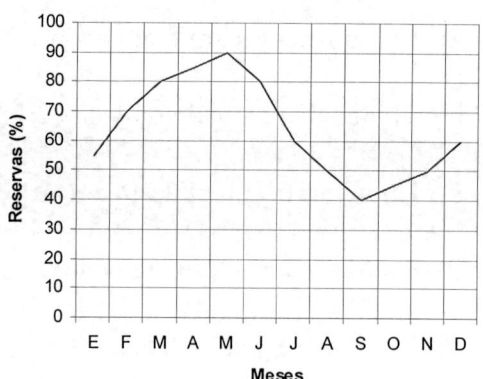

Su estudio revela que las reservas de agua del pantano crecen durante el invierno y alcanzan su punto máximo en la primavera, en el mes de mayo.

Las reservas decrecen durante el verano, desde mayo hasta septiembre, llegando a su punto mínimo durante el mes de septiembre. A partir de este punto, las reservas vuelven a crecer hasta situarse en diciembre a un nivel similar con el que comenzó el año.

Act.24 Representa este enunciado mediante una gráfica:

El domingo fuimos a casa de mis abuelos, que se encuentra a 150 km. Partimos a las 9:00 y a las 9:30 nos encontramos un atasco; después, aumentamos la velocidad. A las 11:30 paramos a desayunar durante media hora. A las 12:00 llegamos a la ciudad, y nos detuvimos a hablar con un amigo. Llegamos finalmente a casa de mis abuelos a las 12:30.

Para consolidar estos conceptos se proponen actividades de los tipos siguientes:

<u>Act.25</u> Esta gráfica representa el número de barras de pan que se han vendido en una panadería durante los primeros seis meses del año.

Realiza una interpretación de esta gráfica.

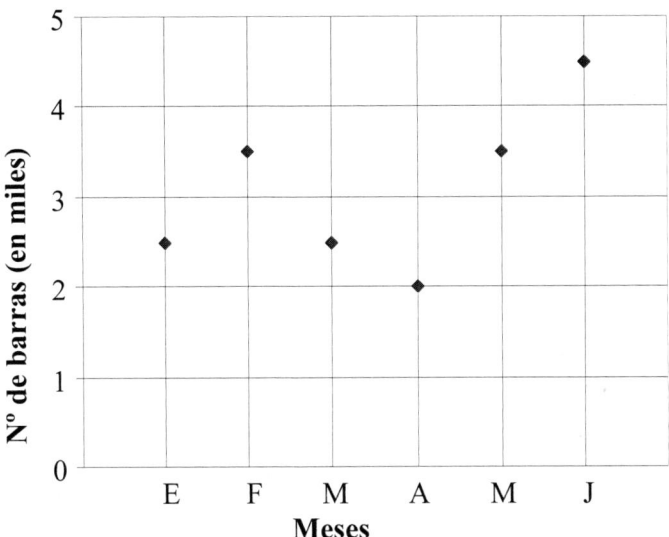

<u>Act.26</u> Representa el texto mediante una gráfica:

Tomás salió a pasear a las 18:00. A las 18:30 se encontró con Juan y se detuvo media hora. Luego siguió andando hasta que a las 19:30 llegó a una ermita. Allí decidió pararse a descansar durante una hora. Después regresó a su casa: tardó una hora en llegar y no hizo ninguna parada en el camino.

La última sesión de la unidad se dedicará a la realización de la prueba objetiva.

8. RECURSOS DIDÁCTICOS Y MATERIALES

- Pizarra y útiles para pizarra.

- Libro de texto, cuaderno de clase y fichas de ejercicios prácticos.

- Libros de consulta de la biblioteca del instituto y propios. Especialmente recomendables son:

- *Matemáticas*. Grupo Azarquiel. Ed.: SM. Madrid.
- Shell Centre for Mathematical Education: *El lenguaje de funciones y gráficas*. MEC. Centro de publicaciones. Servicio editorial de la Universidad del País Vasco.
- *Funciones y gráficas*. Azcárate, C. y Deulofeu, J. Ed.: Síntesis
- *Las matemáticas en la enseñanza secundaria. Materiales didácticos diseñados en el OW OC*. ICE de la Universidad de Salamanca.

- Papel milimetrado o cuadriculado.

- Calculadora gráfica.

- Ordenadores del aula de informática.

- Uso del Proyecto Descartes. Aula de informática.

- Asistente matemático Derive. Aula de informática.

9. ATENCIÓN A LA DIVERSIDAD

La atención a la diversidad se justifica a través de las actividades de refuerzo y ampliación. Se utilizarán según las necesidades de los alumnos. Habrá veces en que toda la clase necesite algún apoyo para reforzar conceptos no asimilados en su totalidad. Por el contrario nos encontraremos con casos en que la mayoría de la clase profundice con las actividades de ampliación. Lo más habitual será detectar qué necesidades tiene cada alumno para incidir con las actividades más idóneas en sus carencias o inquietudes intelectuales.

En el caso de que en el grupo haya algún alumno con necesidades educativas especiales, se realizarán adaptaciones curriculares significativas según lo establecido en la programación.

9.1. Actividades de refuerzo

Están destinadas a aquellos alumnos que precisan corregir y consolidar los contenidos de la unidad.

Los alumnos resolverán actividades relacionadas con:

- Representar y localizar puntos en el eje de coordenadas.
- Relacionar e interpretar tablas y pares de valores ordenados.
- Interpretar gráficas. Reconocer y comprender la idea de función.

1) Indica en qué cuadrante del plano están situados los siguientes puntos de coordenadas:

   (–3,–4), (5,2), (–1,7), (2,–2), (–1,–4), (–2,5), (3,–3)

2) Escribe los siguientes pares de valores en una tabla vertical y otra horizontal:

   (4,6), (2,0), (1,9), (5,5), (0,1), (9,4)

3) Representa en un sistema de ejes los siguientes pares de valores. Forma primero la tabla correspondiente:

   (2,4), (–1,–2), (–5,1), (3,3), (6,2), (–4,–3)

4) Una entrada de cine cuesta 5 €. ¿Cuánto costarán 2, 4, 6, 8 y 10 entradas?

   a) Forma la tabla de valores.

   b) Representa los pares de valores en un sistema de ejes.

5) Los puestos de clasificación de un equipo de fútbol han sido, durante las 10 primeras jornadas de liga:

Jornada	1	2	3	4	5	6	7	8	9	10
Clasificación	3	5	8	7	7	5	3	2	1	5

   a) Representa los pares de valores en un sistema de ejes mediante puntos:
   Jornada: eje horizontal, X.
   Clasificación: eje vertical, Y.

   b) Une los puntos obtenidos mediante líneas continuas.

c) ¿En qué jornada ocupó el primer puesto?

d) ¿En qué jornada obtuvo su peor clasificación?

e) ¿Cuántas jornadas transcurrieron desde su peor hasta su mejor clasificación?

6) En un mercado 2 kg de peras cuestan 1,50 €. ¿Cuánto costarán 4, 6, 8 y 10 kg de peras, respectivamente?

a) Forma la tabla de valores con las magnitudes correspondientes.

b) Indica la variable independiente y la dependiente.

c) Representa los valores en un sistema de ejes y traza la gráfica.

7) Obtén la tabla de valores de la función $y = 2x + 1$.

8) En un mercado, el precio del kilo de melocotones es 1,50 €.

a) Expresa ambas magnitudes mediante la expresión algebraica de una función.

b) Forma la tabla de valores dando cuatro valores a la variable independiente.

c) Enumera las características de la función.

9.2. Actividades de ampliación

Apropiadas para los alumnos que pueden avanzar con rapidez y que pueden profundizar en los contenidos de la unidad mediante un trabajo más autónomo.

Los alumnos resolverán actividades relacionadas con:

- Coordenadas cartesianas.
- Funciones.
- Problemas con funciones.

1) Representa en tu cuaderno los puntos y únelos ordenadamente

   A(4, 5)   B(3, 4)   C(2, 4)   D(1, 5)   E(–1, 3)   F(–1, 1)

   G(1, –1)   H(–2, –4) I(–2, –7) J(8, –7)   K(12, –3)   L(12, 1)

   M(10, 2)   N(11, 0)   O(9, –1)   P(3, –1)   Q(6, 1)   R(6, 3)

2) Si las cerezas se venden a 3,25 €/kg:

   a) Escribe la expresión algebraica que relaciona el coste (y) en función de los kilos de cerezas (x).

   b) ¿Cuál es la variable dependiente en esta expresión? ¿Y la variable independiente?

   c) Haz una tabla y representa gráficamente sus pares de valores.

3) Una relación entre números enteros se expresa de la siguiente manera: a cada número entero lo relacionamos con su doble más una unidad. Escribe la expresión de la función y completa la tabla:

x	–2	–1	0		3	7	10
y				3			

4) Un camión circula por la autopista a 25 m/s y, después, frena de manera gradual de forma que cada segundo disminuye su velocidad en 1,5 m/s. Haz una tabla donde relaciones la velocidad y el tiempo de frenado. Escribe la expresión de la función.

5) La siguiente tabla refleja el número de asistentes en un cine durante los días laborables de una semana:

Día	1	2	3	4	5
Asistentes	150	280	140	420	750

Representa los datos en un sistema cartesiano y dibuja la gráfica.

6) En un partido de baloncesto se elabora una tabla con los puntos marcados por cada equipo. Antes de llegar al final del 2.º cuarto podemos ver la siguiente tabla:

Minuto	4	6	8	10	12	14	16
Equipo A	10	12	15	18	20	22	24
Equipo B	6	8	14	18	18	24	26

a) Haz las gráficas de ambos equipos (la del equipo A en azul y la del equipo B en rojo).

b) Realiza un resumen del partido a la vista de la gráfica.

7) Observa la gráfica que representa el paseo que ha dado Julio: ha salido de casa, ha ido a comprar y ha regresado:

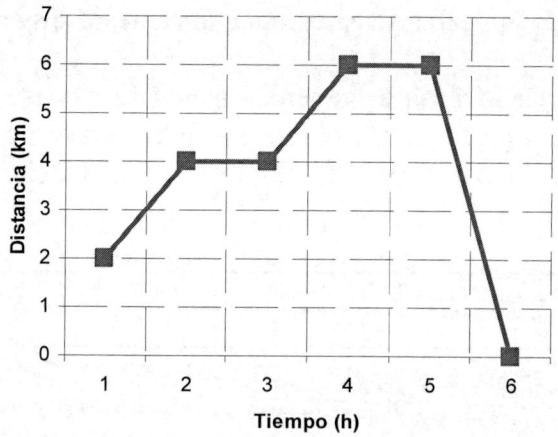

a) ¿Qué variables están representadas?
b) ¿Cuánto tiempo ha durado el paseo?
c) ¿Cuál es la distancia más lejana a la que ha ido?
d) ¿Cuándo ha caminado más rápido, a la ida o a la vuelta?
e) ¿Qué crees que significan los tramos horizontales?

10. EVALUACIÓN

La evaluación de esta unidad se llevará a cabo siguiendo las directrices explicadas en la programación didáctica que la engloba.

Se realizará al comienzo de la unidad, a lo largo del proceso y a su finalización (donde se realizará una prueba escrita).

Los instrumentos que habitualmente se utilizarán para obtener información sobre el progreso de nuestros alumnos serán:

- La observación diaria.
- La revisión y corrección de las tareas realizadas por el alumno en casa.
- Seguimiento del cuaderno del alumno valorando su contenido (apuntes, actividades...),estructura, orden, limpieza y claridad.
- Intervenciones en la pizarra.
- Control de faltas y conducta.
- Realización de una prueba individual escrita al finalizar la unidad.

Para determinar las calificaciones de nuestros alumnos, se aplicarán los criterios de calificación reflejados en la programación, a saber:

a) Pruebas escritas. Supone el 60 % de la nota final.
b) Cuaderno de clase del alumno, trabajo diario e intervenciones en la pizarra. Su valoración es un 20 % de la nota final.
c) Puntualidad, comportamiento, interés y participación. A este apartado se le aplica el 20 % restante de la nota final.

Por último, hay que indicar que también se evaluará nuestra práctica docente, valorando, después de la experiencia, el nivel de adecuación de la unidad a los objetivos propuestos inicialmente, para proponernos posibles modificaciones.

Esta evaluación considerará los siguientes aspectos:

- Sesiones programadas y sesiones empleadas.
- Metodología aplicada.
- Adecuación de los recursos utilizados y de las actividades desarrolladas.
- Objetivos propuestos y objetivos conseguidos.
- Resultados académicos de nuestros alumnos.

11. TEMAS TRANSVERSALES Y EDUCACIÓN EN VALORES

Se pueden plantear y resolver problemas que aparecen en distintas situaciones. Por ejemplo: el crecimiento de la población mundial, el coste de una llamada telefónica dependiendo del operador que se utilice, el perfil de etapa de la Vuelta a España entre dos ciudades, etc.

Dado el perfil de las actividades de la unidad, la educación del consumidor y la educación vial son quizás los contenidos transversales más tratados.

Además, las distintas posibilidades de planteamiento y resolución de los problemas que ofrece la geometría deben servir para llamar la atención de los alumnos sobre la importancia de respetar a sus compañeros y a sus formas de trabajo (educación para la convivencia).

UNIDAD DIDÁCTICA 13: PROBABILIDAD

1. INTRODUCCIÓN

Esta unidad didáctica corresponde al bloque de Estadística y Probabilidad del currículo de 1.º de ESO del área de Matemáticas.

Se imparte a continuación de la unidad referida a funciones y gráficas, del bloque de Funciones y gráficas, y esta es la última de la programación.

El estudio matemático de la probabilidad surge históricamente vinculado a los juegos del azar. Actualmente la probabilidad se utiliza en muchas disciplinas unidas a la Estadística: predicción de riesgos en seguros, estudios sobre la calidad de procesos industriales, etc.

Las posibles dificultades de la unidad son más de tipo conceptual que de procedimientos, ya que los cálculos numéricos y las técnicas utilizadas son muy sencillos.

Se debe incidir en la correcta comprensión y aplicación de los conceptos claves de la unidad: experimento aleatorio y determinista, espacio muestral, suceso, tipos de frecuencia, probabilidad y regla de Laplace.

La resolución de los ejercicios permitirá a los alumnos asimilar las diferentes conceptos. Se hace especial hincapié en el cálculo de la probabilidad de un suceso, y la regla de Laplace en contextos de equiprobabilidad.

Convendrá explicar las similitudes entre las propiedades de las frecuencias y de la probabilidad, y mostrar su utilidad para resolver problemas o comprobar si las soluciones son correctas.

2. CONOCIMIENTOS PREVIOS

Para poder desarrollar satisfactoriamente esta unidad, no se requiere ningún conocimiento específico sobre el azar o probabilidad; sin embargo, sí es necesario que el alumno:

1) Sepa elaborar tablas para ordenar la información sobre un experimento.
2) Conozca qué es la frecuencia relativa y cómo se calcula.
3) Conozca la proporcionalidad numérica.

3. OBJETIVOS DIDÁCTICOS

En este punto se presentan los objetivos didácticos que deberán alcanzar los alumnos al finalizar la unidad, así como su relación con los objetivos generales de etapa y de área.

Objetivos didácticos	Objetivos de etapa	Objetivos de área
1) Distinguir entre experimento aleatorio y determinista.	b, f	2, 3, 5
2) Obtener el espacio muestral de un experimento aleatorio.	b, f	8, 9, 10
3) Reconocer los sucesos elementales, el suceso seguro y el suceso imposible de un experimento aleatorio.	b, f, g	2, 8, 9
4) Aplicar las propiedades de las frecuencias relativas en experimentos aleatorios.	b, f, g, h	2, 7, 8, 9
5) Definir el concepto de probabilidad a partir de las frecuencias relativas.	b, f, g	8, 9
6) Calcular la probabilidad de distintos sucesos aplicando la regla de Laplace.	b, f, g, h	2, 7, 8, 9, 10

4. CONTENIDOS

4.1. Conceptos

1) Espacio muestral.
2) Suceso elemental y suceso compuesto.
3) Frecuencias absolutas y relativas.
4) Ley de los grandes números.
5) Probabilidad de un suceso.
6) Regla de Laplace.

4.2. Procedimientos

1) Obtención del espacio muestral, los sucesos elementales, el suceso seguro y el suceso imposible de un experimento aleatorio.
2) Determinación de las frecuencias absolutas y relativas de distintos sucesos.
3) Utilización de la regla de Laplace para el cálculo de probabilidades de distintos sucesos en contextos de equiprobabilidad.

4.3. Actitudes

1) Análisis crítico de las informaciones sobre fenómenos aleatorios.
2) Curiosidad e interés por investigar fenómenos relacionados con el azar.
3) Sensibilidad, gusto y precisión en la observación y el diseño de experimentos relativos a fenómenos de azar.
4) Valoración de la importancia del cálculo de probabilidades en distintos contextos de la vida diaria.

5. CRITERIOS DE EVALUACIÓN

1) Reconocer si un experimento es aleatorio o determinista.
2) Hallar el espacio muestral de un experimento aleatorio.
3) Obtener los sucesos elementales, el suceso seguro y el suceso imposible de un experimento aleatorio.
4) Obtener la frecuencia absoluta y la frecuencia relativa de un suceso aleatorio.
5) Utilizar las propiedades de las frecuencias relativas para resolver distintos problemas.
6) Aplicar la ley de Laplace para hallar la propiedad de varios sucesos.
7) Calcular la probabilidad de la unión de dos sucesos compatibles o incompatibles.

6. SECUENCIACIÓN Y DISTRIBUCIÓN TEMPORAL

La secuenciación de los conceptos en esta unidad se ha hecho en relación con su grado de dificultad de forma que el alumno conocerá en primer lugar los conceptos más elementales, para pasar posteriormente a otros que se basen en los anteriores, y así sucesivamente. Además, estos se van introduciendo siguiendo un orden lógico y natural.

Creo que es conveniente dedicarle a esta unidad didáctica un total de 8 sesiones, que se impartirán a lo largo del tercer trimestre.

Estas sesiones se desarrollarán en función del nivel de conocimientos de que parten los alumnos y del trabajo que realicen por ellos mismos.

7. METODOLOGÍA Y SECUENCIA DE ACTIVIDADES

7.1. Consideraciones generales

Al inicio de la unidad se realizará una prueba para evaluar el nivel de conocimientos previos. Al final de la misma se dedicará una sesión para la realización de una prueba objetiva sobre la unidad con objeto de comprobar si se han alcanzado los objetivos.

El desarrollo de la unidad se llevará a cabo en el aula, dejando abierta la posibilidad, si las circunstancias lo permitieran, de impartir una sesión en el aula de informática, para que los alumnos conozcan y se introduzcan en el manejo del asistente matemático Derive.

Todas las sesiones, excepto la primera dedicada a evaluar los conocimientos previos de los alumnos, se iniciarán con la corrección de las actividades que se hayan realizado en casa o en clase la sesión anterior. Con esto, se aclaran las dudas y se sigue el avance o estancamiento del alumnado. En función de lo que se observe en la corrección se tomarán las medidas pertinentes. A continuación, en un segundo tercio de la sesión, se introducirán nuevos conceptos con la explicación correspondiente. Por último, en el tercer tercio de la clase se plantearán nuevas actividades con objeto de aclarar posibles dudas y cimentar lo explicado. De esta forma las clases tendrán una estructura fija que el alumno conocerá desde el principio.

7.2. Desarrollo de la unidad

Con objeto de evaluar el nivel de conocimientos previos, en la 1.ª mitad de la sesión inicial de la unidad, se propondrán actividades de motivación

que plantearán nuevos problemas y al mismo tiempo pondrán de manifiesto la necesidad de adquirir nuevos conocimientos para resolverlos. Estas actividades iniciales serán de los tipos siguientes:

a) Cálculo de porcentajes en diferentes situaciones.

b) Reconocimiento de sucesos seguros, posibles e imposibles.

c) Aplicación del cálculo de probabilidades en problemas sencillos.

El resultado de esta prueba nos dará el nivel inicial de conocimientos del alumnado.

1. Experimentos aleatorios. (2.º sesión)

Una vez corregida la prueba inicial propuesta, supongamos que los alumnos poseen los conocimientos suficientes para poder seguir el desarrollo de la unidad con normalidad, entonces en esta segunda sesión se introducirá el concepto de experimentos aleatorios.

En primer lugar, se definirá en la pizarra tanto el concepto de *experimento aleatorio*, que es en el que no podemos predecir el resultado que se obtendrá hasta que no se realice, como el *experimento determinista*, en que conocemos de antemano el resultado que se va a producir.

Seguidamente, y dado que pueden prestarse a confusión estas definiciones, se pasará a realizar la siguiente actividad:

Act.1 Distingue entre experimento aleatorio y determinista:

a) Determinar el día de la semana que será mañana.

b) Anotar el color de una bola que extraemos de una urna que contiene bolitas blancas y bolitas negras.

c) Lanzar un dado y comprobar qué valor obtenemos.

Directamente, para resolver el primer apartado, todos los alumnos responderán correctamente y comprobarán que se trata de un experimento determinista.

Por otro lado, para resolver el segundo apartado se utilizará material que dispone el departamento de matemáticas, y que estará formado por una bolsita de tela donde se han introducido unas bolitas de colores blancas y negras. Eligiendo a un alumno, este se encargará de sacar diversas bolitas de la bolsa. El resto de los alumnos podrán comprobar que no se tiene conocimiento del color de la bolita que se va a extraer, es decir, hasta que no se extraiga no se sabrá si es blanca o negra. Esta situación corresponde con un experimento aleatorio.

Para el tercer caso, se repartirá, entre los grupos que se formen en la clase, un dado a cada uno. Lanzando el dado cada componente del grupo, se darán cuenta de que son incapaces de saber qué número ha de salir, aunque es posible que alguno de ellos acierte el valor, hasta que no lo tiren en la mesa. Volvemos a estar ante un experimento aleatorio.

Seguidamente, se propondrán en la pizarra distintas situaciones en las que se cree un coloquio, donde se tenga que distinguir el tipo de experimento, ya que multitud de situaciones no es posible extrapolarlas materialmente en el aula, por ejemplo: predecir si lloverá la semana que viene, saber el equipo ganador en un determinado partido de fútbol, etc.

Por último, se propondrán las siguientes actividades de consolidación:

Act.2 Clasifica los siguientes experimentos:

a) Calcular la longitud de tu mano.

b) Lanzar un dado y anotar el resultado.

c) Determinar el peso de un ladrillo.

d) Predecir la temperatura máxima de la semana que viene.

e) Determinar si mañana lloverá.

Act.3 Describe dos experimentos aleatorios y otros dos deterministas

2. Sucesos. Espacio muestral. (3.ª sesión)

Corregidas las actividades de la sesión anterior y aclaradas las dudas, se continúa esta tercera sesión definiendo los conceptos de suceso y de espacio muestral.

En primer lugar, y apoyándonos en lo visto de esta unidad, el alumno se ha dado cuenta de la existencia de más de un resultado en cualquier experimento aleatorio. Nosotros añadiremos que cada uno de los posibles resultados de ese experimento aleatorio se denomina *suceso elemental*, siendo el conjunto de todos ellos el *espacio muestral* y que se suele simbolizar por la letra **E**.

Por otra parte se definirá el concepto de *suceso compuesto*, que tal y como indica su nombre, estará formado por dos o más sucesos elementales.

Para que el conjunto de definiciones que se acaban de mostrar queden bien asumidas por la totalidad del alumnado, se realizarán las siguientes actividades:

Act.4 Define el espacio muestral, sus sucesos elementales y varios sucesos compuestos en el lanzamiento de un dado y anota su resultado.

Aprovechando que se realizó una actividad con un dado en la sesión anterior, retornaremos a los resultados obtenidos y se verá que los sucesos elementales estarán formados por los distintos valores que podemos obtener al lanzar el dado, es decir, 1, 2, 3, 4, 5 y 6, indicándose cómo se expresa matemáticamente. Por otro lado, sabrán directamente el espacio muestral, y se les indicará cómo han de escribirlo. Por último, estableceremos distintos sucesos compuestos, por ejemplo, obtener número par, múltiplo de tres, mayor que 4, etc.

Act.5 Definir el espacio muestral, sucesos elementales y sucesos compuestos al lanzar dos monedas y anotar el número de caras.

Se volverá a trabajar con los grupos ya formados y se les repartirá dos monedas. Los alumnos irán lanzando las monedas e irán anotando los resultados, si sale cara o sale cruz. Una vez que encuentran todas las posibilidades, estas corresponderán con los sucesos elementales. Si reunimos todos los sucesos habrán formado el espacio muestral. Seguidamente el conseguir sucesos compuestos resulta bastante fácil, simplemente hay que reunir sucesos elementales, por ejemplo: que salga alguna cara, que salga alguna cruz, etc.

Finalizadas las actividades y para que consoliden los conceptos que acaban de estudiar se proponen las siguientes actividades:

Act.6 En los siguientes experimentos aleatorios, determina su espacio muestral, sus sucesos elementales y dos sucesos compuestos:

a) Extraer una bola de una urna que contiene 3 bolas rojas, 2 bolas verdes y 1 bola azul.

b) Extraer una carta de una baraja.

c) Lanzar dos dados y anotar la suma de sus puntuaciones.

d) Extraer una bola de una urna que contiene 5 bolas numeradas del 1 al 5.

Act.7 Referidos a la extracción de una carta de la baraja española, clasifica los siguientes sucesos en elementales o compuestos:

a) A = "Sacar el rey de oros"

b) B = "Sacar una carta de copas"

c) C = "No sacar un as"

3. Diagramas de árbol. (3.ª sesión)

Una vez corregidas las actividades de la sesión anterior, en la tercera sesión se estudia el diagrama de árbol.

En ocasiones los experimentos aleatorios resultan complejos y calcular el espacio muestral no resulta sencillo. En estos casos, para determinar los sucesos elementales y el espacio muestral del experimento, se utilizará la técnica denominada diagrama de árbol.

La construcción de un árbol se realizará utilizando la siguiente actividad:

Act.8 Extraemos dos bolas de una urna que contiene bolas rojas, azules y verdes. Determinar el espacio muestral.

Para la realización de la práctica se utilizará el siguiente material: una bolsa de tela y tres bolas de colores, rojo, verde y azul.

Se procederá de la siguiente manera:

1- Desde un origen, se pintan en la pizarra tres líneas, colocando en el extremo el color de cada bola. Esta primera parte se corresponderá con la primera extracción y corresponde a las primeras ramas del árbol.

2- Desde cada uno de los colores que se han anotado, partirán tres líneas, colocando en el extremo cada uno de los colores. Esta segunda parte se corresponderá con la segunda extracción y corresponde con las segundas ramas del árbol.

Una vez que se ha pintado este árbol, se procederá con la parte práctica, que se realizará de la siguiente forma:

1- Se extrae una bola, se mira el color y se marca en la pizarra en la primera rama del árbol. Se devuelve la bola a la bolsa.

2- Se extrae una bola, se mira el color y se marca en la pizarra en la segunda rama del árbol. También se devuelve la bola a la bolsa.

Si el proceso se repite las suficientes veces, se recorrerá la totalidad del árbol, aunque se habrán repetido varias veces algunas ramas.

En estos momentos los alumnos serán capaces de enumerar los distintos sucesos elementales y el correspondiente espacio muestral.

Para consolidar los conceptos que se han aprendido durante esta tercera sesión, se propondrán las siguientes actividades:

Act.9 Calcula el espacio muestral del experimento aleatorio que consiste en lanzar dos dados.

Act.10 Determina el espacio muestral del experimento aleatorio que consiste en lanzar tres monedas simultáneamente y anotar el resultado.

Act.11 Carmen tiene dos blusas, una azul y otra verde, y 3 faldas de colores azul, verde y blanco. Si escoge al azar una blusa y una falda para vestirse, ¿cuál será el espacio muestral asociado a este experimento aleatorio?

4. Operaciones con sucesos. (4.ª sesión)

Una vez que los alumnos ya dominan los conceptos y procedimientos tratados en las sesiones anteriores, en esta cuarta sesión se introducirán las operaciones que se pueden realizar con sucesos.

Las dos operaciones más usuales para trabajar con sucesos son la unión y la intersección. Además se les ha de indicar que con estas operaciones se obtienen nuevos sucesos.

En primer lugar, se definirán la unión e intersección de sucesos de la siguiente manera:

- La unión de dos sucesos, A y B, $A \cup B$, es el suceso formado por los sucesos elementales de A y B. Se verifica cuando ocurre A o B.

- La intersección de dos sucesos, A y B, $A \cap B$, es el suceso formado por los sucesos elementales comunes de A y B. Se verifica cuando ocurren A y B simultáneamente.

Debido a que en las definiciones puede no haber quedado todo tan claro, se realizará la siguiente actividad:

Act.12 En el experimento aleatorio consistente en lanzar un dado y anotar la puntuación obtenida, se consideran los sucesos:

A = Salir número par   C = Salir divisor de 6

B = Salir número mayor que 3   D = Salir número impar

a) Calcular los sucesos $A \cup B$ y $A \cap B$

b) Calcular los sucesos $C \cup D$ y $C \cap D$

Para realizar la siguiente actividad se empezará resolviendo el apartado a) de la siguiente forma:

Se escribe en la pizarra los elementos correspondientes al suceso A y se encierran con una línea, exteriormente escribimos una A mayúscula. De igual forma se escriben los elementos que pertenecen al suceso B y se encierran también con una línea, escribiendo en la parte exterior una B mayúscula. Acto seguido, se dibujan, en la parte inferior, dos diagramas iguales que los anteriores, llamados A y B exteriormente, pero sin elementos y con una parte superpuesta.

Veamos cómo se introducen los elementos:

- Los elementos del suceso A se colocarán en el diagrama denominado como tal, de forma que, en la parte superpuesta, se colocarán los elementos iguales a cada suceso, que en nuestro caso corresponderán con los valores 4 y 6.

- Los elementos del suceso B se colocarán en su diagrama correspondiente, ya estando los elementos iguales al suceso A colocados en la parte del diagrama superpuesta.

Seguidamente solo queda indicar que todos los elementos que aparecen en los diagramas corresponderán con el suceso unión, $A \cup B$, que en nuestro caso son los elementos $\{2, 4, 5, 6\}$, mientras que los elementos que se han colocado en la intersección de los diagramas pertenecen al suceso intersección, $A \cap B$, que corresponde con $\{4, 6\}$.

Para resolver el apartado b) se procederá de igual manera, llegando a la solución de una forma rápida y sencilla.

Posteriormente, se expondrán algunos otros casos en la pizarra de forma que todo el alumnado participe activamente en la resolución.

Finalmente, para su total asimilación de estos conceptos se propondrán las siguientes actividades:

Act.13 En el lanzamiento de un dado consideramos los sucesos:

A = Salir número menor que 3.

B = Salir número impar.

C = Salir 6.

    a) Expresa los sucesos en función de sus sucesos elementales.

    b) Calcula $A \cup B$.

    c) Halla $A \cap B$.

    d) Determina $A \cap C$.

Act.14 Expresa en forma de uniones e intersecciones los siguientes sucesos:

    a) Sacar número par y múltiplo de 3.

    b) Sacar número par o múltiplo de 3.

5. Frecuencias. (5.ª sesión)

En esta quinta sesión se introduce el concepto de frecuencia. Este concepto es necesario cuando realizamos un determinado número de veces un experimento aleatorio y queremos saber cuántas veces ocurre cada suceso elemental.

En primer lugar, se dará a conocer el concepto formal de frecuencia absoluta de un suceso, que se corresponde con el número de veces que aparece dicho suceso cuando se repite un experimento aleatorio n veces.

Seguidamente, se expondrá una actividad para entender el concepto y aprender el mecanismo de elaboración de de una tabla de frecuencias:

Act.15 Se ha efectuado 20 veces el experimento de lanzar un dado y sus resultados han sido los siguientes:

1 2 5 6 4 5 6 4 6 6 2 2 5 3 2 5 3 3 5 2

Anota en una tabla la frecuencia de cada suceso elemental y, después, calcula la frecuencia de los sucesos:

A = salir número par   B = salir número primo

En primer lugar se construirá una tabla que estará formada por dos columnas, en la primera se colocarán los sucesos elementales, $\{1, 2, 3, 4, 5, 6\}$ y en la segunda la frecuencia absoluta, f_i, donde habrá que contar el número de veces que aparece un suceso elemental en el experimento realizado.

Para finalizar la actividad, hay que calcular la frecuencia absoluta del suceso A, que en nuestro caso será sumar las frecuencias absolutas de los sucesos elementales 2, 4 y 6. De igual forma, la frecuencia absoluta del suceso B, se sumarán las frecuencias absolutas de los sucesos elementales 2, 3 y 5.

El siguiente concepto que se estudiará será la frecuencia relativa, y se dirá que esta corresponde con el cociente del número de veces que ocurre dicho suceso, es decir, la frecuencia absoluta, y el número de veces que se realiza el experimento. Se añadirá también que la frecuencia relativa de cualquier suceso es la suma de las frecuencias relativas de los sucesos elementales que contiene.

Se usará la siguiente actividad aclaratoria del concepto que acabamos de aprender:

Act.16 Después de lanzar 20 veces una ruleta pentagonal hemos obtenido los siguientes resultados:

2 1 5 4 4 5 3 5 4 2 5 5 3 4 2 2 1 2 1 2

Anota en una tabla las frecuencias de cada suceso elemental y después calcula las frecuencias relativas de los sucesos:

A = Salir número par   B = Salir número primo

La realización de la actividad es muy similar a la realizada anteriormente, pero añadiendo una columna más en la derecha, que corresponderá con la frecuencia relativa, que se simbolizará por h_i, del suceso elemental correspondiente. Este se calculará tomando el valor de la frecuencia absoluta y dividiendo, en este caso, por 20.

Para finalizar la actividad, nos piden el cálculo de la frecuencia relativa del suceso A, que corresponderá con la suma de las frecuencias relativas de los sucesos elementales 2 y 4. De la misma manera la frecuencia relativa del suceso B será la suma de las frecuencias relativas de los sucesos elementales 2, 3 y 5.

Para finalizar se propondrán las siguientes actividades de consolidación de conceptos:

Act.17 Lanzamos 26 veces un dado de cuatro caras (cada cara de un color) y anotamos el color de la cara oculta. Completa la tabla si la frecuencia del azul es el doble que la del naranja:

Color	Azul	Rojo	Verde	Naranja
Frecuencia f_i		8	6	

Act.18 Hemos lanzado 100 chinchetas y 63 han caído con el pico hacia arriba. ¿Cuál es la frecuencia relativa del suceso: Caer con el pico hacia abajo?

Act.19 Hemos lanzado 50 veces un dado tetraédrico y anotamos el número oculto. Completa la tabla:

	1	2	3	4
f_i		18	16	
h_i	0,2			0,12

6. Probabilidad. (6.ª sesión)

Se iniciará la sexta sesión de la unidad aclarando todas las posibles dudas de las actividades propuestas en el apartado anterior, con ello, los alumnos deben dominar todos los aspectos relacionados con las frecuencias, tanto la absoluta como la relativa.

Se pasará a continuación a desarrollar el concepto de probabilidad. En primer lugar, se dará una definición de la misma:

La probabilidad, P, de un suceso es un número comprendido entre 0 y 1 que indica la posibilidad de que ocurra dicho suceso. A mayor probabilidad, mayor será la posibilidad de que ocurra.

También se definirá qué significa el valor 1 y el valor 0:

- Si la probabilidad de un suceso es igual a 1, se dice que es un **suceso seguro** porque siempre ocurre.

- Si la probabilidad de un suceso es 0, se dice que es un **suceso imposible** porque nunca ocurre.

Seguidamente se expondrá a los alumnos, como una primera definición de probabilidad, que si se realiza un experimento aleatorio un número elevado de veces, se puede calcular la probabilidad de un suceso asignándole la frecuencia relativa que le corresponda a dicho suceso, y se simboliza: $P(A) \approx h_A$.

Como actividad que engloba todos estos conceptos, podemos realizar la siguiente:

Act.20 Calcula la probabilidad de sacar cara al lanzar una moneda.

La manera de realizarlo sería con el uso del ordenador en el aula de informática, pues si el número de lanzamientos es elevado, no existe tiempo material para llevarlo a cabo, pudiendo generarnos una tabla similar a esta:

Número de lanzamientos	Número de caras f_i	Frecuencia relativa h_i
10	8	0,8
100	42	0,42
1.000	557	0,557
10.000	4.969	0,4969

Donde claramente se puede ver que a medida que el número de lanzamientos aumenta, la frecuencia relativa se aproxima cada vez más a 0,5, lo que nos conduce a que $P(\text{Cara}) \approx 0,5$.

Aprovechando que nos encontramos en el aula de informática, se podrían realizar otras actividades como, por ejemplo, el cálculo de la probabilidad de que salga un determinado número en el lanzamiento de un dado, etc.

Como actividades de consolidación de los conceptos estudiados podrían servir las siguientes:

Act.21 Lanza un dado 20 veces y anota los resultados en una tabla:

a) ¿Qué probabilidad le asignarías al suceso "Sacar 5"?

b) ¿Y al suceso "Sacar 3"?

c) Junta los resultados con los de tus compañeros y vuelve a calcular la probabilidad de sacar 5. ¿Qué resultado crees que es más fiable?

Act.22 En una ciudad viven 24.264 hombres y 25.736 mujeres. ¿Qué probabilidad hay de que escogida una persona al azar sea mujer?

Act.23 Después de lanzar una moneda muchas veces, obtenemos que la probabilidad de que salga cara es 0,37. Razona cuál es la probabilidad de obtener cruz. ¿Qué podemos afirmar de la moneda?

7. Regla de Laplace. (7.ª sesión)

En la séptima sesión y viendo que los alumnos han asumido el concepto anterior de probabilidad, se establece una regla práctica y sencilla para el cálculo de probabilidades.

Primeramente se definirá el concepto de experimento regular, siendo este cuando todos sus sucesos elementales tienen la misma probabilidad, es decir, son sucesos equiprobables.

A continuación, se describe la regla de Laplace, que dice:

La probabilidad de un suceso es igual al número de casos elementales que contiene el suceso dividido entre el número total de sucesos elementales.

Y fácilmente se puede recordar utilizando la siguiente expresión:

$$P(A) = \frac{n.^o \ de \ casos \ favorables \ en \ A}{n.^o \ de \ casos \ posibles}$$

Seguidamente y para que la regla sea asumida por el alumnado, se propondrá la siguiente actividad:

Act.24 Lanzamos un dado de parchís y anotamos el resultado. Calcula la probabilidad de los siguientes sucesos:

a) A = Sacar un número menor que 3.

b) B = Sacar un divisor de 6.

En primer lugar hay que ver si el experimento es regular. Se puede ver que las caras de un dado tienen la misma probabilidad de salir, es decir, son equiprobables.

Luego hay que ver los sucesos elementales, que en nuestro caso son: {1, 2, 3, 4, 5, 6}, que corresponde con 6 casos posibles.

A continuación, hay que resolver el apartado a), donde el suceso A está formado por los elementos {1, 2}, es decir, dos casos favorables. Por tanto, la probabilidad pedida es:

$$P(Sacar \ menor \ que \ 3) = \frac{2}{6} = 0,33$$

La resolución del apartado b) es muy parecida, y solo es necesario el cálculo de los casos favorables, ya que los posibles ya han sido calculados.

A continuación, se expondrán en la pizarra otras actividades similares en grado de dificultad para que los alumnos participen activamente en su resolución y siempre guiados por el profesor.

Se finalizará la sesión proponiendo las siguientes actividades:

Act.25 Calcula la probabilidad de los siguientes sucesos en el experimento aleatorio que consiste en tirar un dado y anotar el número de su cara superior. ¿Es un experimento regular?

a) A = Salir número par.
b) B = Salir múltiplo de 3.
c) C = Salir número mayor que 10.
d) D = Salir número menor o igual que 4.

Act.26 Un dado de quinielas tiene tres 1, dos X y un 2. ¿Cuál es la probabilidad de que salga una X? ¿Y un 2?

Act.27 Lanzamos dos monedas simultáneamente. ¿Cuál es la probabilidad de que salgan dos caras? ¿Y una cara y una cruz?

La última sesión de la unidad se dedicará a la realización de la prueba objetiva.

8. RECURSOS DIDÁCTICOS Y MATERIALES

- Pizarra y útiles para pizarra.

- Libro de texto, cuaderno de clase y fichas de ejercicios prácticos.

- Libros de consulta de la biblioteca del instituto y propios. Especialmente recomendable es:

  • *Azar y probabilidad*. Colección Matemáticas: Cultura y Aprendizaje, nº 19. Ed.: Síntesis, Madrid.

- Dados y ruletas.

- Calculadora científica.

- Ordenadores del aula de informática.

- Uso del Proyecto Descartes. Aula de informática.

- Asistente matemático Derive. Aula de informática.

9. ATENCIÓN A LA DIVERSIDAD

La atención a la diversidad se justifica a través de las actividades de refuerzo y ampliación. Se utilizarán según las necesidades de los alumnos. Habrá veces en que toda la clase necesite algún apoyo para reforzar conceptos no asimilados en su totalidad. Por el contrario nos encontraremos con casos en que la mayoría de la clase profundice con las actividades de ampliación. Lo más habitual será detectar qué necesidades tiene cada alumno para incidir con las actividades más idóneas en sus carencias o inquietudes intelectuales.

En el caso de que en el grupo haya algún alumno con necesidades educativas especiales, se realizarán adaptaciones curriculares significativas según lo establecido en la programación.

9.1. Actividades de refuerzo

Están destinadas a aquellos alumnos que precisan corregir y consolidar los contenidos de la unidad.

Los alumnos resolverán actividades relacionadas con:

- Distinguir entre experimento aleatorio y determinista.
- Obtener el espacio muestral de un experimento aleatorio.
- Suceso elemental, suceso seguro y suceso imposible.
- Frecuencia absoluta y frecuencia relativa de un suceso.
- Calcular la probabilidad de un suceso.

  1) Clasifica los siguientes experimentos. Si el experimento es aleatorio, escribe un posible resultado:

EXPERIMENTO	Determinista	Aleatorio
Lanzar un dado		
El resultado de dividir 10 entre 2		
En una caída libre de 5 m, conocer la velocidad que alcanza		
Lanzar una moneda al aire		
Sacar una carta de una baraja española		
Saber la fecha de tu nacimiento		
Sacar una ficha roja de una caja donde hay 20 fichas rojas y 5 fichas azules		
Al lanzar un dado, obtener una puntuación mayor que 5		
El resultado de elevar un número al cuadrado		
El tiempo que va a hacer mañana		

2) Determina el espacio muestral de un experimento que consiste en sacar tres bolas, sin introducir la bola que se saca, de una urna que contiene tres bolas numeradas de 1 a 3.

3) Se lanzan dos dados y se suman los puntos. ¿Cuántos resultados distintos se pueden obtener? Forma el espacio muestral.

4) Se tienen ocho cartas numeradas del 1 al 8. Realizamos el experimento aleatorio de sacar una carta. Escribe los sucesos elementales:

a) Obtener número par.

b) Obtener múltiplo de 3.

c) Obtener número mayor que 4.

5) De los siguientes experimentos, indica qué sucesos son seguros e imposibles:

EXPERIMENTO	Suceso seguro	Suceso imposible
De una baraja española de 40 cartas, sacar picas		
En una bolsa con 2 bolas rojas y 3 verdes, obtener una bola azul		
En una caja con fichas numeradas del 1 al 4, obtener una ficha con un número menor que 5		
Al lanzar un dado al aire, obtener un número mayor que 6		
Al tirar dos dados al aire y sumar la puntuación de sus caras, obtener 0		
Al tirar dos dados al aire y sumar la puntuación de sus caras, obtener 3		
Al tirar dos dados al aire y multiplicar la puntuación de sus caras, obtener 40		

6) En un bombo hay diez bolas numeradas del 0 al 9. Se repite 100 veces el experimento de extraer una bola y reemplazarla a continuación. Los resultados obtenidos se expresan en la tabla siguiente:

Bola	0	1	2	3	4	5	6	7	8	8	Suma
f_i	7	13	11	12	8	10	12	6	10	11	100
h_i											

a) Completa la tabla calculando las frecuencias relativas.

b) Considera los sucesos: A = múltiplo de 3

B = número impar

C = divisor de 6

y calcula:

1- Frecuencia relativa de A, B y C

2- Frecuencia relativa de: $A \cup B$, $A \cap B$, $A \cup C$ y $A \cup C$

7) Una urna contiene 4 bolas: 1 roja, 1 azul, 1 verde y 1 blanca. Si se sacan 2 bolas a la vez, halla:

   a) El espacio muestral.

   b) La probabilidad de que una bola sea blanca y la otra roja.

   c) La probabilidad de que las dos bolas sean rojas.

   d) La probabilidad de que ninguna de las dos bolas sea blanca.

8) Si se lanzan dos dados y se suman los puntos obtenidos, halla:

   a) El espacio muestral.

   b) La probabilidad de que la suma sea 3.

   c) La probabilidad de que la suma sea 7.

   d) La probabilidad de que la suma sea superior a 10.

   e) La probabilidad de que la suma sea 4 o 5.

9.2. Actividades de ampliación

Apropiadas para los alumnos que pueden avanzar con rapidez y que pueden profundizar en los contenidos de la unidad mediante un trabajo más autónomo.

Los alumnos resolverán actividades relacionadas con:

- Experimentos aleatorios.
- Sucesos. Espacio muestral.
- Operaciones con sucesos.
- Regla de Laplace.
- Problemas con probabilidades.

1) De los siguientes experimentos, indica si son aleatorios o deterministas:

   a) Contar el número de palabras de una página de un libro que empiezan por vocal.

b) Contar el número de palabras de una página de un libro, elegida al azar, que empiezan por vocal.

c) Medir la longitud de una circunferencia de 5 cm de radio.

d) Anotar el color del pelo de la próxima persona que suba al autobús.

e) Predecir el número de goles que se marcarán en un partido de fútbol.

2) Utiliza un diagrama de árbol para describir el espacio muestral de los siguientes experimentos aleatorios:

a) Extraemos dos cartas de la baraja española y se anotan sus palos.

b) Se lanza una moneda: si sale cara se lanza un dado, y si sale cruz se extrae una bola de una bolsa que contiene bolas numeradas del 1 al 8.

c) Se lanza un dado: si sale múltiplo de tres se lanza una moneda y se anota cara o cruz; si no se extrae una bola de una bolsa que contiene bolas azules y rojas.

d) Lanzamos cuatro monedas y se anotan los resultados de cara y cruz.

e) Se lanza un dado, y si sale un número impar se lanza una moneda y se anota el resultado.

f) Extraemos dos bolas de una bolsa con bolas numeradas del 1 al 5.

3) Extraemos una carta de la baraja española. Escribe los siguientes sucesos en términos de uniones e intersecciones:

a) Salir bastos o copas.

   b) Salir figura de oros.

   c) Salir as o espadas.

   d) Salir rey de bastos.

4) En una bolsa hay un número indeterminado de bolas numeradas
   del 1 al 5. Se repite 5.000 veces el experimento de extraer una
   bola, anotar el resultado y devolverla a la bolsa. Las frecuencias se
   muestran en la tabla:

Número	1	2	3	4	5
f_i	950	1.200	900	1.100	850

   a) Calcular la probabilidad de obtener múltiplo de 2.

   b) Si en la bolsa hay 1.000 bolas, ¿cuántas son de cada clase?
       Justifica tu respuesta.

5) Define un suceso seguro y otro imposible para cada uno de los
   siguientes experimentos:

   a) Lanzar un dado con las caras numeradas del 1 al 6.

   b) Lanzar dos monedas.

   c) Extraer una bola de una bolsa que contiene bolas numeradas
       del 1 al 4.

   d) Lanzar dos dados y sumar los puntos obtenidos.

6) Lanzamos dos dados y sumamos los puntos obtenidos. Calcula la
   probabilidad de obtener:

   a) Suma 2   b) Suma mayor que 2.

   c) Suma 7.   d) Suma distinta de 7.

   e) Suma menor que 12.   f) Suma mayor que 1.

7) María usa gorro, bufanda y guantes de lana. En su armario tiene tres juegos completos de colores diferentes: amarillo, verde y beis. Si elige al azar un gorro, una bufanda y unos guantes, ¿de cuántas formas se puede vestir?

8) En un sorteo se han hecho 10.000 papeletas. Si Juan tiene 30 papeletas y María tiene 53, ¿quién tendrá más probabilidades de ganar?

10. EVALUACIÓN

La evaluación de esta unidad se llevará a cabo siguiendo las directrices explicadas en la programación didáctica que la engloba.

Se realizará al comienzo de la unidad, a lo largo del proceso y a su finalización (donde se realizará una prueba escrita).

Los instrumentos que habitualmente se utilizarán para obtener información sobre el progreso de nuestros alumnos serán:

-   La observación diaria.
-   La revisión y corrección de las tareas realizadas por el alumno en casa.
-   Seguimiento del cuaderno del alumno valorando su contenido (apuntes, actividades...),estructura, orden, limpieza y claridad.
-   Intervenciones en la pizarra.
-   Control de faltas y conducta.
-   Realización de una prueba individual escrita al finalizar la unidad.

Para determinar las calificaciones de nuestros alumnos, se aplicarán los criterios de calificación reflejados en la programación, a saber:

a) Pruebas escritas. Supone el 60 % de la nota final.
b) Cuaderno de clase del alumno, trabajo diario e intervenciones en la pizarra. Su valoración es un 20 % de la nota final.
c) Puntualidad, comportamiento, interés y participación. A este apartado se le aplica el 20 % restante de la nota final.

Por último, hay que indicar que también se evaluará nuestra <u>práctica docente</u>, valorando, después de la experiencia, el nivel de adecuación de la unidad a los objetivos propuestos inicialmente, para proponernos posibles modificaciones.

Esta evaluación considerará los siguientes aspectos:

- Sesiones programadas y sesiones empleadas.
- Metodología aplicada.
- Adecuación de los recursos utilizados y de las actividades desarrolladas.
- Objetivos propuestos y objetivos conseguidos.
- Resultados académicos de nuestros alumnos.

11. TEMAS TRANSVERSALES Y EDUCACIÓN EN VALORES

El azar, a pesar de la creencia popular, está sometido a leyes y regularidades que es posible conocer. Con los conocimientos matemáticos apropiados podemos entender, valorar y estudiar muchos fenómenos relacionados con los temas transversales y la educación en valores.

Dado el perfil de las actividades de la unidad, la educación del consumidor y la educación para la salud, son quizás los temas transversales más tratados, ya que la mayor parte de los ejercicios y problemas hacen referencia a planteamientos y situaciones relacionadas con los juegos de azar. A la vista de ellos, podemos reflexionar sobre dicho fenómeno, afrontando de manera crítica y responsable la presencia de los juegos de azar en nuestra sociedad, tomando conciencia de las escasas posibilidades de ganar que tenemos en casi todos ellos. Además también se puede entablar un debate sobre la ludopatía, caracterizándola como una enfermedad que provoca trastornos de carácter psicológico, emocional y social.

Así también, la realización en grupo de diferentes actividades debe servir para llamar la atención de los alumnos sobre la importancia de respetar a sus compañeros y valorar el trabajo en equipo (educación para la convivencia).

Valores: Salud. Responsabilidad. Justicia (sentido de la justicia en las actividades relacionadas con el azar).

BIBLIOGRAFÍA

1. Decreto 112/2007, de 20 de julio, del Consell, por el que se establece el currículum de la Educación Secundaria Obligatoria en la Comunidad Valenciana.

2. José Colera e Ignacio Gaztelu. *Educación Secundaria. Matemáticas 1. En tus manos.* Grupo Anaya. S.A. 2003. Madrid.

3. L. Rico (coord.). *La educación matemática en la enseñanza secundaria.* Editorial ICE-Universidad de Barcelona-Horsori. 1997. Barcelona

4, Ley Orgánica 2/2006, de 3 de mayo, de Educación.

5. M.ª Dolores Álvarez, Ana Yolanda Miranda, Susana Parra, Raquel Redondo, Teresa Santos. *Matemáticas 2.º ESO. Serie práctica.* Editorial Santillana, S.L. 2007. Madrid.

6. Proyecto Descartes: http://recursostic.educacion.es/descartes/web/

7. Real Decreto 1631/2006, de 29 de diciembre, por el que se establecen las enseñanzas mínimas.